Chris Mooney

# DE GEHEIME VRIEND

the house of books

*Oorspronkelijke titel*
The Secret Friend
*Uitgave*
Penguin Books, Londen


*Vertaling*
Wil van der Terp
*Omslagontwerp en artwork*
Hesseling Design, Ede
*Foto auteur*

*Opmaak binnenwerk*
ZetSpiegel, Best

ISBN 978 90 443 2281 1
D/2009/8899/55
NUR 332

www.thehouseofbooks.com

Voor Pam Bernstein,
mentor en kameraad.
Je bent uniek.

# 1

Darby McCormick had net de laatste, met bloed bevlekte kledingstukken in de droogkast gehangen toen ze haar naam uit een van de luidsprekers hoorde klinken. Leland Pratt, het hoofd van het laboratorium, wilde haar onmiddellijk in zijn kantoor spreken.

Dus stroopte Darby haar latex handschoenen af, trok haar labjas uit en liep naar de spoelbak van het serologisch laboratorium. Terwijl ze haar handen boende, wierp ze een blik in de spiegel. Onder haar make-up was het dunne, gekartelde litteken, dat over haar linkerwang tot onder haar haarlijn doorliep, nauwelijks te zien. De plastisch chirurgen hadden, gezien de ravage die Travelers bijl had aangericht, een knap stukje werk verricht. Ze trok het elastiek los dat haar paardenstaart bijeenhield, liet haar donkerrode haar los over haar schouders vallen, droogde haar handen af en verliet het vertrek.

Achter Lelands bureau, onberispelijk gekleed in een strak, zwart mantelpakje, stond een slanke vrouw in een telefoon te praten – Christina Chadzynski, commissaris van politie in Boston.

De vrouw legde haar hand over het mondstuk van de hoorn.

'Sorry,' verontschuldigde Darby zich, 'ik zoek Leland. Hij heeft me opgepiept.'

'Weet ik. Kom binnen en doe de deur achter je dicht.' De commissaris vervolgde haar telefoongesprek.

Christina Chadzynski was de eerste vrouw die de positie van commissaris bekleedde – de hoogste rang binnen de gemeentepolitie van Boston. Vanaf het moment dat haar naam rondging als mogelijke kandidaat, hadden de nieuwsmedia van Boston haar ingehaald als 'Bostons grote hoop' om een brug te bouwen tussen de politie van Boston en de vertegenwoordigers van de bevolking in criminele stadswijken als Roxbury, Mattapan, en Dorchester, waar ze was geboren en opgegroeid. Nu, drie jaar na haar benoeming, was het aantal moorden in Boston hoger dan het in tientallen jaren was geweest. Politici hadden besloten Chadzynski te slachtofferen, en de media hadden bloed geroken. Krantencolumnisten en andere zogenaamde media-experts eisten haar ontslag, want volgens hen had ze gefaald en sinds haar huwelijk met Paul Chadzynski – voormalig bankier en zeer invloedrijk binnen politieke kringen in Boston – ontbrak haar de motivatie bij haar werk en voelde ze zich niet langer betrokken bij het wel en wee van de gewone man. Geruchten deden de ronde dat Chadzynski van plan was zich verkiesbaar te stellen als burgemeester.

'Ik moet ophangen,' zei Chadzynski, waarna ze het gesprek beëindigde en naar een paar spartaanse stoelen voor het standaardbureau van Leland gebaarde.

'Mevrouw McCormick, kent u de CSU?'

Darby knikte. De pas gevormde Crime Scene Investigative Unit was een gespecialiseerd team, samengesteld uit de beste rechercheurs en forensische onderzoekers bij de politie van Boston, dat zich met de moorden, verkrachtingen en andere geweldsmisdrijven in de stad bezighielden. Aanstelling bij het team gebeurde door de commissaris persoonlijk. Darby had ooit zelf als forensisch medewerkster bij het team gesolliciteerd, maar ze was niet voor een gesprek opgeroepen.

'Emma Hale,' zei Chadzynski terwijl ze een dossiermap opensloeg. 'Ik neem aan dat je weet wie ze is.'

'Ik heb de zaak via de kranten gevolgd.' In maart vorig jaar was de eerstejaarsstudente van Harvard verdwenen na afloop van een feestje bij een vriendin. Acht maanden later, in november, in de week voor Thanksgiving, spoelde haar met water doordrenkte lichaam ergens op de oever van de Charles River bij Charlestown aan, op een plek die door de plaatselijke bevolking 'The Oilies' wordt genoemd. Emma Hale was in haar achterhoofd geschoten.

'Kennelijk heeft ballistiek de kogel niet met een vorig misdrijf in verband kunnen brengen,' zei Darby.

'We hebben geen match kunnen vinden.' Chadzynski zette haar leesbril met designmontuur op. Ze moest in haar kapsel, make-up, kleding en sieraden een klein vermogen hebben geïnvesteerd – alleen al de diamant in haar ring was minstens drie karaats.

'Toen Emma Hale werd vermist,' zei Chadzynski, 'hield de CSU aanvankelijk rekening met de mogelijkheid van ontvoering, aangezien haar vader, Jonathan Hale, een zeer rijk man is. Maar toen verdween afgelopen december weer een studente.'

'Judith Chen.'

'Ken je de toedracht?'

'Volgens de kranten verdween ze op weg naar huis van de campusbibliotheek.'

'De CSU onderzoekt mogelijke aanknopingspunten.'

'Zijn die er?'

'Ze waren allebei student. Dat is de enige overeenkomst. De kogel die we uit het hoofd van Emma Hale hebben gehaald kan met geen enkele andere zaak in verband worden gebracht en de lange tijd die ze in het water heeft gelegen, heeft elk bewijs weggespoeld. Het enige bewijs dat we hebben is een religieus beeldje. Dat móet je in de krant hebben gelezen.'

Darby knikte. Zowel de *Globe* als de *Herald* had een anonieme politiebron geciteerd die verklaard had dat in de zak van het slachtoffer een 'religieus' beeldje was aangetroffen.

'Heb je iets over het beeldje gehoord?' vroeg Chadzynski.

'Op het lab wordt gezegd dat het om een Mariabeeldje gaat.'

'Klopt. Wat heb je nog meer gehoord?'

'Dat het beeldje was ingenaaid in de jaszak van Emma Hale.'

'Precies.'

'Is er iets bekend bij het NCIC?' vroeg Darby. Het National Crime Information Center was de landelijke databank van de FBI, waarin alle bekende gegevens van zowel opgeloste als onopgeloste zaken betreffende moord, vermiste personen, gezochte criminelen en gestolen goederen waren op geslagen.

'Het NCIC had niets over moorden waarbij in de zak van het slachtoffer een Mariabeeldje was ingenaaid,' antwoordde Chadzynski.

'Hebt u gesproken met de betrokken profielschetser?'

'Dat hebben we.' Chadzynski liet zich achterover in haar stoel zakken en sloeg haar benen over elkaar. 'Leland vertelde me dat je recentelijk aan Harvard bent afgestudeerd in criminologie.'

'Dat klopt.'

'En dat je een studie hebt gevolgd bij de Investigative Support Unit van de FBI.'

'Ik heb wat colleges bijgewoond.'

'Waarom denk je dat de moordenaar – aangenomen dat het een man is – de tijd heeft genomen dat beeldje in de zak van een dode vrouw te naaien?'

'Ik neem aan dat de profiler zijn theorieën uitgebreid met u besproken heeft.'

'Dat heeft hij. Maar ik zou graag jouw mening willen horen.'

Kennelijk heeft de Maagd Maria een bijzondere betekenis voor hem.'

'Dat lijkt me wel duidelijk,' antwoordde Chadzynski. 'En verder?'

'Ze is het oersymbool van de liefhebbende, zorgzame moeder.'

'Wil je me vertellen dat deze man een moederskindje is?'

'Welke man is dat uiteindelijk niet?'

Chadzynski liet een vermoeid lachje horen.

'In zeker opzicht gaf deze man om haar,' zei Darby. 'Emma Hale werd maanden in leven gehouden. Toen haar lichaam werd gevonden, droeg ze dezelfde kleren als die avond dat ze verdween. En ze was in haar achterhoofd geschoten.'

'Acht je dat van belang?'

'Het kan betekenen dat hij haar niet durfde aankijken, dat hij iets van schaamte of spijt voelde om haar te moeten doden.'

De tijd die Chadzynski haar aanstaarde leek een eeuwigheid te duren.

'Darby, ik zou graag zien dat je bij de CSU kwam. Je kunt zelf de mensen van het lab uitkiezen die je denkt nodig te hebben. En gezien je forensische verantwoordelijkheden, wil ik dat je de tweede man van het team wordt en samenwerkt met Tim Bryson. Heb je hem ooit ontmoet?'

'Vluchtig,' antwoordde Darby. Afgezien van het feit dat hij ooit getrouwd was geweest en dat zijn dochtertje aan een zeldzame vorm van leukemie was overleden, wist ze verder niets van de man. Hij leefde zeer teruggetrokken en beperkte de omgang met zijn collega's strikt tot zijn werk. Volgens andere agenten ging hij helemaal in zijn werk op, een eigenschap die ze zeer bewonderde.

'Dit is een gewéldige kans,' zei Chadzynski. 'In de geschiedenis van het bureau zul je de eerste forensische technicus zijn die leiding geeft bij het onderzoek.'

'Ja, dat besef ik.'

'Waarom bespeur ik dan enige aarzeling?'

‘Als u dit écht zo ziet, waarom heeft u dan mijn sollicitatie afgewezen?’

‘Na je... confrontatie met Traveler heb je de geestelijke bijstand die het bureau je aanbood geweigerd.’

‘Ik zag het nut er niet zo van in.’

‘Waarom?’

Darby vouwde haar handen in haar schoot en zweeg.

‘Je hebt een traumatische ervaring gehad,’ zei Chadzynski. ‘Sommige mensen denken...’

‘Met alle respect, commissaris, maar wat andere mensen denken interesseert me niet zoveel.’

Chadzynski glimlachte beleefd. ‘Je hebt Traveler gepakt. Hij werd al dertig jaar gezocht. De beste profilers van de FBI konden hem niet vinden, maar jij wel. Ik kan je ervaring hier goed gebruiken.’

‘Ik wil over alle informatie kunnen beschikken – moorddossiers, autopsierapporten en foto’s.’

‘Tim zorgt ervoor dat je vandaag nog van alles een kopie krijgt.’

‘Hebt u dit met hem besproken?’

‘Dat heb ik. Zijn ego is een beetje gedeukt, maar daar komt hij wel overheen. Je weet hoe mannen zijn,’ antwoordde Chadzynski, nu met een samenzweerderig lachje. ‘Overigens kan het volgens mij geen kwaad als het weinige bewijs dat we van beide zaken hebben met een frisse blik wordt bekeken. Wie zou je van het lab willen meenemen?’

‘Coop en Keith Woodbury.’

‘Coop... Bedoel je Jackson Cooper, je collega?’

‘Ja.’ Jackson Cooper, op het bureau bekend als Coop, was, naast Darby’s vriend, ook degene die na de dood van haar moeder het dichtst bij haar stond. ‘Coop was betrokken bij de zaak-Traveler. Ik zou zijn hulp goed kunnen gebruiken.’

‘Die meneer Woodbury ken ik niet.’

‘Keith werkt hier pas een paar maanden – hij is onze nieuwe forensisch chemicus.’ Darby had bij een recent schietincident met hem samengewerkt. Woodbury werkte grondig en hij was zonder twijfel een van de knapste koppen die ze ooit had ontmoet.

‘Waarom laat je ze niet even komen, dan kan ik ze meteen verwelkomen bij het team.’

'Coop heeft vandaag vrij en Keith is naar een symposium in Washington.'
'In dat geval mag jij het goede nieuws overbrengen.' Chadzynski schreef met een gouden vulpen iets op de achterkant van een visitekaartje.
'Misschien heb ik nog wat extra labspullen nodig,' zei Darby.
'Die krijg je. Ik heb de zaak met Leland besproken. Hij staat volledig achter je.'
Chadzynski schoof het kaartje over het bureau naar Darby toe. 'Het bovenste nummer is van mijn mobiele telefoon. De nummers daaronder zijn van Tim. Hij verwacht een telefoontje van je. Heb je verder nog vragen?'
'Op dit moment niet.'
'Dan zal ik je niet verder ophouden.' De commissaris pakte de telefoon op en begon een nummer te kiezen.

# 2

Darby sprak een boodschap in op de voicemail van Coop en Keith Woodbury. Tim Bryson nam op geen van zijn nummers op. Ze liet op zijn mobiele nummer een bericht achter waarbij ze hem vroeg haar terug te bellen en ging toen het forensisch dossier van Emma Hale ophalen. Uit de kast met bewijsmateriaal haalde ze de kleren van Emma Hale en droeg de verzegelde zakken naar de achterste werktafels van serologie, waar ze genoeg ruimte zou hebben om ze uit te spreiden.

Darby legde het dossier op de werktafel zonder het eerst door te nemen. Ze wilde de kleding eerst zelf onderzoeken om te zien of haar bevindingen overeenkwamen met die van Paula Washow, de forensisch chemicus van de CSU.

De met aangekoekte opgedroogde modder en bloedvlekken besmeurde kleren van Emma Hale waren op diverse plaatsen gerafeld en gescheurd van weken schuren en opbotsen tegen stenen, takken en alle mogelijke afval dat zich langs de oever van de Charles River had verzameld.

Op vellen wit vetvrij papier lagen een Dolce & Gabbana-cocktailjurkje, maat 36; een camel winterjas van Prada en een exemplaar van een paar Jimmy Choo-pumps maat 37 met gebroken naaldhak. Op het zwartzijden slipje met bijpassende beha stond de naam geprint van een luxe lingerieboetiek in Newbury Street – Bostons equivalent van Rodeo Drive in Beverly Hills.

Darby bezat zelf maar één haute-couturecreatie: een sterk afgeprijsd Diane von Furstenberg-jurkje dat ze bij toeval in een rek met koopjes had zien hangen. Dit alles moest Emma Hale een klein kapitaal hebben gekost – alleen al de lingerie kostte een paar honderd dollar.

Het lichaam van de studente van Harvard werd door een nietaangelijnde pitbull onder een vijf centimeter dikke bevroren sneeuwlaag ontdekt. Hale werd naar het mortuarium gebracht en daar gefotografeerd. Darby bestudeerde de foto's.

De ceintuur van Hales jas was om haar middel geknoopt. Een van haar schoenen ontbrak, de andere bungelde aan een riempje om haar enkel. Darby merkte op dat noch haar handen noch haar voeten waren gebonden.

Op het rugpand van de jas waren – vervaagd door de lange tijd die Emma Hale in het water had gelegen – vlekken van verdroogd bloed zichtbaar op de plaatsen waar de stof het bloed had geabsorbeerd. Uit de vorm ervan kon worden afgeleid dat Emma, nadat ze in haar achterhoofd was geschoten, enige tijd op haar rug moest hebben gelegen, waarbij het bloed op haar jas en haar jurk was gesijpeld. De streperige veegpatronen wezen erop dat ze was verplaatst.

Was Emma toen ze werd neergeschoten gewoon op haar rug gevallen, of had haar moordenaar haar omgedraaid om haar eerst te laten uitbloeden voordat hij haar verplaatste? Zonder de analysemogelijkheid van de plaats delict of de mogelijkheid om een bloedspattenpatroon te interpreteren, was dat gewoon onmogelijk te bepalen. Emma kon vlak bij, ja zelfs óp de plek waar ze was gedumpt zijn omgebracht, maar ze kon ook ergens anders zijn vermoord, om daarna te zijn verplaatst naar de plek waar ze in het water was gegooid.

Aangenomen dat Emma buiten was neergeschoten, hoe was het haar kidnapper dan gelukt om haar rustig te houden? Had hij haar gezegd dat ze naar huis mocht en Emma haar oude kleren laten aantrekken, zodat ze zich meer op haar gemak zou voelen? Misschien dat ze hem op zijn woord had geloofd. Had hij haar geblinddoekt? Als hij Emma niet had gekneveld, dan had ze misschien gegild, en als ze niet geboeid was geweest dan had ze misschien geprobeerd te vluchten. Iemand had het schot kunnen horen en de politie kunnen waarschuwen. Als Emma ergens buiten op een openbare plek was vermoord en daarna bijvoorbeeld van een brug was geduwd of gerold, dan zou dat bloedsporen hebben achtergelaten. Iemand zou die kunnen vinden en besluiten de politie te waarschuwen.

En wanneer had haar moordenaar het beeldje in de zak van haar jurk genaaid? Leefde ze toen nog of deed hij het pas toen ze dood was? Zou hij de tijd hebben genomen om het buiten te doen, waar hij kon worden gezien? Waarschijnlijk niet.

Het leek logischer dat Emma Hale was gedood op de plek waar ze meerdere maanden gevangen was gehouden, waar haar ontvoerder ongestoord zijn gang had kunnen gaan. Toen ze dood was, had hij op zijn gemak het beeldje in de zak van haar jurk kunnen naaien, haar laten leegbloeden om haar dan met zijn auto naar de plek te vervoeren waar hij haar had gedumpt. Darby vroeg zich af of hij Emma's lichaam misschien in zoiets als een plastic dekzeil had gewikkeld.

Darby pakte haar eigen set foto's en begon, speurend naar eventueel over het hoofd geziene aanwijzingen, met behulp van de lichtloep het textielweefsel aan een nauwgezet onderzoek te onderwerpen. In het weefsel waren kleine, scherp uitgesneden vierkantjes zichtbaar – de plaatsen waar Washow bloedmonsters had genomen om het DNA te bepalen.

Al werkend dwaalden haar gedachten af naar de ouders van Judith Chen. Overgevlogen uit Pennsylvania, hadden ze, voortdurend belaagd door de Bostonse media, de afgelopen drie maanden in een sjofel hotel bij de telefoon zitten wachten op nieuws over hun jongste dochter.

Nadat Darby om even voor halftwaalf haar eerste onderzoek had afgerond, richtte ze haar aandacht op de kleding, waarbij ze met diverse soorten licht onder een stereomicroscoop de bloedsporen en tranen bekeek. Ze vond geen andere sporen – geen vezels, draden, haren, glas of andere lichaamssappen.

Uit de laatste zak met bewijsmateriaal haalde ze het twaalf centimeter grote keramische beeldje van de Maagd Maria. De Heilige Moeder, gekleed in een blauwe mantel, was uitgebeeld in de klassieke houding die Darby zich herinnerde uit de kerk en catechismusboeken – haar handen liefdevol uitgestrekt, met haar hoofd iets gebogen omlaagkijkend met een gelaatsuitdrukking van eeuwige droefenis.

De man die Emma had doodgeschoten had ditzelfde beeldje in zijn handen gehad. Hij had het in haar zak gestopt en die toen dichtgenaaid, kennelijk om er zeker van te zijn dat het bij haar zou blijven. Waarom? Wat was de betekenis van het beeldje en waarom was het zo belangrijk dat het na Emma's dood bij haar bleef?

Tijdens de lunch nam Darby het forensisch rapport van Washow door. Er was op de kleding geen enkel bewijs aangetroffen, wat niet zo verwonderlijk was. Dat was bij opgedregde lichamen altijd het probleem. Door het lange verblijf in het water waren alle eventuele sporen weggewassen.

De kleding was met luminol behandeld om de vervaagde bloedvlekken zichtbaar te maken, en de genomen bloedmonsters kwamen overeen met het DNA-profiel van Emma Hale. Onderzoek wees uit dat op het garen waarmee het beeldje was ingenaaid geen bloed had gezeten.

Op het beeldje waren geen bloedsporen of vingerafdrukken gevonden. Het ondergoed was besproeid met een chemische vloeistof om eventuele spermasporen zichtbaar te maken. Niets. Er was geen onbekend schaamhaar aangetroffen, en vaginale en anale monsters hadden geen enkel DNA-bewijs opgeleverd.

In de voet van het beeldje stonden de woorden 'Onze Moeder van Smarten' gestanst – een in 1910 gestichte liefdadigheidsinstelling die de baten uit de verkoop van religieuze beeldjes, rozenkransen en religieuze wenskaarten aanwendde om de honger in de wereld te bestrijden. De instelling was in 1946 opgeheven. De reden werd niet vermeld. Het beeldje was gemaakt bij de Wellington Company, vlak bij Charlestown, North Carolina. Dit specifieke Mariabeeldje was in 1944 voor het laatst geproduceerd. Het bedrijf was in 1958 failliet gegaan en aangezien de beeldjes daarna niet meer werden geproduceerd, was er geen mogelijkheid om de herkomst ervan te achterhalen.

Aangezien Washow in de veronderstelling verkeerde dat het beeldje als verzamelobject mogelijk enige waarde kon hebben, had ze bij diverse in religieuze zaken gespecialiseerde antiquairs in Boston uitgebreid navraag gedaan, maar het Mariabeeldje bleek gewoon een waardeloos prul.

Staande in haar kantoor dacht Darby na over de lingerie. Had Emma Hale een vriendje gehad, of had ze die avond een afspraakje met iemand anders?

En waar was haar tasje gebleven? Had haar moordenaar het ergens weggegooid of had hij het als souvenir bewaard? Vragen die Darby bezighielden terwijl ze het lab uitliep en op weg ging naar een afspraak.

# 3

Moon Island in Quincy Bay, een terrein dat ooit plaats bood aan een waterzuiveringsinstallatie, was nu eigendom van de stad Boston. Afgezien van als schietbaan, werd het negentien hectare grote stuk land gebruikt voor het onschadelijk maken van bommen en als oefenterrein voor het Bostonse brandweerkorps.

Moon Island was niet toegankelijk voor het gewone publiek. De weg erheen werd versperd door een metalen toegangspoort.

Onder een koude, grijze lucht stond Darby samen met zes rekruten van de politieacademie op de open schietbaan. Ze droegen allemaal dezelfde donkerblauwe honkbalpet, hetzelfde zwarte jack met een felblauwe streep over de mouw, een veiligheidsbril en oorbeschermers.

De rekruten, allemaal mannen, waren aan het oefenen met een Ruger .38 special. Darby, die op de schietbaan haar schietvaardigheid al had bewezen en voor alle standaardwapens over een licentie beschikte, gebruikte haar eigen wapen, een 9mm SIG P-229 met .40 S&W-patronen. Ze had voor dit handwapen gekozen vanwege zijn relatieve compactheid en handelbaarheid. Wel moest ze nog steeds wennen aan de harde terugslag.

Steve Gautieri, de wapeninstructeur, demonstreerde de klassieke weverpositie, een schiethouding waarbij de schutter iets voorovergebogen staat – als een bokser – in spreidstand, met een been naar voren. Een houding, zo legde Gautieri uit, die de sleutel vormde tot succes. Als de benen van de schutter naast elkaar stonden, dan zou deze te hoog of te laag schieten.

Darby had deze houding voor zichzelf geperfectioneerd. Ze spreidde haar benen verder uit elkaar – bijna in een V-vorm – en bracht haar schouders iets verder naar voren dan de mannelijke rekruten. Ook had ze een andere greep ontwikkeld. In plaats van met de vingers van haar vrije linkerhand de greep rond de handgreep van het vuurwapen te verstevigen, drukte ze vlak voor het vuren de vuist van haar linkerhand stevig tegen de handgreep, iets wat haar accuratesse enorm had helpen verbeteren.

De doelen stonden klaar. Darby herinnerde zichzelf eraan niet aan de trekker te rukken maar voorzichtig over te halen.

De bel klonk. Terwijl Darby het pistool afvuurde, flitsten beelden van Travelers gruwelkelder door haar hoofd – de menselijke beenderen op de vloer en het opgedroogde bloed op de muren; de nachtmerrieachtige doolhof van doodlopende houten gangen met geopende en afgesloten deuren; vrouwen gillend om hulp, smekend, snikkend, stervend. Elk beeld, elk geluid, elke textuur kon ze zich nog vlijmscherp herinneren.

Darby vuurde haar laatste schot af. Met pijnlijke spieren in haar onderarmen richtte ze zich op. Ze voelde een vreemd soort voldoening, alsof ze net een langeafstandsloop met bevredigend resultaat had volbracht. De rekruut naast haar – een lange, forse vent – staarde haar aan terwijl de wapeninstructeur de resultaten controleerde. Uit de donkerder geworden lucht was het licht gaan sneeuwen. Sneeuwvlokjes dwarrelden in de wind.

'Kijk maar eens goed naar deze resultaten, jongens,' zei Gautieri terwijl hij de papieren schietschijf omhoogstak. 'Zien jullie dat mooie gelijkmatige patroon precies in het midden? Dat is van Darby McCormick, het meisje daar aan de zijkant. Prima werk, Darby. Benieuwd waarom ze beter is dan jullie? Omdat ze goed staat en ze weet dat ze de trekker niet met een ruk maar gelijkmatig moet overhalen. Ingerukt. Darby, ik wil je nog even spreken.'

'Wat voor munitie gebruik je?' vroeg Gautieri toen alle rekruten waren vertrokken.

'Triton .40 S&W, 135 grain,' antwoordde Darby. 'Deze stopkogel heeft een effectiviteit van ongeveer zesennegentig procent.'

'Over vuurkracht gesproken.'

'Hij wordt door veel bureaus gebruikt.'

'Kwaad op iemand die ik ken?' vroeg Gautieri grinnikend, opnieuw naar de papieren doelschijf starend.

Met de lucht van cordiet nog in haar kleren liep Darby naar de parkeerplaats, waar Jackson Cooper, haar collega van het lab, haar leunend tegen haar zwarte Mustang stond op te wachten.

Afgezien van zijn korte, blonde haar leek Coop als twee druppels water op Tom Brady, de quarterback van de New England Patriots. Coop droeg een spijkerbroek en een zwart North Facefleecejack. Hij trok net de klep van zijn Red Sox-honkbalpet recht toen Darby naar hem toe liep.

'Wat doe jíj hier?' vroeg Darby. 'Ik dacht dat je vandaag vrij had.'

'Klopt. Ik heb de dag samen met Rodeo doorgebracht.'

'Rodeo?'

'Ja, zo heet mijn vriendin. Ik heb je boodschap gekregen over je onderhoud met de commissaris. Ik heb geprobeerd je terug te bellen, maar je nam niet op.'

'Ik had mijn toestel afgezet.'

'Toen heb ik het laboratorium gebeld. Leland vertelde dat je hier was, dus besloot ik even langs te gaan. Ook vroeg hij me je te zeggen dat de dossiers waar je om gevraagd hebt op het lab zijn bezorgd. Praat me even bij over wat er aan de hand is.'

De volgende twintig minuten vertelde Darby hem over haar gesprek met Chadzynski en over haar onderzoek van Emma Hales kleding.

'En wat wil je nu dat ik doe?' vroeg Coop toen ze was uitgesproken.

'Ik zou graag willen dat je morgenochtend dat beeldje eens goed bekijkt om te controleren of we iets over het hoofd hebben gezien.'

'Ik doe het nu meteen wel.'

'Moet je dan niet terug naar eh... Rodeo?'

'Nee. Ik moest een noodsituatie verzinnen om bij haar weg te komen.'

'Hoe heb je dat klaargespeeld?'

'Ik heb haar telefoon gebruikt om mezelf op te piepen en toen tegen haar gezegd dat ik dringend naar een plaats delict moest,' antwoordde Coop grijnzend, ingenomen met zijn eigen slimheid. 'Ik heb het met haar wel gehad. Het wordt niets tussen ons met al dat cultuurgedoe van haar. Gisteravond liet ze me nog naar *Bareback Mountain* kijken.'

'Volgens mij bedoel je *Brokeback Mountain.*'

'Nou, gezien wat die twee knapen daar in de bergen deden, had het volgens mij toch goed,' antwoordde Coop. 'Bare-back: bloot achterste. Heb je Bryson al gesproken?'

'Ik heb een boodschap achtergelaten, maar hij heeft niet teruggebeld.'

Darby pakte haar autosleutels. 'Ken je Tim?'

'Kent *iemand* Tim?'

'Wat bedoel je?'

'Je weet precies wat ik bedoel. Bryson is een echte eenling. Je kent zijn partner?'

'Cliff Watts.'

Coop knikte. 'Cliffy werkt nu bijna tien jaar met Bryson samen en hij weet nog steeds niets over de man. Hij is nog nooit bij hem thuis geweest of een biertje met hem gaan drinken. Cliffy is een solide vent. Woody was trouwens een prima keuze.'

'Wat is dat toch met mannen en bijnamen?'

'Het is onze manier om genegenheid te tonen, Sproetje,' zei Coop, zichzelf afduwend van de Mustang. 'We moesten er maar eens vandoor gaan. De jongens van het weer voorspellen noordoostenwind. Ze verwachten een halve meter sneeuw.'

'Ik geloof het pas als ik het zie. Voor afgelopen maandag hadden ze dertig centimeter voorspeld en toen ik wakker werd waren het er nauwelijks vijf.'

'Ik durf te wedden dat het niet de eerste keer was dat jij in vijf centimeter sneeuw bent wakker geworden.'

'Moet jij nodig zeggen. Weet je vorige maand nog, toen je bij mij op de bank buiten westen ging? Toen ik je daar zo in je boxershort zag liggen, bedacht ik dat er toch erg veel waarheid in die Ierse vloek schuilt.'

'Erg grappig. Ik zie je straks op het lab.'

Darby ging achter het stuur zitten, startte de motor en zette haar telefoon aan. Er was een boodschap voor haar. Bryson had gereageerd op haar boodschap. Hij zei dat het dringend was. Ze toetste zijn nummer in.

'Bryson.'

'Tim, met Darby McCormick. Ik heb net je boodschap gehoord. Ik ben onderweg naar het lab, maar ik vroeg me af of we ergens kunnen afspreken om wat te praten.'

'Er is een lichaam opgedregd uit de Boston Harbor, achter het Moakley-gerechtsgebouw.'

'Is het Judith Chen?'
'Aan de kleding te oordelen wel,' antwoordde Bryson. 'Ik ben onderweg naar het mortuarium. Daar kunnen we praten.'

# 4

Om halfzes in de middag stond Hannah Givens onder het afdak van Macy's warenhuis in Downtown Crossing, Boston, op de bus te wachten. De lichte sneeuw van eerder die dag had plaatsgemaakt voor zware sneeuwbuien, en ze wenste dat ze een bus eerder had genomen in plaats van over te werken op de delicatessenafdeling en te helpen bij het schoonmaken en het prepareren van het ontbijt voor de komende weekenddrukte van morgenochtend. Als de stad tenminste bereikbaar was – het weerbericht voorspelde tientallen centimeters sneeuw.

Hannah stak haar handen diep weg in haar donsgevoerde parka en staarde naar de felverlichte etalages van Macy's waarin etalagepoppen met perfecte figuurtjes lentejurkjes toonden. Haar blik werd getrokken door een schitterend zwart cocktailjurkje met een gewaagde maar elegante split opzij. Het lentebal van de Northeastern University was al over drie weken en ze was nog door niemand gevraagd.

Eigenlijk voelde ze zich opgelucht. Zelfs áls iemand haar vroeg, dan nog kon ze zich geen nieuwe jurk veroorloven zonder een paar keer overwerken op de delicatessenafdeling plus een flinke aderlating van haar huishoudgeld voor de komende twee maanden. En het idee om elke dag als ontbijt, lunch en avondeten Raman-bamisoep te moeten eten lokte haar niet erg aan. Trouwens, die jurkjes zouden haar helemaal niet passen. Zo slank zou ze nooit zijn. Niet zoals die meisjes in die modebladen, of deze etalagepoppen, of zelfs als Robin en Terry, haar twee kamergenootjes, die elke ochtend vroeg opstonden om te gaan fitnessen en die niets anders aten dan salades bestrooid met een paar flintertjes geitenkaas.

Hannah wist dat ze er niet echt aantrekkelijk uitzag. Ze was een lange – op hoge hakken bijna een meter tachtig – zwaargebouwde, mollige vrouw met mooi haar en een vriendelijk gezicht. De genen van haar moeder hadden haar weinig boezem geschonken en van haar vader had ze de bleke Ierse huid die in zonlicht onmiddellijk sproeten vormde. Ook had haar Givens-afkomst haar een lui oog opgeleverd dat zichzelf, ondanks al haar moeders geruststellende beloftes, in de loop der jaren niet had gecorrigeerd.

Maar het échte probleem, vermoedde Hannah, was haar karakter. Ze was saai. O, ze was slim en ijverig en goed met boeken. Een echt studiehoofd. Maar wat had ze daar nú aan? Dat was goed voor later, als mannen meer waarde hechtten aan zaken als hersens en een goed salaris. Terwijl Robin en Terry donderdagsavonds in twijfelachtige bars goedkope drankjes dronken en van vrijdag tot zondag alle studentenfeesten afliepen, werkte Hannah alleen maar of ze was aan het studeren. Ze wilde zelf ook wel eens plezier hebben, maar met twee baantjes en een zware studie hield ze nauwelijks vrije tijd over.

Terwijl ze wachtte op de bus, fantaseerde Hannah dat ze vijftien centimeter kleiner en vijftig pond lichter was. Ze droeg het zwarte cocktailjurkje uit de etalage, met daaronder een paar flitsende pumps van Manolo, en Chris Smith, de knappe lacrossespeler uit haar Shakespeareklas escorteerde haar naar het lentebal. Ze zou net Assepoester lijken die naar het bal ging.

Achter haar claxonneerde een auto. Toen Hannah zich omdraaide, zag ze op de hoek van Porter en Summer Street een zwarte BMW tegen de stoeprand staan. Het raampje aan de passagierskant gleed omlaag.

'Hannah? Ben jij het?'

Een mannenstem. Ze kon hem niet thuisbrengen en het was zo donker in de auto dat ze niet kon zien wie er achter het stuur zat.

'Ik zit in de wiskundeklas van professor Johnson,' zei de man. 'Ik zit helemaal achterin.'

Hannah liep naar het geopende raampje. In het blauwige licht van het dashboard kon ze het gezicht van de man onderscheiden.

Er moest hem een soort ongeluk overkomen zijn, een brand of zoiets. Zijn met make-up bedekte gezicht was ernstig verminkt, zijn neus een afzichtelijk stukje verfrommelde huid. Zijn wijd opengesperde linkeroog was beschadigd en had een starre blik.

Hannah deinsde terug van het raampje. Harde windvlagen joegen gordijnen van sneeuw door de straten.

'Neem me niet kwalijk, we zijn nog niet officieel aan elkaar voorgesteld. Ik ben Walter. Walter Smith.'

'Hallo.'

'Al helemaal klaar voor Johnsons tentamen van volgende week?'

'Zodra ik thuis ben ga ik nog wat studeren.'

'Hopelijk sta je niet op de bus te wachten, want vanwege het weer zijn er enorme vertragingen. Ik hoorde het zonet op de radio. Kom, stap in, ik geef je een lift.'

Hannah wilde niets liever dan weg zijn uit de kou, naar huis gaan om zich daar in een lekker warm bad te laten glijden. Ze had een lang weekend van pittige studie voor de boeg en ze was van plan daar vanavond al mee te beginnen, maar het idee om bij deze onbekende in de auto te stappen schrikte haar af.

'Bedankt voor het aanbod,' zei Hannah, 'maar ik wil niet dat je voor mij een stuk omrijdt.'

'Geen probleem. Ik moet toch naar Brighton om daar een vriend te bezoeken,' zei Walter Smith, die al bezig was zijn rugzak en studieboek op de achterbank te leggen.

Hij was niet echt een onbekende. Hij volgde colleges bij professor Johnson. Niet dat ze hem had herkend, maar zo vreemd was dat niet. De wiskundelessen werden in een grote bedompte collegezaal gehouden en er waren ruim over de honderd studenten.

'Je vriest nog dood daarbuiten,' zei Walter Smith. 'Kom, stap in.'

Op het dashboard was een klein beeldje van de Maagd Maria bevestigd. Bij het zien van het beeldje waren al haar bedenkingen verdwenen. Hannah trok het portier open en stapte snel in, blij uit de koude wind weg te zijn.

'Ik woon op Carlton Road 22,' zei Hannah terwijl ze haar veiligheidsriem omdeed. 'Weet je hoe je in Allston moet komen?'

Walter Smith knikte terwijl hij van de stoeprand wegreed. 'Een van mijn vrienden woont daar in de buurt. Trouwens, vind je het erg als ik eerst even bij hem aanwip om hem op te pikken? We komen er toch langs.'

'Nee, natuurlijk niet.'

Sneeuwschuivers van de stadsdienst probeerden de straten en snelwegen sneeuwvrij te maken. Het verkeer vorderde traag.

'En,' vroeg Hannah, 'wat is jouw hoofdvak?'

Walter Smith bleek als hoofdvak computerwetenschappen te

hebben. Hij wilde computerspelletjes gaan ontwerpen en was opgegroeid aan de Westkust, maar hij zei niet waar. Hij vertelde haar dat hij in de historische wijk Back Bay woonde, maar dat hij ernstig overwoog te verhuizen naar een stadsdeel als Brighton of Allston, waar de huren aanmerkelijk lager waren. Toen Hannah hem vroeg wat hij van Northeastern vond, haalde hij zijn schouders op en antwoordde dat hij liever naar het MIT was gegaan maar dat hij zich dat niet kon veroorloven.

Hannah vond het wel een beetje vreemd dat iemand die een BMW en een dure huurwoning in de Back Bay kon betalen, zich geen studielening kon permitteren. Als je naar het MIT kon, waarom dan je tijd en geld verspillen op Northeastern? Maar omdat Hannah niet nieuwsgierig wilde overkomen, vroeg ze het niet.

Tegen de tijd dat ze Storrow Drive hadden bereikt was Walter steeds stiller geworden. Hij deed iets vreemds met zijn tong – hij kauwde er zacht op en verplaatste hem beurtelings van de ene naar de andere kant van zijn mond. Ze probeerde met hem over muziek en films te praten, maar hij leek afwezig. Misschien concentreerde hij zich op de weg. Er lag veel sneeuw en de wegen waren behoorlijk glad. Ze had al diverse aanrijdingen gezien.

Walter nam de afslag naar Allston. Tien minuten later stopte hij bij een klein winkelcentrum met een Radio Shack en twee andere gebouwen die leeg leken te staan. De parkeerplaats was leeg. Hij reed om het gebouw heen en parkeerde voor een laadplatform. Bij verschillende achterdeuren stonden afval en kratten opgehoopt. Er was niemand te zien.

'Dave zal wel binnen wachten,' zei Walter. 'Kijk eens in het dashboardkastje en pak het gele papiertje. Daar staat Daves mobiele nummer op.'

Hannah boog zich voorover en opende het handschoenenkastje. Op dat ogenblik ramde Walter haar gezicht tegen het dashboard.

'Het spijt me,' zei Walter Smith terwijl hij een bandana tegen haar mond en haar neus drukte.

Even dacht Hannah dat hij het bloed probeerde weg te vegen, maar toen rook ze de bittere geur van bedorven fruit. Ze worstelde om weg te komen, maar werd belemmerd door haar veiligheidsriem.

'Ik wilde je geen pijn doen,' zei hij met trillende stem en hij begon te huilen. 'Het spijt me zo.'

Ze greep met beide handen zijn pols beet en probeerde die weg te rukken, maar de greep van Walter Smith was te sterk. Achter in haar keel proefde ze de smaak van bloed – háár bloed – en ze begon te kokhalzen.

Hij huilde nu nog harder. 'Ik zal het goedmaken met je, Hannah, dat beloof ik je. En ik zal je heel gelukkig maken.'

Hannah zakte terug in haar stoel. Ze hoorde het geluid van de ruitenwissers, heen en weer, heen en weer. De Maagd Maria staarde haar met trieste ogen aan, haar armen wijd gespreid, klaar om te troosten.

# 5

Walter Smith ontgrendelde de kofferbak. Hij klikte Hannahs veiligheidsriem los en haastte zich door de natte, dichte sneeuw naar de passagierskant.

Hannah was zwaarder dan Emma en Judith en aanmerkelijk groter.

In plaats van Hannah met zijn armen uit de auto te tillen, pakte Walter haar onder haar oksels en sleepte haar naar de achterkant van de auto. De dekens lagen al klaar.

Walter tilde haar in de kofferbak. Hij veegde de sneeuw van haar gezicht en schoof een kussen onder haar hoofd. Haar neus bloedde licht. Hij hoopte dat hij niet was gebroken.

Uit zijn jaszak haalde hij het zakje met de Ambien-slaappilletjes die hij online in Mexico had besteld en duwde drie ervan diep in haar keel. Hannah kreunde en slikte ze door. Mooi zo. Hij trok haar armen op haar rug en boeide haar polsen. Daarna boeide hij haar enkels. Walter staarde neer op Hannah. Ze had een opvallend vriendelijk en open gezicht. Het was juist dat gezicht geweest dat hem zo had aangetrokken. Hij had haar zien wachten bij de bus en Maria had tot hem gesproken en gezegd dat Hannah Givens 'de uitverkorene' was. En Maria had gelijk. Maria had altijd gelijk.

Walter rolde Hannah op haar zij, zodat het bloed niet in haar keel zou lopen en haar misselijk zou maken. Hij zou ergens onderweg een keer moeten stoppen om te kijken of alles goed met haar was.

Walter schoof een deken onder haar kin, kuste Hannah op haar voorhoofd, sloot het kofferdeksel en stapte weer achter het stuur.

De natte sneeuw kwam nu in vlagen naar beneden. Walter reed langzaam, voorzichtig met beide handen aan het stuur. Er zou vanavond veel politie op de been zijn.

Tijdens het rijden ging Walters blik regelmatig naar het beeldje op zijn dashboard. Maria's stem klonk duidelijk in zijn hoofd. Zijn Heilige Moeder vertelde hem dat alles goed was en dat hij zich nergens zorgen om hoefde te maken.

# 6

De dode vrouw die op de autopsietafel lag leek nauwelijks nog op een vrouw. In feite had ze niets menselijks meer en deed eerder aan een van die wezens uit een oude zwart-witgriezelfilm denken – een angstaanjagend, boosaardig ding dat zich uit een graf naar boven had geklauwd. De tanden waren ontbloot – de lippen, het omringende zachte weefsel en de ogen waren na haar dood door vissen weggevreten. De rest van het lichaam ging schuil onder een blauw laken. Onder haar kin was een witte kaart met een casusnummer geklemd.

Het gezicht was onherkenbaar. Darby vroeg zich af of deze vrouw Judith Chen was.

Een gezette man van Identificatie, de afdeling van het lab die zich uitsluitend met het fotograferen van de plaats delict bezighield, maakte close-upopnamen van het gezwollen gezicht. Coop stond achter hem toe te kijken. De lucht in het kleine, witbetegelde vertrek rook naar een combinatie van ontsmettingsmiddelen en de penetrante metaalachtige geur van de Boston Harbor.

Darby had haar eigen foto's al genomen en terwijl ze wachtte, nam ze het weinige dat ze van deze zaak wist, waarvan nog het meeste uit de kranten kwam, nog eens door.

Tweeënhalve maand geleden, op een woensdagavond in de eerste week van december, was Judith Chen, eerstejaarsstudente aan de Suffolk University van Boston, in de bibliotheek op de campus aan het studeren voor haar chemietentamen. 's Avonds om vijf voor tien had Judith, gekleed in een roze sweatshirt, een roze nylon joggingbroek en Nike-sneakers, besloten het voor gezien te houden, waarna de negentienjarige chemiestudente ergens tussen de bibliotheek en haar huurflatje in Natick was verdwenen.

Nu was het half februari en het lichaam dat op tafel lag droeg dezelfde kleding.

De man van Identificatie gaf haar met een knikje te kennen dat ze haar gang kon gaan. Darby, gekleed in een operatieschort, deed een operatiemasker voor, zette een gezichtsbeschermer op en liep naar het lichaam.

Het roze sweatshirt en de roze joggingbroek van de vrouw waren vochtig en besmeurd met takjes en aangekoekte modder. De voeten, met de sneakers nog dichtgeknoopt, hingen boven een afvoerbak na te druppelen. Tot haar opluchting zag Darby dat Bryson papieren zakken om de handen van de vrouw had gebonden. De rechterzak van de joggingbroek was met hetzelfde zwarte garen dichtgenaaid als bij de zak in Emma Hales jurk was gebruikt. Toen Darby de tailleband een stuk omsloeg, zag ze door de transparante voering van de zak een evenbeeld van het twaalf centimeter lange Mariabeeldje dat ze eerder in het laboratorium in haar handen had gehad.

In het achterhoofd van de vrouw zat een rafelig gat – een pistoolschot van dichtbij afgevuurd. Er was geen uitgangswond. Darby herinnerde zich dat de .22-kogel die in Emma Hales schedel was aangetroffen ook geen uitgangswond had veroorzaakt.

Coop verwijderde de papieren zakken en inspecteerde de handen van de vrouw. De vingers hadden zich gekromd tot klauwen en de huid, wit, week en met vochtige rimpels – ook wel bekend als het wasvrouwensyndroom – begon van het lichaam los te komen. De vingernagels waren felroze gelakt.

'Ze zijn behoorlijk gerimpeld,' zei Coop.

'Hoe gaan we het doen? Met huidversteviger of injecteren we water onder de huid?'

'Aangezien het lichaam de huid al begint af te stoten, lijkt de handschoenmethode me de beste optie. Je handen zijn ongeveer even groot, dus kunnen we haar vingerafdrukken hier nemen.'

Darby nam monsters van steengruis en vingernagels. Toen ze daarmee klaar was, trok Coop de huid van de rechterhand los en deponeerde de 'handschoen' van huid in een schaal met alcohol.

Ze had niets gevonden wat erop wees dat het lichaam verzwaard was geweest. Niet dat het er veel toe deed – uiteindelijk zou zelfs een verzwaard lichaam door de ontbindingsgassen boven komen drijven. Had de moordenaar dat geweten?

Darby knipte de Luma-Lite aan. Ze liet het licht van de draagbare lichtbron over de kleding glijden en ontdekte enkele haren, die ze verzamelde. Na de golflengte van het licht te hebben veranderd, vond ze een paar oplichtende vlekken – bloed of sperma – die ze markeerde, waarna ze de stukjes textiel uitsneed.

Het patroon van de verzadigde bloedvlekken op de rugzijde van het sweatshirt vertoonde een duidelijke overeenkomst met dat op het jasje en de jurk van Emma Hale. Net als Emma Hale had ook deze vrouw voordat ze in de rivier werd gedumpt enige tijd in haar bloed gelegen.

Darby knoopte de veters los en deed de sneakers voorzichtig uit. Rivierwater, zand en gravel vielen in de gootsteen. Ze trok de sokken uit. De teennagels waren in dezelfde felroze kleur gelakt als de vingernagels. Ze deed elk kledingstuk in een apart zakje en bekeek toen het Mariabeeldje onder een handloep. Het had dezelfde kleur en afmetingen. In de voet stond 'Onze Moeder van Smarten' gestanst.

Nadat al het bewijsmateriaal was opgeborgen en verzegeld, richtte Darby haar aandacht op het lichaam. De donkerpaarse aders tekenden zich scherp af tegen de gebleekte witte huid. Darby onderzocht de oppervlakkige schaafwonden. Er kon op geen enkele manier worden bepaald of de verwondingen voor of na het overlijden waren ontstaan. Een gezonken lichaam botst door de stroming op de zeebodem of rivierbedding overal tegenop. Het hoofd slaat tegen stenen of rotsen, en vissen en schaaldieren doen zich te goed aan de zachte delen van het gezicht. Wanneer het lichaam uiteindelijk boven komt drijven is het zo verminkt dat het gezicht, zoals in dit geval, vrijwel onherkenbaar is.

Boven de rechterborst was een maanvormige tatoeage zichtbaar. De kleur werd veroorzaakt door chromogene bacteriën – de *Bacillus prodigiosus* en de *Bacillus violaceum*. Ze drongen de huid binnen en vormden patronen die aan tatoeages deden denken. Op de huid aan de binnenkant van het dijbeen plakte een stukje wikkel van een Snickers. Darby deed het in een zakje en nam toen met een wattenstaafje monsters uit de vagina en de anus voor mogelijk DNA-bewijs. Ze haalde een kam met wol door het schaamhaar van de vrouw en deed het in een zakje.

Darby was net klaar met het maken van haar notities toen Coop naar haar wenkte.

Voorzichtig schoof ze de huid van de vrouw over de latex handschoen om haar hand, drukte toen elke vingertop op het inktkussen en bracht de afdruk over op de kaart.

'Ze heeft geen haargroei op haar benen en onder haar armen,' zei Darby. 'Zelfs haar schaamhaar is kortgeschoren.'

'Dus haar moordenaar stond haar toe zich te scheren voordat ze stierf?'

'Misschien.'

'Of denk je dat de dader het mogelijk zelf heeft gedaan? Ik vraag het omdat nog niet zo lang geleden sprake was van een zaak in Philadelphia, waarbij een knaap zijn slachtoffers waste in zijn badkuip nadat hij ze had verkracht en gewurgd. Hij schoor hun armen, benen, en zelfs hun hoofd.'

'Om bewijsmateriaal te verwijderen,' zei Darby.

'Precies.'

'Een echte psychopaat heeft geen gevoelens voor zijn slachtoffers. Ze zijn objecten, een middel om zijn fantasieën te bevredigen die vaak gebaseerd zijn op sadisme. Vrouwen die uitsluitend dienen als seksueel object, worden gedumpt als oud vuil. Het wordt hen niet toegestaan zich te scheren en hun nagels te lakken. Hij gaf om deze vrouw.'

'Als jij het zegt,' zei Coop.

Darby zette een hoofdband met een verlichte loep op en onderzocht het lichaam nauwgezet op elk spoortje bewijs, maar wat ze zag was hoofdzakelijk slik en plantenresten.

'Darby?'

Ze keek op van het lichaam.

'Een match op alle twaalf punten,' zei Coop. 'Het is Judith Chen.'

Terwijl Darby haar onderzoek vervolgde, voelde ze een hete golf van sensatie in haar borst opwellen.

Evenals Emma Hale was Judith Chen weken zoek geweest, ergens vastgehouden tot haar ontvoerder besloot een kogel in haar achterhoofd te schieten. En net als Emma Hale was Judith Chen in de rivier gedumpt, gekleed in dezelfde kleren waarin ze het laatst was gezien, met in een van haar zakken een beeldje van de Maagd Maria genaaid.

'Ik zal Bryson informeren,' zei Darby.

# 7

Darby vond rechercheur Tim Bryson in de gang, waar hij, modieus gekleed in een camel jas over een goedzittend donkerblauw kostuum, stond te telefoneren. Maar zelfs afgezien van zijn kleding, was het onmogelijk hem over het hoofd te zien.

De meeste vijftigers die Darby kende waren op hun retour. Ze kregen dikke bierbuiken en onderkinnen, grijzend haar of een terugwijkende haarlijn. Maar met zijn scherpe kaaklijn en jeugdige gezicht had Bryson het uiterlijk van een man van ergens in de veertig. Ze had hem meer dan eens op het fitnesscentrum van het bureau gezien en net als Coop was hij een gezondheidsfanaat met een gespierd atletisch lichaam. En afgezien van zijn reguliere fitnesstraining, had ze gehoord dat Bryson ook nog wekelijks yoga beoefende in een studio in Cambridge.

'Ik bel je terug,' zei Bryson toen hij haar zag, waarna hij de verbinding verbrak.

'Het is Judith Chen.'

Bryson knikte en staarde langdurig naar de vloer. Hij leek teleurgesteld, alsof hij nog een stille hoop had gehad.

'Volgens mij moeten we alle meldingen van recente ontvoeringen of vermissingen nagaan waarbij studentes zijn betrokken,' zei Darby. 'En misschien kan het ook geen kwaad alle lokale colleges te waarschuwen.'

'Dat beslist de commissaris.'

'Ik zal het met haar bespreken.'

Bryson ademde diep en lang door zijn neus in. De tijden mochten dan qua gelijke kansen voor vrouwen zijn veranderd, bij de gemeentepolitie van Boston heerste nog steeds een mannenmentaliteit, en Darby wist dat haar nieuwe positie bij veel mannen slecht zou vallen. Ze vroeg zich af of dat bij Bryson misschien ook zo was. Dat zou ze dan nu weten.

'Heb je er soms een probleem mee dat ik bij je unit ben gevoegd?'
'Dat was niet mijn beslissing.'
'Dat betekent dus ja.'
'Iedereen zegt dat je een geweldige labtechneut bent.'
De uitdrukking was duidelijk bedoeld als een steek onder water. Wat Bryson écht bedoelde was dat ze op het lab thuishoorde.
'Ik ben niet geïnteresseerd in spelletjes,' zei Darby. 'Het is vermoeiend en contraproductief.'
'Pardon?'
'Bewaar dat machogedoe maar voor de kleedkamer.'
'Praat je ook zo tegen je vriend?'
'Dat mocht hij willen. Ik probeer me juist open te stellen voor je mannelijke gevoeligheden.'
Darby kwam vlak bij hem staan en zag de fijne rimpeltjes rond zijn ogen. 'Ik weet dat de kranten de vloer met je hebben aangeveegd omdat je Emma Hale niet hebt gevonden. Maar volgens mij hebben ze het mis.' Ze hield haar stem rustig. 'En als we die klootzak vinden, dan mag je wat mij betreft namens het hele bureau naar de camera's lachen en alle eer in ontvangst nemen, maar tot het zover is zullen we moeten samenwerken. Maar als je wilt blijven kniezen over je gekwetste ego, ook goed. Aan jou de keus.'
Bryson gaf geen antwoord. Darby draaide zich om en liet hem in de gang staan.

Eenmaal terug in het lab, hing Darby de natte kleren van Judith Chen in de droogkast waar ze gedurende het weekend zouden blijven. Ze verwachtte niet nog iets bijzonders te vinden. Door de lange tijd onder water was, net als bij de kleren van Emma Hale, alle belangrijke informatie weggespoeld.
Op haar bureau stond een kartonnen doos met daarin kopieën van de moorddossiers en de foto's. Darby wilde zich er zo snel mogelijk in verdiepen, maar wel zonder steeds tijdens het lezen afgeleid te worden, dus besloot ze naar huis te gaan. Coop, die op het lab bleef om aan het beeldje te werken, beloofde dat hij haar later zou bellen.
Tegen de tijd dat Darby haar appartement op Beacon Hill had bereikt, was haar straat al bedekt met een pak sneeuw van twintig centimeter dik. Ze maakte haar voordeur open, zette de doos

op de bank en deactiveerde het inbraakalarm. Ze nam een lange douche, bleef onder het hete water staan tot het koud werd en trok daarna een spijkerbroek en haar vaders oude sweatshirt met het embleem van de University of Massachusetts aan.

In de keuken schonk ze zichzelf een royaal glas Booker's bourbonwhiskey in. Haar ramen keken uit op de Suffolk University. Het hoofdgebouw lag pal aan de overkant van de straat. Judith Chen had in dat gebouw colleges gevolgd. Nu lag haar lichaam in een koelcel op autopsie te wachten.

Darby nam een flinke slok van haar bourbon. Ze vulde het glas bij en nam het mee naar haar kantoor.

De vorige bewoners hadden het als kinderdagverblijf gebruikt; een muur was nog steeds lichtblauw geschilderd met witte wolken. Ze woonde hier pas drie maanden, en in die tijd had ze een L-vormig bureau aangeschaft voor in de hoek, een boekenkast, en een comfortabele leren stoel voor bij het raam dat uitkeek op haar achterveranda en de kleine achtertuin van de buren.

Ze tilde de doos van de bank, zette hem op haar bureau en pakte er een kopie uit van Emma Hales dossier.

# 8

Darby pakte de foto's van de autopsie en van de vindplaats van het lichaam en plakte die op de muur. Daarnaast plakte ze de foto's die ze van Judith Chen had genomen, samen met de door de afdeling Identificatie verschafte kopieën.

Chens dossier was nog niet compleet; Tim Bryson was op het bureau nog bezig de laatste gegevens in te voeren.

Vaginale en anale monsters van Judith Chen hadden geen sporen van sperma aangetoond. De langdurige tijd in het water had elk spoortje bewijsmateriaal en DNA – als dat er al was geweest – weggewist. Het was onmogelijk met zekerheid te zeggen of Chens ontvoerder seks met haar had gehad. Bij een lichaam dat lang in het water heeft gedreven, zijn de gebruikelijke kenmerken zoals kneuzingen en schaafplekken door ontbinding verdwenen.

Bij de meeste misdrijven waarbij vrouwen betrokken waren, bleek seksualiteit in meer of mindere mate een drijfveer. Als dat hier ook zo was – en statistisch gezien was die kans groot – waarom naaide hij dan een Mariabeeldje in hun zak? Misschien speelde seks in dit geval geen rol. Misschien waren deze twee studentes uitgekozen om een of andere psychische behoefte te vervullen. Darby pakte de dossiers en liet zich met haar bourbon in de stoel zakken. Vanaf de wand achter haar staarden de dode vrouwen afwachtend op haar neer.

Judith Chen was negentien, jongste dochter uit een middenstandsgezin uit Camp Hill, Pennsylvania. Haar vader was loodgieter. Ze had voor een studie aan de Suffolk University besloten omdat dit college haar de gunstigste voorwaarden bood. Boston was een dure stad om te leven en gezien de schaarste van woonruimte voor studenten hadden Judith Chen en haar kamergenoot in Natick de helft van een duplexwoning kunnen huren – veertig minuten pendelen per trein.

Ze sloot een studielening af en betaalde haar levensonderhoud met het geld dat ze met haar twee baantjes verdiende – als serveerster bij een visrestaurant in het theaterdistrict van Boston, en als hulpverkoopster bij een filiaal van Abercrombie & Fitch in het winkelcentrum van Natick.

Emma Hale was ook negentien, enig kind van Jonathan Hale, Bostons belangrijkste projectontwikkelaar. Emma woonde in een kapitaal penthouse in Back Bay, met een eigen garage voor haar BMW-cabriolet. Het tweede penthouse werd bewoond door een popster uit de jaren tachtig.

Jonathan Hale was een machtig man, met een kaartenbak vol met namen van belangrijke mensen die hem graag ter wille zouden zijn. Toen zijn enige kind als vermist werd aangegeven, werd in eerste instantie gedacht aan ontvoering. De politie van Boston reageerde snel en nam contact op met de FBI.

Commissaris Chadzynski gaf het CSU-lab opdracht het penthouse te onderzoeken, een ridicule opdracht – Emma Hale was namelijk voor het laatst gezien toen ze het huis van haar vriendin, Kimberly Jackson, verliet. Maar Darby kende het échte motief van de commissaris. Dankzij het toenemend aantal populaire televisieseries waarbij forensische technici werden afgeschilderd als gewapende rechercheurs die de ene na de andere verdachte ondervroegen, hechtten jury's veel meer waarde aan hun getuigenverklaring. Iets dat door advocaten het 'CSI-effect' werd genoemd. Het zien van een televisieverslag waarbij een écht forensisch team het betreffende pand binnenging, deed het goed bij het publiek. Het wekte de indruk dat elke instantie meewerkte en alles in het werk werd gesteld om de vermiste Harvard-studente te vinden. Het was geweldige pr.

Darby nam de pagina's door waarop alle bezittingen van Emma waren genoteerd – de inloopkast vol met designerjurken, schoenen en handtassen; de vier juwelencassettes met halskettingen, oorbellen en armbanden – allemaal gekocht bij chique zaken als Cartier en Shreve, Crump & Low. Eén cassette bevatte alleen maar horloges.

Op papier leken de jonge vrouwen een totaal verschillende leefwijze te hebben. Emma was rijk, Judith kwam uit de lagere middenklasse. Jim Bryson en zijn CSU-team hadden een uiterst gedetailleerd verslag gemaakt van de activiteiten van de vrouwen en waar ze zich hadden opgehouden om te zien of ze iets gemeenschappelijks konden vinden – een bar, een liefdadigheidsorganisatie, of een fitness- of dansclub. Bryson had de computers van beide vrouwen laten onderzoeken om uit te vinden of ze bij dezelfde chatgroep zaten of deel uitmaakten van een sociale netwerksite als Facebook. Er werd geen aanknopingspunt gevonden.

Beide meisjes hadden een familielid verloren. Emma's moeder was gestorven aan een melanoom – dezelfde huidkanker die Darby's moeder had gedood. Emma was acht jaar toen haar moeder stierf.

Judiths zusje was omgekomen door een dronken chauffeur. Geen van beiden had ooit een psychiater of een studentendecaan bezocht.

Beide vrouwen waren eerstejaars. Bryson was nagegaan of ze zich misschien bij dezelfde universiteit hadden aangemeld. Emma Hale had zich bij Harvard, Yale en Stanford aangemeld en was bij alle drie geaccepteerd. Judith Chen had zich bij geen van deze universiteiten aangemeld.

Het enige wat de twee meisjes tot nu toe gemeen hadden, was dat ze op weg naar huis waren verdwenen. Van beide ontvoeringen waren geen getuigen. Hadden zij hun ontvoerder gekend, hadden ze om de een of andere reden een rit van een onbekende geaccepteerd, of waren beiden met geweld in zijn auto gedwongen?

Vrienden en familie waren ondervraagd. Darby las elk interview aandachtig, om ze daarna opnieuw te lezen in de hoop een overeenkomst te vinden. Die vond ze niet.

Darby legde de dossiers op de vloer en liep naar de keuken om zichzelf nog eens in te schenken. Terug in haar kantoor richtte ze haar blik zich op de meisjes aan de muur.

Haar blik ging automatisch naar de foto's van de gevonden lichamen. De doden, had ze ontdekt, riepen veel minder emoties op. Alles was zwart en wit. Afbeeldingen van levenden hadden veel meer nuances.

Het had de moordenaar weinig kunnen schelen hoe ze er dood hadden uitgezien. Wat hem naar deze twee studentes had gedreven, was iets in de manier geweest waarop ze hadden geleefd.

De fysieke verschillen tussen de twee jonge vrouwen waren verbluffend.

Emma Hale leek wel een fotomodel; beeldschoon, met een vrijwel perfect lichaam dat in conditie werd gehouden door een strikt dieet en een trainingsprogramma begeleid door een persoonlijke trainer bij de exclusieve LA Fitness Club van het Ritz Carlton op Tremont. Na haar zestiende verjaardag onderging ze een neuscorrectie. Dezelfde plastisch chirurg uit Manhattan die de rinoplastiek uitvoerde, deed toen ze achttien was bij haar een borstvergroting.

Judith Chen was dun, plat van voren en zat niet op een fitnessclub. Vrienden en familieleden beschreven haar als stil en teruggetrokken en sterk gericht op haar studie. Bij het eindexamen van de middelbare school had ze de hoogste cijfers van haar klas behaald. Ze had zich aangemeld en was geaccepteerd door enkele van de topuniversiteiten van Massachusctts, zoals Boston College, Boston University en Tufts. Alleen konden deze instituten niet dezelfde gunstige studievoorwaarden bieden als Suffolk.

Volgens de interviews was Emma Hale in alles haar tegenpool. Ze was een uitgaanstype, populair en verkeerde graag in gezelschap. De jonge vrouw had alles wat haar hartje begeerde – pappa betaalde alles – het penthouse, haar kleding, haar sieraden en haar BMW-cabriolet.

Darby voelde iets van sociale afgunst. Niet vanwege het feit dat Emma Hale als rijkeluiskind was geboren, maar omdat de jonge vrouw nog nooit voor iets had hoeven te werken. Darby kon weinig waardering en geduld opbrengen voor knappe feestnummers die hun tijd verdeden met winkelen en vakantietrips naar Europa en de Caribisch gebied; die hun zomers doorbrachten in Nantucket en tijdens het weekend tot laat in de nacht doorzakten in clubs, om de volgende dag op boten van vrienden te herstellen van een kater en hun rijke pappa voor de rekening lieten opdraaien.

Ze staarde naar een foto van Emma Hale, genomen op een of ander rijkeluisfeestje. Boven haar diepe decolleté bungelde een antiek, platina medaillon. Op een andere foto hield de aantrekkelijke studente haar arm geslagen om een knappe, donkerharige jongeman met bruine ogen – haar vriend, Tony Pace, een tweedejaarsstudent van Harvard.

Ergens diep in haar denken knaagde er iets. Een bekend gevoel. Had het iets met de vriend te maken? Nee. Bryson had hem ondervraagd. Hij was niet op het feestje geweest. Hij had griep gehad en was op zijn kamer gebleven. Zijn hele alibi was uitgepluisd. Pace had toegestemd in een test met de leugendetector en had die zonder problemen doorstaan. Wat was het dan? Darby liet het verder rusten.

Hier nog een foto van het stel, staande op een boot, diep gebruind, met een brede, zorgeloze lach op hun gezicht. Toen Darby besefte dat haar belangstelling voornamelijk uitging naar Emma Hale, richtte ze haar aandacht op een foto waarop Judith Chen, gekleed in een zwarte trui, met in haar armen een zwarte labradorpup, glimlachte naar de camera. En hier een andere foto van Chen met haar kamergenote. Darby ijsbeerde door haar kantoor. Regelmatig bleef ze staan en staarde naar de muur in de hoop dat haar iets op de foto's of de gezichten van de meisjes zou opvallen. Als dat niet zo was, liep ze weer verder of bleef staan om een of ander snuisterijtje in haar handen te nemen, om het enkele ogenblikken later weer neer te zetten.

Ze ordende voortdurend haar bureau, ervoor zorgend dat alles keurig op zijn plaats lag.

Harde windvlagen deden de oude ramen rammelen en joegen verblindend witte sneeuwvlagen langs de verweerde bakstenen gebouwen. Darby dronk het laatste restje bourbon uit haar glas. Ze voelde zich ontspannen, rustig. Ze dacht terug aan de lente. Het leek jaren geleden. Emma Hale had een zomerhuisje in Nantucket. Ze speelde tennis en golf en bracht dagen door op de boot. Ze droeg designerjurken en veel sieraden.

*(het medaillon)*

Wat was daarmee? Darby wist dat het medaillon een foto van Emma's moeder bevatte. En verder? Jonathan Hale had het medaillon geïdentificeerd dat Emma droeg toen haar lichaam werd gevonden. Ze droeg het toen haar lichaam boven kwam drijven. Ze droeg het medaillon toen...

'Lieve god,' zei Darby hardop. Met trillende handen pakte ze het dossier.

# 9

Darby sloeg gehaast de pagina's om tot ze bij de bladzijde kwam waarop alle voorwerpen stonden genoteerd die in de juwelencassettes in Emma Hales inloopkast waren aangetroffen. Daar stond het: 'Ovaalvormig antiek medaillon met platina ketting – juwelencassette nummer 2, middelste plateau.'

Ze pakte de telefoon en belde Tim Bryson. De telefoon leek eindeloos over te gaan. Tot haar grote opluchting nam hij eindelijk op.

'Een week na de ontvoering van Emma Hale hebben jij en je team haar huis doorzocht en een lijst van haar juwelen gemaakt.'

'Dat klopt,' antwoordde Bryson.

'Ik heb die lijst voor me. Er staat een ovaalvormig antiek medaillon op, aangetroffen op het middelste plateau van juwelencassette nummer twee.'

'Wat wil je daarmee?' vroeg Bryson nors. Was hij nog steeds geïrriteerd over hun gesprek in het mortuarium?

'Toen Emma Hales lichaam werd gevonden, droeg ze een platina ketting met een medaillon,' antwoordde Darby. 'Het staat op de inventarislijst.'

'Ze had zoveel juwelen. Het kan zijn dat ze nog een dergelijk medaillon bezat. Ik herinner me veel halskettingen te hebben gezien die op elkaar leken.'

'Deze halsketting was uniek. Hale gaf hem zijn dochter een paar jaar geleden als kerstcadeau toen ze zestien werd.'

'Waarom zou haar moordenaar voor een halsketting terug naar het penthouse gaan nadat ze was ontvoerd? Dat is volstrekt onlogisch.'

'Heeft je team foto's gemaakt?'

'Massa's.'

'Ze zitten niet in het dossier dat je me hebt gegeven.'

'Ze zijn hier op het bureau.'
'Waar?'
'ID heeft ze. Ik heb nooit om kopieën gevraagd aangezien die hele actie een gigantische tijdverspilling was.'
Darby wierp een blik op haar horloge. Na zevenen. Identificatie was gesloten. Coop was nog op het lab, maar die kon niet in het kantoor van ID. Het was een aparte afdeling.
'Ik zal Hale bellen en hem vragen waar hij Emma's spullen heeft opgeslagen.'
'Hoe lang ligt ze inmiddels onder de grond, al zo'n vijf maanden? Denk je dat hij haar sieraden heeft bewaard?'
'Er is maar één manier om daarachter te komen.' In het dossier vond Darby Hales telefoonnummers. 'Ik bel je zodra ik iets weet. Bedankt voor je hulp, Tim.'
Darby verbrak de verbinding en belde naar het huis van Jonathan Hale. Hopelijk was de man bereid haar een blik te gunnen op zijn dochters eigendommen die allemaal weer in zijn bezit waren gekomen. Hale had geen hoge pet op van de politie van Boston. Hij had de organisatie in de media openlijk bekritiseerd.
De telefoon werd opgenomen door een vrouw die in gebroken Engels alleen liet weten dat meneer Hale niet thuis was.
Darby legde haar uit wie ze was en waarom ze belde, en vroeg haar toen om een nummer waar ze hem eventueel kon bereiken. De vrouw had geen nummer – ze was alleen maar de huishoudster, zei ze – maar ze wilde wel een boodschap aannemen. Darby gaf haar haar nummers.
Darby tikte peinzend met haar telefoon tegen haar been. Ze wist dat dit kon wachten, maar ze wilde iets ondernemen.
Emma Hale had in de Back Bay gewoond – een kort ritje met de metro. Die reed nog steeds. Darby vroeg zich af of de eigendommen van het meisje zich nog steeds in het gebouw bevonden, of misschien zelfs nog wel in haar appartement. Zo'n gebouw als dat zou waarschijnlijk een receptie hebben.
Darby wilde niet wachten. Wachten was niet een van haar sterkste punten. Ze móést het weten. Ze stopte het dossier van Emma Hale in haar rugzak en greep haar jas.

# 10

Het appartementengebouw waar Emma Hale had gewoond, had een huismeester die, afgezien van het dertien huiseigenaren naar de zin maken, tevens fungeerde als bewaker. Zijn naam was Jimmy Marsh. Hij zat achter een ornamentaal bureau met op beide hoeken een kristallen vaas met lelies.

Decoratieve sfeerverlichting verzachtte het kille licht van de zes bewakingsmonitors.

Darby stelde zichzelf voor en vroeg hem toen over Emma Hales penthouse.

'Meneer Hale heeft het nog niet uitgeruimd,' zei Marsh. 'Sommige mensen rouwen nu eenmaal anders, weet u,' voegde hij eraan toe toen hij haar verbaasde blik zag.

'Dus alles is nog steeds boven.'

'Dat kan ik niet met zekerheid zeggen. Niemand mag daar komen. Toen Emma's lichaam was gevonden, vroeg meneer Hale me de sloten te vervangen.' Marsh wreef zuchtend met een met levervlekken bespikkelde hand over zijn kale schedel. Hij was een grote, dikke man en zijn misvormde neus was duidelijk een keer te veel gebroken. 'Emma was zo'n mooi meisje,' zei hij. 'Mooi en aardig. Als ze op zondagmorgen koffie ging drinken, dan nam ze uit mijn favoriete zaak hier om de hoek altijd een bosbessenmuffin voor me mee. En als ik haar dan aanbood te betalen, dan zei ze altijd nee. Zo'n meisje was het.'

'Zo te horen waren jullie nogal dik met elkaar.'

'Dat zou ik niet willen zeggen. Ze was een aardige meid en ik lette een beetje op haar. Dat heb ik haar vader beloofd. Meneer Hale is de eigenaar van dit gebouw – hij bezit trouwens de helft van de gebouwen hier in de Back Bay. Hij is een erg machtig man.'

*Ik hoor niet anders,* dacht Darby 'Werkt u hier fulltime, meneer Marsh?'

'Ja, samen met een andere knaap, Porny. Zijn echte naam is Dwight Pornell. Dwight doet meestal de nachtdienst, maar zijn vrouw en ik zijn voor hem ingevallen. Iedereen die komt en gaat zien we. Daarom staat dit bureau vlak bij de voordeur. Elke bezoeker is verplicht zich in dit boek in te schrijven,' zei Marsh, nadrukkelijk tikkend op het opengeslagen leren gastenboek op de desk. 'We controleren het identiteitsbewijs en maken er een kopie van. U ziet, mevrouw McCormick, alles wordt hier streng in de gaten gehouden.'

'Sinds wanneer wordt dit gastenboek bijgehouden?'

'Sinds de aanslag van 11 september,' antwoordde Marsh. 'Dat veranderde alles. Je komt nergens meer binnen zonder je in te schrijven en je te identificeren.'

'Bewaart u alle kopieën?'

'Reken maar, mevrouw.'

'En de bewakingscamera's,' vroeg Darby, 'hoe lang hebt u die al?'

'Die zijn geplaatst toen meneer Hale het gebouw liet renoveren. Dat zal in eh... 1996 zijn geweest of zo. Ze staan op de voordeuren en het bezorgingsgedeelte gericht. En in de privéparking hangt er ook een. We nemen de veiligheid hier erg serieus.'

'Dat hoor ik u steeds zeggen, meneer Marsh. Zit u misschien iets dwars?'

'Mij? Nee hoor. Ik ben slechts een eenvoudige bewaker. Maar die collega van u, die speurneus van het hoofdbureau, dacht dat ik misschien iets te maken had met wat er met Emma was gebeurd. Hebt u wel eens rondgelopen met een microscoop in uw achterste?'

'Nee, niet dat ik weet.'

'Nou, laat me dan vertellen, dat voelt niet erg comfortabel. Als rechercheur Bryson zich net zo druk om het onderzoek had gemaakt als om hoe zijn haar zat voor de camera's, had hij volgens mij Emma gevonden. En bent u al wat dichter bij de arrestatie van die ploert die haar heeft vermoord?'

'We onderzoeken diverse aanwijzingen.'

'Wat in agententaal betekent dat jullie geen moer zijn opgeschoten.'

'Hoe lang is het geleden dat u bij de politie met pensioen bent gegaan?'

'Ik heb in Dorchester vijfentwintig jaar patrouilledienst gedaan.

Daarom gaf meneer Hale me dit baantje. Het bevalt me geweldig. Ik hoef me geen zorgen meer te maken dat een of andere kloothommel die ik aan de kant zet me een kogel in mijn donder jaagt.'

'Meneer Marsh, u zei dat u Emma's appartement van nieuwe sloten had voorzien.'

'Dat klopt.'

'Hebt u een set reservesleutels?'

'Het penthouse werd weer vrijgegeven aan meneer Hale.'

'U gaf geen antwoord op mijn vraag.'

'Ja, ik héb een reserveset, maar niemand mag daar naar boven. Het spijt me, maar zonder zijn toestemming kan ik u daar niet toelaten.'

'Dan kunt u hem maar beter even bellen.'

'Meneer Hale is niet in de stad.'

'Hoe weet u dat?'

'Omdat hij woensdag of zo hier was en hij het toevallig tegen me zei.'

'Waarom was hij hier?'

'Ik zou het niet weten en ik heb het hem ook niet gevraagd.'

Marsh vouwde zijn handen achter zijn hoofd en liet zich achterover in zijn stoel zakken. De vering protesteerde onder zijn gewicht. 'Weet u wat, waarom komt u maandagmorgen niet terug, dan...'

'Misschien was ik niet duidelijk genoeg,' zei Darby. 'Ik moet vanavond nog in Emma's penthouse zijn.'

'Ik heb zijn nummer niet.'

'Maar u hebt wél een nummer voor spoedgevallen, voor het geval er een probleem is.'

'Het nummer dat ik heb gaat naar zijn antwoordservice,' antwoordde Marsh. 'U denkt toch niet dat ik zijn privénummer heb? Weet u wel hoeveel mensen hij in dienst heeft? Komt u maandag maar terug.'

'Ik kan hier binnen een uur een dwangbevel hebben.'

Marsh staarde naar het met make-up gemaskeerde litteken op haar wang. Darby haalde haar mobieltje tevoorschijn en begon een nummer in te toetsen.

'Ik zal zien wat ik kan doen,' zei Marsh terwijl hij opstond uit zijn stoel. Hij liep naar een kamertje achter het bureau en sloot de deur.

Darby drentelde door de lobby, luisterend naar de huilende wind buiten de voordeuren. Waarom had Marsh zo dwarsgelegen? Was het omdat ze een vrouw was? Ze vroeg zich af of hij tegen Tim Bryson ook zo moeilijk had gedaan. Maar misschien handelde Marsh ook zo uit loyaliteit tegenover zijn werkgever.

Darby richtte haar aandacht op de monitors. Een camera stond gericht op de voordeuren, een tweede camera bestreek de straat voor de ingang, door de jachtsneeuw grotendeels aan het zicht onttrokken. Een andere camera hing boven een grote laaddeur – waarschijnlijk het laadplatform voor grote stukken als meubilair. De overige twee camera's bestreken de garagedeur en het interieur van de parkeergarage. Aangenomen dat Emma's ontvoerder was teruggekomen om de halsketting met het medaillon te halen, hoe had hij dan kans gezien onopgemerkt binnen te komen?

Twintig minuten later kwam Marsh weer uit zijn kantoor. 'Emma's appartement bevindt zich op de veertiende verdieping,' zei hij, Darby een sleutelbos aanreikend.

'Alarm?'

Marsh wierp een blik op het controlepaneel. 'Dat staat uit. Volgens mij is het al een poosje uitgeschakeld.'

'Is dat ongebruikelijk?'

'Volgens mij heeft meneer Hale dat uitgeschakeld toen jullie bij Emma in en uit liepen. U zult het aan hem moeten vragen.'

'Hebt u met hem gesproken?'

'Nee, met Abigail, zijn assistente. Zij heeft met hem gesproken. Hij wilde u laten weten dat u zijn volledige medewerking hebt.'

'Ik zou graag Abigails nummer hebben,' zei Darby. 'Ik pik het wel op als ik de sleutels kom terugbrengen.'

Darby nam de lift naar de veertiende verdieping en stapte in een vaag verlichte gang met twee deuren. Aan het einde daarvan kon ze de goederenlift onderscheiden.

De rechterdeur was Emma's voordeur. Darby ritste haar jas los en trok een paar latex handschoenen aan. Ze inspecteerde de sloten, maar kon geen sporen van inbraak ontdekken. Ze opende de deur, tastte naar binnen en vond de lichtschakelaar.

Emma Hales appartement besloeg twee verdiepingen met lichteiken parketvloeren en ramen die zich vanaf de vloer tot aan het plafond uitstrekten. Verbijsterd staarde Darby om zich heen. De grote kamer – tweemaal de oppervlakte van haar hele flatje – leek zo uit een glossy te komen, met trendy meubelen, tapijten geïnspireerd op olieverfschilderijen van Jackson Pollock, en Griekse beelden. De keuken was voorzien van zwartgranieten aanrechten, een Viking-fornuis en een SubZero-koelkast. Niet gek voor een studente van Harvard.

Het rook een beetje muf en de verwarming was aan, alsof Emma weer thuis kon komen. Darby wilde door de kamers dwalen, om Emma beter te leren kennen, maar eerst moest ze meer over de halsketting weten.

De grote slaapkamer bevond zich waarschijnlijk boven. Darby beklom de wenteltrap naar de bovenverdieping. Het penthouse, zo had ze gelezen, beschikte over vier slaapkamers en twee badkamers, waarvan er een was voorzien van een jacuzzi en plasmatelevisie. Ze was bijna op de overloop gekomen toen het licht uitging.

## 11

*Stroomstoring*, was Darby's eerste gedachte. De sneeuwstorm moest de stroomvoorziening van het gebouw hebben onderbroken.

Het was niet de eerste keer deze winter. De eindeloze reeks koude dagen en de nog koudere nachten met hun ijzige wind hadden de elektriciteitsvoorziening in de stad soms urenlang onderbroken. Darby hoopte dat het deze keer niet het geval was. Ze had geen zaklantaarn bij zich.

Gelukkig had ze een beetje licht. Direct aan de overkant van de gang was een slaapkamer. Door de openstaande deur zag Darby een grote erker die uitkeek op Arlington Street en een gedeelte van de Public Garden. De straatverlichting was aan en ook de verlichting van het Ritz Carlton. Het hotel moest een eigen noodaggregaat hebben – nee, wacht, ook in de huizen aan de overkant van de straat brandde licht. De sneeuwstorm moest alleen de stroomvoorziening aan deze kant van de straat hebben lamgelegd. Gewéldig.

Aan het eind van de gang zag Darby nog een deur openstaan. Het binnenvallende licht van buiten projecteerde een rechthoekige, bleke baan van licht op de parketvloer en muur. Ze betwijfelde of de inloopkast ramen had en om de juwelen goed te kunnen bekijken had ze waarschijnlijk een zaklantaarn nodig.

Ze had twee opties: of ze bleef hier in het donker wachten tot het licht weer aanging, of ze ging weer naar beneden om te zien of Marsh misschien een zaklantaarn had die ze kon lenen.

Met haar handen om de trapleuning geklemd daalde Darby de wenteltrap af. Haar ogen hadden zich aan het donker aangepast en ze kon nu wat meer onderscheiden.

Het gekraak van een vloerplank boven haar deed haar met een schok stilstaan. Darby draaide zich met een ruk om. Met een bonkend hart staarde ze naar de gang op de bovenverdieping. Er was niets. Ze was alleen.

Darby vermande zich en liep een paar treden omhoog, maar ergens in haar achterhoofd was de herinnering aan een avond meer dan twintig jaar geleden, toen ze als vijftienjarig meisje op de eerste verdieping van haar huis over de leuning op de overloop in het schemerdonker van de hal onder haar had getuurd, er vast van overtuigd dat een inbreker op de een of andere manier het huis was binnengedrongen. Ze had zichzelf voorgehouden dat ze zich belachelijk gedroeg, dat alle ramen en deuren beneden op slot waren en dat ze alleen was en veilig. Maar toen had ze gezien hoe een zwarte handschoen de leuning omklemde.

Darby herinnerde zichzelf eraan dat ze geen vijftien meer was, maar zevenendertig – volwassen. Het gekraak dat ze net had gehoord was waarschijnlijk niets meer dan het geluid van een groot, leeg huis dat reageert op een extreem koude winter.

Desondanks bleef ze roerloos staan. Iets aan de gang was anders. Het kostte haar even om te zien wat het was.

De rechthoekige lichtvlek van de buitenverlichting die ze eerder op de vloer en muur voor de kamer aan het einde van de gang had gezien was nu smaller – niet veel, maar er was een duidelijk verschil. De deur had wijd opengestaan, nu was hij voor driekwart gesloten. Iemand was daarbinnen, ze wist het zeker.

Dus bleef haar maar één ding over.

Met een droge mond en een hart dat tegen haar borstkas hamerde, haalde ze de SIG uit haar schouderholster. Met haar andere hand haalde ze haar mobiel uit haar zak en hield haar ogen op de slaapkamerdeur gericht terwijl ze 911 belde.

'Met Darby McCormick van het Boston Crime Lab.' Ze sprak luid en duidelijk. 'Ik bel om een indringer te rapporteren op Commonwealth Avenue vier-zes-twee en verzoek om meerdere bijstandsteams. Laat hen alle uitgangen bewaken.'

Terwijl ze haar mobiel liet terugglijden in haar jaszak, beklom ze de resterende treden. Op de gang bleef ze staan. Geen beweging, geen geluid.

'Vouw je handen achter je hoofd en loop langzaam de gang op,' zei ze in het donker.

'Het is niet mijn bedoeling je kwaad te doen,' klonk een donkere mannenstem met een licht accent – Engels of Australisch, ze wist het niet zeker. De stem kwam vanuit de kamer aan het eind van de gang.

‘Loop de gang in met je handen achter je hoofd,’ zei Darby.

De deur ging open en in het vierkant van licht verscheen de indringer met zijn handen achter zijn hoofd. De man week een stap achteruit, zodat zijn gezicht in schaduwen gehuld bleef. Hij was lang, ruim een meter tachtig. Hij droeg een lange overjas en zwarte schoenen.

‘Ik had me u veel kleiner voorgesteld, mevrouw McCormick.’

‘Ken ik u?’

‘We hebben elkaar niet officieel ontmoet.’

‘Hoe heet u?’

‘Dat wil ik nog even niet zeggen.’

‘Hoe kent u me?’

‘U bent de Persephone van Boston, de koningin van de doden. Of is het de koningin van de verdoemden?’

Zijn overjas hing open en onder het jasje van zijn kostuum zag Darby bij zijn linkerarm een stukje van een schouderholster.

‘Ik wil dat u het volgende doet,’ zei Darby. ‘Haal met uw linkerhand voorzichtig uw wapen tevoorschijn. Eén verkeerde beweging en u wordt de rest van uw leven door een slangetje gevoed.’

De indringer droeg zwarte handschoenen. Hij liet een vinger in de trekkerbeugel van het handwapen glijden, trok het langzaam uit de holster – een 9mm-pistool – en liet het op de vloer vallen.

‘Schop het nu naar me toe.’

Dat deed hij.

‘Kniel nu met uw handen achter uw hoofd op de vloer en ga dan op uw buik liggen.’

‘Hopelijk schiet u me niet in mijn achterhoofd.’

‘Waarom denkt u dat?’

‘Naar ik heb begrepen, is Emma Hale in haar achterhoofd geschoten.’

‘Waarom bent u geïnteresseerd in Emma Hale?’

‘Misschien dat ik die vraag beantwoord als u ook een van mijn vragen beantwoordt.’

‘U bent niet in een positie om te onderhandelen.’

‘Dan vrees ik dat ik zal moeten vertrekken.’

‘Vergeet het maar.’ Darby spande de trekker en deed een stap naar voren. ‘Ga op de vloer liggen. Ik vraag het geen tweede keer.’

‘Ik zag u dit afgelopen weekend bij het graf van uw ouders.

Vroeg u uw vader, de wijkagent, om raad, of zocht u inspiratie bij uw moeder, de zegeltjesplakkende huisvrouw? Ze heeft veel geheimen onder haar schort bewaard, is het niet?'

Darby hoorde sirenes. Enkele ogenblikken weerkaatsten de ramen en muren blauwe en witte lichtflitsen.

Met zijn handen achter zijn hoofd gevouwen deed de indringer een stap naar voren, in het schijnsel van de straatlantaarns buiten de slaapkamerdeur. Darby kon zijn gezicht nu goed onderscheiden en haar adem stokte.

# 12

De ogen van de man waren diepzwart en misten elke kleur. De strakgespannen huid van zijn gezicht was onnatuurlijk bleek.

'Blijf staan,' zei Darby.

Maar de indringer bleef lopen. Darby week achteruit de deuropening van de badkamer in.

'Emma treft het maar met iemand die zo met haar lot is begaan,' zei de indringer. 'Je zou in je nieuwe huis in Beacon Hill kunnen zijn, maar in plaats daarvan zoek je hier in het donker naar antwoorden. Ik vraag me af waarom.'

Hij stapte bedaard de logeerkamer binnen en trok zacht de deur achter zich dicht, alsof hij van plan was daar de nacht door te brengen. Ze hoorde hem het slot omdraaien. Toen volgde een rammelend geluid – het raam, hij deed het raam open. Waarom? *Er moest een brandtrap zijn.*

Darby rende de wenteltrap af. Toen ze in de woonkamer kwam, zag ze onder de voordeur een smalle streep licht. De lichten in de gang waren aan. *Hij moest de hoofdschakelaar hebben uitgezet.*

Ze nam het trappenhuis. Marsh, die achter zijn bureau een blad zat te lezen, keek op toen Darby de trap kwam afstormen.

'Waar komt Emma's brandtrap op uit?'

'Op het steegje om de hoek,' zei Marsh terwijl hij uit zijn stoel kwam. 'Wat is er aan de hand?'

Darby gaf geen antwoord. Ze was al door de voordeur verdwenen en rende door de jachtsneeuw de stoeptreden van het gebouw af. Politieauto's probeerden zich door het verkeer een weg te forceren. Ze sprintte de hoek om, voorbij de inrit van de parkeerkelder van het gebouw. De steeg was verlaten. Met haar hand boven haar ogen om ze te beschermen tegen de striemende sneeuw en haar SIG klaar om te vuren, liep ze verder de steeg in.

Aan het eind van de steeg kwam ze bij een in de wind rammelende brandtrap bij een afvalcontainer. Onder de trap waren verse voetsporen te zien. Darby volgde ze terwijl ze naar rechts afbogen in de richting van Arlington Street.

Bestuurders en passagiers van in het verkeer vastzittende auto's gaapten haar verdwaasd aan terwijl ze in de voortjagende sneeuw op zoek was naar de indringer. Darby kon hem niet ontdekken. De man met de vreemde ogen was verdwenen.

Volgens Jimmy Marsh moest de zekeringkast van Emma's penthouse zich in de inloopkast bevinden. Gewapend met een zaklantaarn die ze van een politieagent had geleend, schoof Darby de rijen jurken opzij, en vond de zekeringkast en draaide de hoofdschakelaar om. Er was weer licht.

De kast was smal en diep, volgestouwd met eindeloos lijkende rijen kledingstukken en talloze schoenen, allemaal keurig gerangschikt in vakkundig vervaardigde opbergrekken van glanzend gelakt eiken. De juwelencassettes bleken in feite vier, met rood fluweel beklede plateaus te bevatten.

Op het tweede plateau ontdekte Darby tussen twee adembenemende diamanten colliers een lege plek. Ze bladerde in het dossier en vond de lijst van de inhoud van de juwelencassettes. Het antieke medaillon met ketting stond vermeld tussen een gouden collier met diamanten en een ander collier met een platina ketting. De colliers waren er; het medaillon met de ketting ontbrak.

Desondanks wilde ze de foto's zien die CSU van de juwelencassettes had genomen.

Darby belde Coop. Hij was nog steeds op het lab. Ze vertelde hem wat er gebeurd was en wat ze nodig had. Coop bood aan zo lang te blijven tot iemand van Identificatie kwam om het kantoor open te maken en de foto's te pakken. Hij beloofde ze daarna zelf naar het Hale-gebouw te brengen.

Tim Bryson nam zijn telefoon niet op. Darby sprak een boodschap in over het verdwenen medaillon, verbrak de verbinding en wilde de logeerkamer onderzoeken waar de indringer was verdwenen. Aangezien de deur was vergrendeld, moest ze de brandtrap op klauteren om de kamer binnen te komen. Niets wees erop dat het raam was geforceerd. Ze zocht op de vloer en in de sneeuw naar bewijsmateriaal dat de indringer misschien had verloren.

# 13

Walter Smith droeg Hannah in zijn armen de keldertrap af. Toen hij bij de deur kwam, legde hij haar over zijn schouder. Hij pakte de sleutelkaart uit het voorzakje van zijn spijkerbroek en schoof die in de kaartlezer. Hij piepte. Hij toetste de vier cijfers in. Het elektronische slot klikte open. Hij duwde de deur open en legde Hannah zachtjes op haar nieuwe bed.

Walter knipte het lampje op het nachtkastje aan. Hannahs neus bloedde niet meer, maar de voorkant van haar wollen jack zat onder de bloedvlekken. Hij nam haar muts af, trok haar jack en handschoenen uit, legde ze netjes opgevouwen op de wasmachine in de gang en ging toen naar boven.

Hij ging eerst naar de garage. Hij opende de kofferbak en haalde er de extra dekens uit die Maria hem had laten meenemen. Zijn Heilige Moeder had hem gezegd dat de politie, als ze hem ooit zouden aanhouden, de kofferbak zou inspecteren. *En als ze dan bloed vinden, Walter, dan nemen ze je mee en dan zul je me nooit meer zien.* Walter gooide de dekens in een vuilniszak.

De badkamer was op de eerste verdieping. Walter deed net het medicijnkastje open, toen hij op straat het geronk van een snel naderende auto hoorde.

Was het de politie? Hadden ze hem gevonden? Geschrokken deed hij het badkamerlicht uit en keek door het kleine raampje naar buiten.

Onder hem baande een vrachtwagen zich een weg door de sneeuw. Hij stopte aan het eind van de straat en in het licht van de straatlantaarns kon hij op de zijkant van de vrachtwagen de woorden A.J. VERHUIZINGEN onderscheiden. De zware motor protesteerde toen hij rechtsaf de steile heuvel beklom en daarna stilhield voor een grijs, houten huis dat meer dan twee jaar leeg had gestaan. Iemand kwam in het huis van de Petersons wonen.

Walter haalde opgelucht adem. Hij pakte de fles met waterstofperoxide en een rol toiletpapier en ging toen weer naar de kelder.

Het volgende halfuur haalde hij het bloed van Hannahs gezicht. Haar neus was gezwollen maar niet gebroken. Gelukkig. Hij wilde niet dat ze op de een of andere manier misvormd zou raken.

Walter ging nogmaals naar boven. In de keuken vulde hij een grote, afsluitbare plastic zak met vergruisd ijs en legde die op Hannahs neus. Haar kleren waren vochtig en roken naar gefrituurd voedsel. Haar trui was omhooggeschoven tot haar maag en op haar heup zag hij een aardbeikleurige moedervlek. Hij raakte hem aan. Haar huid was warm en glad.

Walters hand gleed over haar maag. Toen hij besefte wat hij deed, trok hij, woedend op zichzelf, met een ruk zijn hand weg.

'Het spijt me, Hannah, dat was verkeerd van me.'

Hannah reageerde niet en bleef roerloos liggen.

'Sorry dat ik je pijn heb gedaan. Het ging per ongeluk.' Walter hoopte dat ze hem kon horen.

Het ijs was gesmolten. Hij trok Hannahs laarzen en sokken uit. Ze had mooie voeten.

Walter deed het licht uit en wilde net naar boven gaan toen hij dacht aan Hannahs vochtige kleren. Hij wilde dat ze zich prettig zou voelen.

In het donker, met zijn ogen stijf dichtgeknepen, trok Walter haar spijkerbroek uit en trok toen de trui en het T-shirt over haar hoofd. Walter deed zijn ogen pas open toen hij weer op de gang was. Maria zou trots zijn op zijn zelfbeheersing. Hij deed de vochtige kleren in de wasmachine. Toen hij terugkwam in de slaapkamer, zag hij in het vage licht van de gang de omtrekken van Hannahs lichaam. Ze droeg mooi katoenen ondergoed – het eenvoudige soort dat degelijke meisjes droegen, niet dat verdorven spul dat hij in bladen zag of op de tv. Emma had dat soort ondergoed gedragen – duur en uitdagend. Maar Hannah was anders. Maria zei dat Hannah een goed meisje was, met een goed hart.

Walter zag hoe Hannahs borsten zich spanden onder haar beha en opnieuw verlangde hij ernaar haar aan te raken. Maar dat zou later komen, wanneer ze elkaar beter hadden leren kennen, wanneer hij Hannah duidelijk had gemaakt hoeveel hij van haar hield en hoe gelukkig ze hier met hem zou kunnen zijn.

Zijn Heilige Moeder probeerde met hem te praten, maar Maria's stem klonk ver weg. Hij sloot zijn ogen en concentreerde zich.

*Het is goed,* zei Maria.

Walter verroerde zich niet. Zijn huid gloeide en de littekens op zijn gezicht en lichaam klopten koortsachtig.

*Kom, laat me je helpen.*

Walter voelde zijn Heilige Moeder tot hem komen. Maria knoopte zijn overhemd los. Ze trok zijn T-shirt uit en gespte zijn broekriem los. Daarna voerde ze hem mee naar de andere kant van het bed en sloeg de lakens terug. Maria hoefde hem niet te vertellen wat hij verder moest doen.

Walter ging op Hannah liggen en legde zijn hoofd tegen haar borst. Hij kon het zachte kloppen van haar hart horen. Hij sloot zijn ogen, beseffend dat hij zo voor altijd zou kunnen blijven liggen, met zijn huid tegen haar huid gedrukt. Hij begroef zijn gezicht in haar zachte haar.

'Ik hou van je, Hannah. Ik hou zoveel van je.' Walter kuste Hannah op haar wang en begon toen, overmand door zoveel genot, te huilen.

# 14

Darby stond in Emma Hales kast. In haar hand hield ze de door Identificatie genomen foto van het tweede juwelencassette. Op het rode vilt, tussen de twee diamanten colliers, lag een antiek medaillon met een platina ketting.

'Ik heb alles met de foto's en de inventarislijst vergeleken,' zei ze terwijl ze de foto aan Bryson gaf. 'Alles is er, behalve het antieke medaillon. Het is duidelijk dat Emma's moordenaar hiervoor terug is gekomen.'

Bryson staarde langdurig naar de foto, duidelijk in verlegenheid gebracht.

'Marsh heeft de beveiligingstapes van vanavond uit de apparatuur gehaald,' zei Darby. 'Ik heb ze al verzegeld. De opnamen worden hier maar een maand bewaard. Daarna gaan de banden naar Hales veiligheidskantoor in Newton. Hale wordt in de loop van het weekend thuis verwacht, maar zo lang wil ik niet wachten. Hale heeft een persoonlijke assistent. Ze heet Abigail. Ik wil haar spreken om te vragen of we morgenochtend vroeg op het kantoor terecht kunnen.'

Bryson legde de foto terug in de kleine archiefdoos op de leren sofa. 'De patrouilledienst kamt nog steeds de omgeving uit op zoek naar de indringer,' zei hij, 'maar ik weet zeker dat hij allang weg is. Darby, die man die je hebt gezien, je zei dat zijn ogen volkomen zwart waren.'

'Het was alsof ik naar een halloweenmasker keek.'

De herinnering, zelfs nu het licht was, bezorgde haar koude rillingen.

'Er was geen licht,' zei Bryson. 'Misschien dat je in het donker...'

'De man had zwarte ogen, Tim. Ze hadden geen kleur, geen pupil, geen iris, niets. Volkomen zwart. En alles wat hij droeg was zwart – overjas, schoenen, broek, overhemd en handschoenen.

Hij was tussen de een meter tweeëntachtig en een meter vijfentachtig lang. Hij had een lijkbleek gezicht en kortgeknipt zwart haar. Ik zou hem er bij een confrontatie zo tussenuit halen.'

'Ken je hem?'

'Nee. Hoezo?'

'Hij wist je naam, hij had je gezien bij het graf van je ouders. Ik heb het gevoel dat hij je moet hebben gekend.'

'Ik heb geen idee wie hij is of wat hij hier deed.'

'Kwam hij je op een of andere manier bekend voor?'

'Zo iemand als hij zou ik onmiddellijk hebben herkend.'

Darby voelde zich tot op het bot verkild. Haar handen waren klam. Ze stak ze in de zakken van haar spijkerbroek.

'Ik heb met Marsh gesproken,' zei ze. 'Hij bezwoer dat hij niemand kent die aan een dergelijk signalement voldoet.'

'Denk je dat hij de waarheid spreekt?'

'Mijn gevoel zegt van wel, maar misschien kan het geen kwaad om hem de duimschroeven wat aan te draaien.'

'Mee eens. Maar laten we er voorlopig even van uitgaan dat Marsh de waarheid spreekt. In dat geval is de indringer niet door de voordeur binnengekomen, maar op een andere manier. Je zei dat hij is ontsnapt via de brandtrap.'

'Ik heb het raam al onderzocht,' zei Darby. 'Er zijn geen sporen van inbraak. Hij moet op een andere manier zijn binnengekomen – misschien wel dezelfde manier waarop Emma's moordenaar is binnengedrongen. Ik betwijfel of een van hen via de voordeur is gekomen.'

Bryson richtte zijn aandacht op de zekeringkast. 'Toen je de trap op kwam, moet je hem hebben verrast. Waarschijnlijk heeft hij het licht uitgeschakeld in de hoop dat het donker je zou afschrikken. In elk geval gaf het hem de kans om weg te glippen en zich achter de deur van de badkamer schuil te houden. Het probleem was dat je hem al in de gaten had. Hij hoorde je de politie bellen en besefte toen dat hij in de val zat.'

'Zo moet het gegaan zijn,' zei Darby. 'Heeft Jonathan Hale iemand ingehuurd om de dood van zijn dochter te onderzoeken?'

'Niet dat ik weet. Je denkt toch niet dat deze man voor Hale werkt?'

'Ik probeer een reden te bedenken voor wat hij hier aan het doen was.'

‘Stel dat deze man voor Hale werkt, waarom dan al dat theater en die geheimzinnigheid?’

‘Een goeie vraag,’ zei Darby. ‘Of hij werkt voor Hale, of hij werkt zelfstandig om redenen die wij niet kennen.’

‘Gaat het een beetje?’

‘Met mij gaat het goed.’

‘Je ziet er anders een beetje rillerig uit.’

‘Ik ben aan het afkicken van een adrenalinestoot. Ik moet weer eens aan de slag.’

‘Momentje nog.’ Bryson deed de kastdeur zacht dicht. ‘Volgens mij zijn we in het mortuarium op de verkeerde manier van start gegaan.’

‘Laat maar zitten.’

‘Nee, ik wil de lucht tussen ons zuiveren.’ Bryson krabde over zijn kin. ‘Luister, ik heb me nogal hufterig gedragen. Ben ik pissig wegens de manier waarop dit alles gegaan is? Ik zou liegen als het niet zo was. Maar wat je zei over dat ik met de eer wilde strijken, dat slaat nergens op. Ik zit niet op publiciteit te wachten. De pers zit me nu eenmaal constant op mijn huid en zet mijn naam en gezicht in de krant. Daar kan ik niets aan veranderen. Het enige wat ertoe doet is dat ik met jouw hulp die knaap kan pakken.’

‘Mooi, dan zitten we op dezelfde golflengte.’

‘Je zei dat Hale een assistente had.’

‘Dat zei Marsh. Volgens hem heet ze Abigail. Ik krijg haar nummer.’

‘Ik kan ook gaan.’

‘Eerlijk gezegd ga ik liever zelf. Dan kan ik meteen het veiligheidssysteem eens bekijken.’

Bryson opende de deur. ‘Knap werk met dat medaillon,’ zei hij.

In de grote slaapkamer stonden moderne meubels en een prachtig canapébed. Evenals in de logeerkamer boden kamerhoge ramen uitzicht op Arlington Street en een gedeelte van de Public Garden. Darby stelde zich voor hoe het moest zijn om elke avond met zo’n schitterend uitzicht op de stad in bed te stappen en ze vroeg zich af of Emma Hale ooit van het uitzicht en haar rijkdom had genoten. Waarschijnlijk had de jonge vrouw het, zoals zoveel rijke kinderen, als iets vanzelfsprekends beschouwd.

Darby wist dat ze een wrok tegen de rijken koesterde, maar in feite wist ze niets over Emma Hale. Misschien was de jonge vrouw zich wel degelijk van haar bevoorrechte positie bewust geweest. Darby vermoedde dat het iets te maken had met de opmerking van de indringer over haar moeder als zegeltjesplakkende huisvrouw. Na de dood van Big Red had Sheila McCormick door het draaien van dubbele diensten als verpleegster niet alleen voor een dak boven hun hoofd en voor eten op tafel weten te zorgen, ze had ook nog elke cent opzijgelegd om Darby te kunnen laten studeren.

Kauwend op een stuk kauwgum stond Coop in de gang toe te kijken hoe iemand van Identificatie foto's maakte van het pistool – een Beretta.

'Het serienummer staat er nog op,' zei Coop tegen haar. 'Hopelijk brengt het ons ergens. Heb je toevallig de munitie bekeken?'

'Nee.'

'Pantserdoorborend. Je mag van geluk spreken dat die klootzak niet geprobeerd heeft te schieten.'

'Ik moet even naar beneden. Als ik terugkom, dan wil ik eerst de kast onderzoeken en daarna de inventarislijst van de technische recherche controleren of onze knaap behalve het medaillon misschien nog meer heeft meegenomen.'

'Ik ga met je mee.'

Darby zag de bezorgde blik in Coops ogen en een vermoeden van wat er ging komen.

Coop wachtte tot ze alleen in de gang waren.

'Ik blijf vannacht bij je,' zei hij. 'Niet tegenspreken, alsjeblieft.'

Darby drukte de knop van de lift in. 'Ik red me wel,' zei ze. 'Er is geen enkele reden waarom je...'

'Luister, Wonder Woman, waarom hang je je cape niet aan de kapstok en doe je het even rustig aan?'

'Wonder Woman draagt geen cape. Trouwens, ik weet zeker dat je graag weer eens terug wilt naar Rodeo. Misschien mag je wel blijven slapen en naar een van die culturele films over verliefde cowboys kijken.'

Coop blies een bel en liet hem klappen.

'Ik weet dat sommige mannen je zien als, hoe zal ik het zeggen, een aanbiddelijk delicaat, fragiel schepsel dat moet worden beschermd,' zei hij. 'Maar zo zie ik je niet. Ik heb met je gewerkt. Ik heb je zien sparren in de boksring en je tegen de bokszak zien rammen. De helft van hen heeft er geen idee van dat ze vergeleken bij jou doetjes zijn. Je heldenstatus staat hier niet ter discussie. Ik wil blijven omdat ik rustiger slaap als ik weet dat je veilig bent.'

Voor de zoveelste keer was het Coop gelukt de verdedigingsmuur die ze om zich heen had opgetrokken neer te halen en haar ware gedachten te lezen. Ze was blij dat hij het aanbod deed. Ze wilde niet alleen zijn.

'Dan volgt nu het moment waarop je me uitbundig bedankt,' zei Coop.

'Ik heb geen logeerbed.'

'Maar wel een extra breed bed.'

'Zet dat maar uit je hoofd.'

'Ik wilde net voorstellen dat jij de bank neemt. Waarom denk jij toch altijd meteen aan seks? Dat is erg verontrustend.'

# 15

Van achter zijn bureau was Jimmy Marsh bezig een verklaring af te leggen tegenover rechercheur Cliff Watts, een collega van Tim Bryson.

Darby wierp een blik op de monitors achter het bureau.

'Wat doen die bewakingscamera's precies?' vroeg ze.

'De twee boven de voordeur staan gericht op de deur en de straat ervoor,' antwoordde Marsh. 'Dan staat er nog een gericht op het bezorgingsgedeelte en de andere twee bestrijken het interieur van de parkeergarage. Iedereen die dit gebouw in- of uitgaat wordt door ons gezien.'

'Maar u hebt geen camera die de steeg bewaakt?'

'Nee. Ik weet waar u op doelt. De persoon die u hebt gezien, kan dan misschien via de brandtrap zijn ontsnapt, maar hij kan nooit op die manier zijn binnengekomen. Vanaf de vuilcontainer onder de brandtrap kun je niet bij de trap komen. Daarvoor hangt hij te hoog.'

'Dan heb ik nog een vraag. Stel dat u ongezien het gebouw wilde binnenkomen, hoe zou u dat dan doen?'

'Dat lukt niet.'

'Hoe komt u de parkeergarage binnen?'

'Met een afstandsbediening.'

'Aangenomen dat ik die had en ik zou naar de deur rijden, dan zou ik die kunnen openen.'

'In principe wel, ja,' antwoordde Marsh.

'Dus als ik met behulp van een afstandsbediening de garage open en dan naar binnen rijd, dan zou u me niet kunnen zien.'

'Klopt, maar ik zou wel uw auto op de monitor zien.'

'Weet u het merk en bouwjaar van elke auto hier?'

'U moet uw auto hier bij de balie laten inschrijven.'

'Kent u het merk en bouwjaar van elke auto hier?'

'Dat zal weinig schelen. Dit gebouw telt tweeëntwintig bewoners. Ongeveer de helft van hen heeft een auto.'

Darby staarde naar de monitor waarop de garagedeur was te zien. 'Die camera staat op het zijraam aan de passagierskant gericht,' zei ze. 'Als een auto richting garagedeur rijdt, dan kunt u onmogelijk zien wie achter het stuur zit.'

Marsh gaf geen antwoord.

Darby draaide zich naar hem om. De man staarde gefixeerd naar de monitor. Zijn tong gleed nerveus over zijn tanden.

'Meneer Marsh?'

'U hebt gelijk,' antwoordde hij. 'Ik zou niet kunnen zien wie er achter het stuur zit.'

'Kunt u het hóren als de garagedeur opengaat?'

'Ik houd die monitoren zeer zorgvuldig in het oog, mevrouw McCormick.'

'Ik trek uw plichtsbesef en uw kwaliteiten niet in twijfel. Maar elk veiligheidssysteem heeft nu eenmaal zijn zwakke schakel, en de persoon die vanavond Emma Hales penthouse is binnengedrongen heeft die gevonden. Nogmaals, kunt u de garagedeur horen opengaan?'

'Nee.'

'Hebt u iemand in de garage die de mensen controleert als ze binnenkomen?'

'Nee.'

'En als u nu even met iets anders bezig was – zoals een telefoontje, of een aflevering, dan kan het zijn dat u iemand die via de parkeergarage binnenkwam niet hebt opgemerkt?'

'Zoiets zou kunnen, veronderstel ik.'

'Nu heb ik geen afstandsbediening, dan zou ik bijvoorbeeld om de hoek van het gebouw kunnen wachten tot de garagedeur opengaat en dan naar binnen kunnen glippen, is het niet?'

'Dan zou kunnen,' gaf Marsh toe.

'Ziet de camera in de garage alles wat daarbinnen gebeurt?'

'Dat doet hij.'

'Oké, stel ik ben een bewoner en ik heb mijn auto geparkeerd, hoe kom ik dan in mijn appartement? Moet ik dan eerst weer naar buiten en dan door de voordeur binnenkomen?'

'Vanuit de garage kun je met een privélift naar je eigen etage.'

'Dat moet dan de goederenlift zijn die ik bij Emma Hale aan het eind van de gang heb gezien.'

'Klopt.'
'Is er een camera in de lift?'
'Nee.'
'En op de afzonderlijke etages?'
'We bewaken alleen de buitenkant van het gebouw.'
'Dat idee had ik al,' zei Darby. 'Bedankt voor uw medewerking, meneer Marsh.'

# 16

Walter Smith werd zaterdagmorgen vroeg trillend van opwinding wakker. Het zou een drukke dag worden, er was nog zoveel te doen. Hij gooide de lakens van zich af en rende zijn kamer uit.

Het was donker in de met halters en halterbanken volgestouwde logeerkamer. De jaloezieën waren altijd omlaag om het zonlicht buiten te houden. Hij liet het licht uit. Hij kon het zo goed genoeg zien.

Een uur lang drukte hij in het donker met trage bewegingen de zware gewichten op, voelend hoe de pijn in zijn spieren brandde. Ondanks de littekens en diverse correctieve operaties, had hij zijn borst, armen en schouders redelijk weten te ontwikkelen. De verbetering van zijn benen vond hij zelfs spectaculair.

Bezweet en moe liep hij de donkere badkamer in en douchte langdurig. Nadat hij zich had afgedroogd, sloeg hij de badhanddoek om zijn middel en ging op de vochtige badmat staan. Wat nu kwam vond hij het ergste. Kijken in de spiegel maakte hem altijd van streek.

Walter vermande zich en knipte het licht aan.

Zijn hele borst was overdekt met een netwerk van gezwollen paars en bruin littekenweefsel. Littekens hadden geen elasticiteit; ondanks al zijn inspanningen hadden ze een noemenswaardige ontwikkeling van zijn spierweefsel belemmerd.

Het vuur had negentig procent van zijn lichaam verbrand. De overgebleven, onaangetaste huid was gebruikt om zijn oogleden te reconstrueren. De plastisch chirurgen hadden gedaan wat ze konden.

Walter had de door het brandwondencentrum verstrekte toupet vervangen door een duurder en natuurlijker lijkend haarstukje. Zijn linkeroor was gereconstrueerd met varkenskraakbeen. Zijn linkerhand kon hij niet gebruiken; de onherstelbaar beschadigde pezen trokken zijn vingers in een klauw.

Wanhoop greep hem bij de keel. Zijn Heilige Moeder had hem eraan herinnerd dat Hannah de meeste van deze littekens nooit zou zien, alleen maar zijn gezicht.

Desondanks moest er aan zijn gezicht nog veel gebeuren.

De visagist van het brandwondencentrum was erg geduldig geweest. Ze had hem geleerd hoe hij het beste kon verbergen wat hij echt was.

Hij begon met het aanbrengen van de speciale vochtinbrengende zalf die de huid van zuurstof voorzag. Het was erg belangrijk dat het medicijn de tijd kreeg het littekenweefsel binnen te dringen, dus ging hij op het toilet zitten en bladerde het laatste nummer van *Details* door.

Walter bekeek de advertenties waarin aantrekkelijke mannelijke modellen poseerden in duur ondergoed, strakke spijkerbroeken met T-shirts en kostuums. Een paar van die advertenties had hij als inspiratiebron aan de muur van zijn fitnessruimte geplakt.

Al bladerend door de glanzende pagina's, kijkend naar al die gebruinde gezichten met hun wilskrachtige kaaklijn, perfecte neuzen en indringende blik, wenste hij dat er oefeningen bestonden om zijn gezicht te verbeteren. Maar daarvoor zou hij op make-up moeten vertrouwen.

Walter wierp een blik op zijn horloge. Een halfuur voorbij. Hij gooide het blad op de vloer, stond op, en pakte uit het medicijnkastje de flessen die hij nodig had.

Omdat hij maar één hand had, vroeg het opbrengen van de foundation op oliebasis veel tijd. Terwijl de make-up droogde, pakte hij een pot met haargel en masseerde de geleiachtige substantie door zijn zwarte haar. De gel gaf zijn haar dezelfde vochtige, warrige aanblik als die hij in de bladen had gezien. Het kostte wat tijd, maar het resultaat was het waard. Om de transformatie compleet te maken, matteerde hij met een poederkwast zijn huid.

Walter deed een paar stappen terug van de spiegel. Het gezicht dat hem in het ongenaakbare licht aanstaarde was niet beangstigend meer. Niet zo aantrekkelijk als dat van die mannelijke fotomodellen in de bladen, maar ook niet afschrikwekkend. Hij zag er menselijk uit.

Walter besteedde nog een paar minuten aan zijn uiterlijk. Hij corrigeerde zijn make-up waar nodig en inspecteerde zijn gezicht met een kritische blik vanuit alle hoeken in de spiegel. Na zich ervan te hebben overtuigd dat zijn haar zijn misvormde oor bedekte, trok hij een Diesel-spijkerbroek aan en een zwart overhemd met lange mouwen, waarna hij zichzelf inspecteerde in een hoge passpiegel waarop zijn gezicht niet te zien was. Hij zag er goed uit. Erg modieus. Hij trok en paar Coach-loafers aan en ging toen naar de keuken beneden.

Door de geopende kelderdeur hoorde hij Hannah huilen.

Walter wilde het liefst naar beneden gaan om Hannah in zijn armen te nemen en haar te zeggen dat alles goed zou komen. Dat hij haar geen pijn had willen doen. Dat wat gisteravond gebeurd was een ongeluk was geweest.

Maar Maria had hem gezegd Hannah met rust te laten. Dat het beter was om te wachten. Laat Hannah huilen en haar angst uitschreeuwen tot ze tot rust is gekomen, had Maria gezegd.

Hij voelde de behoefte te bidden om kracht. Hij opende de kastdeur, knielde neer en stak de kaarsen aan. Tientallen beeldjes van de Heilige Moeder keken glimlachend op hem neer, de armen vergevingsgezind gespreid. Walter sloeg een kruis. Hij sloot zijn ogen, en met zijn handen stijf tegen elkaar gedrukt dankte hij zijn Heilige Moeder vurig.

# 17

Zaterdagmorgen. Drinkend van haar koffie stond Darby bij haar keukenraam te kijken hoe een sneeuwschuiver zich onder een stralende hemel een weg door Cambridge Street ploegde. Volgens het nieuws had de sneeuwstorm van gisteren de Oostkust en het noorden van Massachusetts onder een pak sneeuw van meer dan een halve meter bedolven. New Hampshire had het nog zwaarder te verduren gehad – in sommige delen was bijna een meter gevallen.

Coop stond nog steeds onder de douche. Darby keek op haar horloge. Het liep al tegen de middag. Ze stond te trappelen om naar het lab te gaan om te zien of AFIS, het geautomatiseerde vingerafdrukkenbestand van de FBI, een treffer had gevonden met de enige potentiële vingerafdruk die op de juwelencassette van Emma Hale was aangetroffen.

Ze hadden de afgelopen avond en een flink gedeelte van de vroege morgenuren doorgebracht met een grondig onderzoek van elke vierkante centimeter van Emma Hales appartement, waarbij ze speciale aandacht hadden besteed aan de inloopkast en de logeerkamer waar de indringer was ontsnapt. Het enige bewijs dat de man daar was ontsnapt, was een vochtige schoenafdruk op de vloer bij het raam, waarvan Darby een foto had laten nemen.

Hoe was het de indringer gelukt het appartement binnen te komen? Darby vroeg zich af of Bryson al iets had ontdekt op de bewakingstapes van het gebouw. Als de man op een van de tapes te zien was, dan zou dat duidelijk kunnen maken hoe hij het appartement was binnengekomen, maar het zou nog niet verklaren wat hij daar deed of waar hij naar zocht.

Het serienummer van de Beretta had naar Joshua Stein in Chicago geleid. In 1998 was in zijn huis ingebroken, waarbij de dief kristal, een kluisje met geld en een Beretta had meegenomen. De indringer van gisteravond kon een dief zijn geweest – een mogelijkheid vinden om ongezien Emma's woning binnen te komen was beslist geen simpele opgave – maar het leek een logischer scenario dat de man met de vreemde ogen het pistool bij de lommerd had gekocht. Sommige pandjesbazen handelden op afspraak in gestolen wapens als een extra bron van inkomsten. Maar het was ook mogelijk dat de indringer het wapen gewoon op straat had gekocht of via een tussenpersoon. De mogelijkheden waren legio. Het pistool was een dood spoor.

Met uitzondering van het medaillon, werd elk voorwerp dat op de inventarislijst van de technische recherche stond vermeld in het appartement aangetroffen. De ontvoerder van Emma Hale was kennelijk alleen voor de hanger teruggekomen, want verder leek er niets te ontbreken. Had hij handschoenen gedragen om geen vingerafdrukken achter te laten? Had hij een van de andere juwelen aangeraakt? Coop wilde de rest van de dag gebruiken om elk sieraad afzonderlijk in een superlijmkamer met damp te behandelen om te zien of Emma's ontvoerder mogelijk sporen van vingerafdrukken had achtergelaten. Met een beetje geluk zouden ze er een vinden die een match vormde bij AFIS.

Terwijl ze zich nog een kop koffie inschonk, stelde ze zichzelf opnieuw de belangrijkste vraag: waarom zou Emma's ontvoerder, ondanks alle risico's te worden betrapt, in haar appartement inbreken om daar een medaillon weg te halen?

Hoewel Darby geen afdoend antwoord wist, had ze wel bepaalde theorieën, ideeën die stuk voor stuk terugvoerden naar haar oorspronkelijke vermoeden dat degene die deze twee jonge vrouwen had ontvoerd en enkele maanden in leven had gehouden, in feite diepe gevoelens voor hen moest hebben gekoesterd.

Darby nam haar koffie mee naar haar kantoor. Toen ze in de woonkamer kwam, zag ze dat Coop niet langer in de badkamer was. De deur van haar slaapkamer stond een stukje open. Ze liep op haar sokken door de gang en wilde net op de deur kloppen om hem te zeggen dat de koffie klaar was toen ze Coop met ontbloot bovenlichaam zijn spijkerbroek zag aantrekken.

Ze zei tegen zichzelf niet te kijken, maar ze bleef staan en zag hoe zijn gestaalde borst- en maagspieren zich spanden onder zijn gladde, blanke huid toen hij, beschenen door het heldere zonlicht dat door haar ramen binnenviel, zijn spijkerbroek dichtknoopte.

Het was duidelijk te zien waarom zoveel vrouwen notitie van hem namen – een atletisch lichaam, een volmaakte kaaklijn, blond haar en blauwe ogen. Maar ze had ook zijn andere kant meegemaakt, een kant die hij verborg achter zijn uitstraling en constante grappen en grollen. Coop en zij hadden samen veel zondagmiddagen doorgebracht met bier drinken en football kijken.

Ze waren alleen maar bevriend, hield ze zichzelf voor, en met een opgelaten gevoel dat ze had staan gluren dook ze snel haar werkkamer in.

Emma Hale en Judith Chen hingen aan de muur. Twee jonge vrouwen, opgewekt lachend met ogen vol hoop. Darby staarde naar de foto's toen haar telefoon ging. Ze pakte hem uit de houder en nam op.

'Ik heb de bewakingstapes van gisteravond bekeken,' zei Tim Bryson. 'Je vriend is om acht uur drieëndertig via de garage binnengekomen en heeft toen de goederenlift naar het penthouse genomen.'

'Op de voordeur of het slot waren geen braaksporen te zien.'

'Of hij had een sleutel, of hij heeft het slot weten open te krijgen. Er zijn instrumentjes op de markt die je in het slot kunt steken waarna je de palletjes kunt omzetten. Als je weet hoe het moet, dan heb je het in een paar seconden open. Maar hij kan ook een slagsleutel hebben gebruikt.'

'Een slagsleutel?'

'Je neemt een geprepareerde sleutel, steekt die in het slot en geeft er dan met een hamer, een stuk steen, een schoen, of wat je ook hebt, een klap op zodat de cilinder breekt. Het wordt "sleutel kloppen" genoemd. Ik heb iemand van inbraak gestuurd om een kijkje te nemen. Waar ben je nu?'

'Thuis. Over ongeveer een halfuur ben ik op het lab.'

'Heb je internet? Ik wil je een foto sturen.'

Darby vroeg hem de foto te sturen naar haar e-mailadres op het lab. Daarop kon ze vanuit haar huis inloggen.

Haar laptop had een breedbandaansluiting. In minder dan een minuut had ze ingelogd op haar e-mailaccount. Ze zag Brysons e-mail met een JPEG-bijlage en opende de foto.

Op het scherm verscheen in kleur het gezicht van een bleke man met kort zwart haar. Hij had dezelfde zwarte, huiveringwekkende ogen als de man die ze gisteravond had gezien.

# 18

'Hoe kom je hieraan?' vroeg Darby.
'Is dit je man?'
'Dat is 'm. Geen twijfel mogelijk. Wie is hij? Ken je hem?'
'Hij heet Malcolm Fletcher. Zegt die naam je iets?'
'Nee. Zou dat moeten?'
'Fletcher werkte vroeger als profiler. In de tijd dat de Investigative Support Unit zichzelf nog Behavioral Sciences noemde,' zei Bryson. 'En bij de FBI staat hij als nummer vier op hun lijst van meest gezochte personen.'
'Wat heeft hij uitgevoerd?'
'Volgens wat ik op internet heb gelezen, heeft Fletcher in 1984 drie agenten van de FBI aangevallen. Een van hen is hersendood, de andere twee verdwenen spoorloos. Hun lichamen zijn nooit gevonden. Het interessante is dat het Bureau Fletcher pas in '91 op zijn lijst heeft gezet.'
'Waarom toen pas?'
'Een goeie vraag. Als ik zou moeten raden, dan zou ik zeggen dat de FBI de zaak aanvankelijk intern had willen afhandelen.'
*Hoe bestaat het,* dacht Darby. 'Hoe heb je hem gevonden?'
'Mijn eerste baantje na de academie was als wijkagent in Saugus, waar in '82 de lichamen van twee gewurgde vrouwen werden gevonden die langs Route One waren gedumpt. De rechercheur die de leiding over deze zaak had, zijn naam was Larry Foley, riep de hulp van de BSU in, de eenheid Gedragswetenschappen, die een profiler stuurde om de zaak te onderzoeken. Zelf heb ik Fletcher nooit persoonlijk ontmoet, maar zijn naam deed vaak de ronde – iedereen had het over zijn vreemde, zwarte ogen. Ik was op weg naar het bureau toen ik me zijn naam herinnerde en dankzij het alwetende Google kwam ik zijn naam op de Most Wanted List tegen.'

'Hoe zit dat met zijn ogen? Is het iets erfelijks?'

'Geen idee. Zoals ik al zei, ik heb de man nooit ontmoet, maar ik heb een vriend bij de FBI-vestiging in Boston. Ik zal hem eens bellen om te zien of ik wat wijzer kan worden. Misschien dat hij ons een idee kan geven over wat Fletcher hier uitspookt.'

'Vertrouw je deze persoon?'

'Ben je bang dat de FBI zich ermee gaat bemoeien?'

'De gedachte is bij me opgekomen.'

'Bij mij ook,' zei Bryson. 'Laten we met de commissaris overleggen om te horen hoe zij het wil aanpakken.'

'Ik zou graag die Saugus-dossiers willen inzien waar je het over had.'

'Momentje, ik krijg een ander gesprek binnen.'

Coop stapte haar werkkamer binnen. 'I Like Boobies' stond in grote letters op de voorkant van zijn T-shirt te lezen.

'Hoe oud was je ook weer?' vroeg Darby.

'Cadeautje van mijn moeder voor mijn verjaardag.' Met zijn hand over zijn vochtige haar strijkend keek Coop naar de foto's aan de muur. 'Blij te zien dat je je werk niet mee naar huis neemt.'

Bryson kwam weer terug aan de lijn. 'Dat was Jonathan Hale. Hij wil met ons praten over wat er gisteravond is gebeurd.'

'Wat heb je hem gezegd?'

'Ik heb gezegd dat jij en ik naar hem toe komen om bij hem thuis de zaak te bespreken. Hij woont in Weston. Ik heb om twee uur afgesproken. Ik zit nu op het bureau. Zal ik je thuis komen ophalen?'

Darby gaf Bryson haar adres en hing toen op. Daarna vertelde ze Coop over Malcolm Fletcher.

Coop zat in de leren stoel bij het raam. Zijn ogen waren toegeknepen tegen het zonlicht. 'Ik denk dat ik nog maar even bij je blijf,' zei hij.

Darby voelde zich opgelucht. Ze wilde niet dat hij nu terug naar zijn eigen huis zou gaan. Nog niet.

'Ik ga bij me thuis langs om wat spullen op te halen,' zei Coop.

'Ben je van plan om nog meer van die belachelijke T-shirts te dragen?'

'Het is of dat, of ik slaap naakt.'

Even zag ze hem weer voor zich toen hij zijn spijkerbroek aantrok en ze voelde dat ze bloosde.

'Laat me nu maar, alsjeblieft.'

Darby trok haar bureaula open, pakte het bosje reservesleutels van haar huis en auto en stond op. 'Hier,' zei ze, hem de sleutels toegooiend, 'neem mijn auto maar. Maar ik ga niet voor je koken.'

'Wel af en toe een fijne rugmassage?'

'Blijf dromen.'

'Ook goed,' zei Coop.

# 19

De voorstad Weston, Bostons equivalent voor Nantucket, is een van alle gemakken voorziene enclave van voornamelijk rijke, blanke bewoners van imposante landhuizen, omgeven door hectaren schitterend aangelegde gazons en bosschages. Minder vermogende inwoners hebben voor een eenvoudig huis een miljoen dollar neergeteld om zodoende gebruik te kunnen maken van het beste onderwijsstelsel van Massachusetts. Vrijwel elke geslaagde middelbareschoolleerling heeft de zekerheid te worden toegelaten tot de universiteiten van de Ivy League.

Jonathan Hale woonde aan het einde van een privéweg.

Zijn huis, een uiting van moderne architectuur, strekte zich breed uit over de top van een heuvel. Werklui op met schuivers uitgeruste John Deere-grasmaaiers waren bezig de lange oprijlanen sneeuwvrij te maken.

Voor de garage stond een limousine geparkeerd. Door de openstaande garagedeur zag Darby een antieke Porsche staan, een BMW-cabriolet, en een auto die leek op een Bentley.

'Wat is je indruk?' vroeg Tim Bryson terwijl hij zijn oude Mercedes-diesel voor de poort tot stilstand bracht.

'Het lijkt me behoorlijk kil,' antwoordde Darby.

'Ik doelde op het huis.'

'Dat weet ik.'

Bryson draaide het raampje omlaag en drukte op de knop van de intercom.

Na wat statisch gekraak klonk een vrouwenstem. 'Hallo?'

'Rechercheur Bryson hier. Ik heb een afspraak met meneer Hale.'

'Ogenblikje alstublieft.'

In de hal werden ze opgewacht door een lange man in een pak met een grijs krijtstreepje zonder das. Hij had een grijze haardos en een knap, wilskrachtig, bleek gezicht dat getekend was door verdriet. Darby herkende Jonathan Hale onmiddellijk van de persconferenties op televisie.

Hale had de uitstraling en het optreden van een oude aristocraat, maar dat beeld klopte niet met de werkelijkheid. Tijdens zijn tweede studiejaar op Harvard had hij er de brui aan gegeven en was in de garage van zijn ouders in Medford computers gaan bouwen. Acht jaar later verkocht hij zijn postordercomputerbedrijf aan een concurrent, om daarna met de opbrengst woningen te kopen in Bostons zeer gewilde Back Bay.

Met de huuropbrengst van zijn huizen begon hij een succesvol bedrijfje dat financiële software ontwikkelde voor investeringsbedrijven. Tijdens het hoogtepunt van de dotcomhype verkocht Hale het bedrijf voor een verbijsterend bedrag dat hij vervolgens weer investeerde in veelbelovende bouwprojecten in Massachusetts. De man was Bostons versie van Donald Trump, maar dan zonder het slechte kapsel, de veel te jonge, adembenemende echtgenote, en de megalomane neiging tot zelfverheerlijking. Volgens de kranten was Hale, die na de dood van zijn vrouw niet was hertrouwd, een groot weldoener van een aantal katholieke liefdadigheidsinstellingen.

Bryson stelde zichzelf en Darby aan hem voor.

'Maria is bezig de lunch klaar te maken,' zei Hale. Zijn stem klonk schor en vermoeid. 'Wil een van u misschien iets eten of drinken?'

'Erg vriendelijk van u,' antwoordde Bryson. 'Maar we willen niet te veel van uw tijd in beslag nemen. Is er een plek waar we even privé kunnen praten?'

Hale stelde zijn kantoor voor.

Terwijl Darby beide mannen volgde, nam ze het huis met zijn gewelfde plafonds en de smaakvolle verlichting in zich op. Antieke Japanse kunstwerken, prominent getoond op muren en sokkels. In een keuken van restaurantformaat was een oudere vrouw van Latijns-Amerikaanse afkomst druk bezig achter een fornuis.

Jonathan Hale keek over zijn schouder naar Darby en vertraagde zijn pas. 'Mevrouw McCormick... U was degene die die moordenaar heeft gepakt over wie de kranten vol stonden.'

'Traveler,' zei Darby.

'Tegenwoordig is het dr. McCormick, is het niet?'

'Volgt u mijn doen en laten, meneer Hale?'

'Dat is nauwelijks te vermijden, jongedame. U bent zoiets als een mediasensatie geworden.'

Helaas had hij gelijk. De zaak-Traveler, die aanvankelijk alleen de aandacht had getrokken van landelijke televisieprogramma's als *Dateline* en *60 Minutes,* werd nu eindeloos uitgesponnen door netwerkseries als *Forensic Files, Court TV* en A&E's *Notorious.*

Darby had nog nooit een interview gegeven, maar door haar relatie met Traveler werd haar naam in deze programma's regelmatig genoemd, in combinatie met foto's van in hun auto's of tussen de struiken verscholen fotografen.

Zelfs 'Inside Track', een roddelrubriek in de *Boston Herald,* volgde haar activiteiten.

Hales kantoor was ruim en licht, met boekenkasten en leren fauteuils die regelrecht uit de Harvard Club leken te komen. Een haardvuur verspreidde een aangename warmte en het rook er naar brandend hout en sigaren.

'Ik heb vanmorgen de heer Marsh gesproken,' zei Hale toen ze allemaal waren gaan zitten. Hij drukte zijn sigaar uit. 'Hij beschreef de man voor me. Weet u wie hij is?'

Bryson nam het woord. Darby gaf er de voorkeur aan op de achtergrond te blijven en te observeren.

'Nee, dat weten we niet,' antwoordde Bryson. 'En u, kent ú die man misschien?'

De vraag leek Hale te verrassen. 'Wilt u daar soms mee zeggen dat ik de man die in mijn dochters huis heeft ingebroken zou kennen?'

'Het is gewoon een routinevraag, meneer Hale.'

'Nee, ik weet niet wie hij is.'

'Hebt u ooit een man gezien die aan dit signalement beantwoordt?'

'Nee.' Hale pakte een longdrinkglas op dat bourbon leek te bevatten. 'Wat moest hij daar?'

'We onderzoeken diverse aanwijzingen. Hebt u...'

'Rechercheur Bryson, toen ik u vanmorgen sprak, zei u dat het erop *leek* dat iemand in het huis van mijn dochter had ingebroken. Heeft die persoon nu wel of niet in Emma's huis ingebroken?'

'Omdat we op de deur geen enkel spoor van inbraak hebben gevonden, vroegen we ons af of de man een sleutel had. Hoeveel mensen hebben, afgezien van u, toegang tot uw dochters appartement?'

'Ik bezit een sleutel, evenals de heer Marsh.'

'Hebt u nog andere kopieën laten maken?'

'Nee. Ik wil geen andere mensen in Emma's appartement.'

'Waarom hebt u meneer Marsh een sleutel gegeven?'

'Hij heeft een sleutel van elk appartement. Voor eventuele noodsituaties. Hij is de veiligheidsman van het gebouw.'

'Kent de heer Marsh de code van Emma's inbraakalarm?'

'Ik neem aan van wel. Hij heeft toegang tot het beveiligingssysteem van het gebouw. In de computer staan alle codes van elk afzonderlijk appartement geregistreerd. Emma's inbraakalarm staat uitgeschakeld sinds haar... ontvoering. Ik heb het op uw verzoek afgezet toen uw mensen hier in en uit liepen.'

'Waarom hebt u het daarna niet weer aangezet?'

'Eerlijk gezegd heb ik daar niet meer aan gedacht.' Hale dronk zijn glas leeg. 'Neemt u me niet kwalijk dat ik dit zeg, rechercheur, maar voor mijn gevoel begint dit op een soort verhoor te lijken.'

'Neemt u me niet kwalijk,' zei Bryson. 'Maar wat ik graag zou willen begrijpen, en ik weet zeker u ook, is wat deze persoon in het appartement van uw dochter deed.'

'Ik heb begrepen dat u de man hebt gesproken,' zei Hale, zich tot Darby richtend.

Darby knikte.

Hale keek haar afwachtend aan. 'En?' vroeg hij toen ze bleef zwijgen, 'gaat u me nog vertellen wat hij zei of moet ik ernaar blijven raden?'

# 20

'Het maakt deel uit van ons onderzoek,' zei Tim Bryson, de vraag beantwoordend.

'Waarom wilde u toegang tot het huis van mijn dochter, dr. McCormick?' vroeg Hale, wiens blik Darby geen ogenblik had losgelaten.

'Ik ben recentelijk betrokken bij de zaak van uw dochter,' antwoordde Darby. 'Ik wilde mezelf een indruk van haar vormen, proberen haar beter te leren kennen.'

'De heer Marsh nam contact op met mijn antwoordservice. Toen ik mijn assistente sprak, vertelde ze me dat u nogal aandrong op toegang tot Emma's huis. Er was zelfs sprake van een dwangbevel.'

'Ik wilde een nieuwe aanwijzing onderzoeken.'

'En die is?'

'Dat maakt deel uit van ons onderzoek.'

'Weet u, dit is nu precies het probleem dat ik met jullie heb,' zei Hale. Zijn stem bleef beleefd. 'Steeds als jullie hier komen, dan wordt verwacht dat ik jullie vragen beantwoord, maar op vragen van mij weigeren jullie antwoord te geven. Neem nu dat religieuze beeldje dat in de zak van mijn dochter is gevonden. Ik heb jullie gevraagd wat dat is, en jullie willen het me niet vertellen. Waarom is dat?'

'Ik kan me uw ergernis voorstellen, maar we hebben...'

'Mijn dochters huis is aan mij vrijgegeven. Ik heb u toegang verschaft. Volgens mij heb ik het recht te weten waarom.'

'We zijn niet de vijand, meneer Hale. We streven hetzelfde doel na.'

Hale nam nog een slok van zijn whiskey, besefte dat zijn glas leeg was en keek om zich heen naar de fles.

'Het viel me op dat u niets van Emma's spullen hebt weggedaan,' zei Darby.

Hale zette zijn glas terug op tafel. Hij liet zich achterover in zijn stoel zakken en sloeg zijn benen over elkaar.

'Het is nogal moeilijk uit te leggen,' zei hij na een ogenblik. Hij schraapte een paar keer zijn keel en veegde wat pluisjes van zijn broek. 'Emma's woning, de dingen zoals ze die heeft achtergelaten... het is het enige wat ik nog van haar heb. Ik weet dat dit irrationeel moet klinken, maar als ik daarbinnen ben en naar haar spullen kijk, naar de manier waarop ze alles heeft achtergelaten, dan is het... Dan kan ik haar nog steeds voelen. Dan is het alsof ze nog steeds leeft.'

'Wanneer bent u voor het laatst in Emma's appartement geweest?' vroeg Bryson.

'Vorige week,' antwoordde Hale. Hij stond op.

'Hebt u een privédetective in dienst genomen om de dood van uw dochter te onderzoeken?'

'Zo zou ik hem niet willen noemen.' Hale liep naar een hoek van het vertrek, haalde uit de kleine bar een fles Maker's Markbourbon en vulde opnieuw zijn glas. 'Dr. Karim is een forensisch deskundige.'

'Ali Karim?' vroeg Darby.

'Inderdaad,' bevestigde Hale toen hij weer in zijn stoel zat.

Ze kende de naam. Ali Karim, voormalig patholoog-anatoom voor de stad New York, en zonder twijfel een van de beste op zijn vakgebied, had nu zijn eigen adviesbureau. Karim was bij een aantal belangrijke strafzaken, waarvan de meeste veel mediabelangstelling hadden genoten, aangetrokken als getuige-deskundige. Hij had een paar bestsellers geschreven en bij talkshows was hij een veelgevraagde gast.

'Waarom hebt u dr. Karim ingehuurd?' vroeg Darby.

'Omdat ik wilde dat iemand me de waarheid zou vertellen.'

'Dat begrijp ik niet.'

'Mijn dochter werd in haar achterhoofd geschoten met een wapen van het kaliber .22. Volgens rechercheur Bryson was ze op slag dood, maar dat is niet helemaal waar. Door de manier waarop de kogel de schedel is binnengedrongen, heeft Emma nog verscheidene minuten geleefd. Mijn dochter heeft geleden. Afschuwelijk.'

'Meneer Hale...' begon Bryson.

'O, ik begrijp best waarom u dat heeft gezegd, rechercheur Bryson, en ik neem het u niet kwalijk,' zei Hale, een slok uit zijn glas nemend. 'Ik wist het niet van uw dochter.'

'Pardon?'

'Iemand vertelde me dat uw dochter was gestorven. Aan leukemie.'

'En wat wilt u daarmee zeggen, meneer Hale?'

'Dat u weet wat het is om een kind te verliezen. U kent dat soort pijn. En hoewel ik uw goede bedoelingen waardeer om me de details van mijn dochters dood te besparen, heb ik u herhaaldelijk om informatie gevraagd. Ik heb u gevraagd me de waarheid te vertellen. Ik wil weten hoe ze is gestorven, wat deze persoon haar heeft aangedaan – elk detail ervan. Daarom heb ik de hulp van dr. Karim ingeroepen. Ze bekijken deze zaak vanuit een nieuw perspectief.'

'Ze?'

'Karim heeft diverse onderzoekers aanbevolen om het bewijsmateriaal opnieuw te bestuderen.'

'Wat zijn de namen van de onderzoekers die u hebt ingehuurd?'

'Ik heb nog niemand ingehuurd.'

'Hebt u deze mensen ontmoet?'

'Nee.'

'Hoe bent u aan dr. Karim gekomen?'

'Ik heb hem de afgelopen jaren in talkshows gezien, en aangezien hij ervaring heeft met dit soort moorden, besloot ik hem op te bellen en hij stemde ermee in om de resultaten van Emma's autopsie te beoordelen. Hij schaarde zich overigens volledig achter de conclusies van de patholoog.'

Er werd aangeklopt. De deur ging open en de huishoudster stak haar hoofd naar binnen. 'Meneer Hale,' zei ze in gebroken Engels, 'de politie is aan de telefoon. Ze zeiden dat het belangrijk is.'

Hale verontschuldigde zich, liep naar zijn bureau en nam de telefoon op. Hij luisterde een paar minuten, zei toen 'Dank u' en hing daarna op.

'Het spijt me, maar ik zal dit gesprek kort moeten houden,' zei Hale. 'Er is ingebroken in een van mijn gebouwen. Is er verder nog iets waarmee ik u kan helpen?'

'Inderdaad,' zei Bryson. 'De heer Marsh vertelde ons dat kopieën van de beveiligingstapes worden bewaard in uw kantoor in Newton.'

Hale knikte. 'De banden worden op dvd gebrand. Dat bespaart opslagruimte.'

'Ik zou ze graag willen bekijken.'

'De reden waarom zult u me wel niet willen vertellen, veronderstel ik.'

'We willen een vermoeden natrekken.'

'Natuurlijk,' zei Hale met een zucht. 'Dan kunt u net zo goed meteen achter me aan rijden naar Newton. Daar moet ik namelijk heen. Het schijnt dat iemand in dat gebouw heeft ingebroken.'

'Wat is het adres?'

Hale schreef het op een velletje papier, scheurde het uit de blocnote en gaf het aan Bryson. 'Dan zie ik u daar. Als u me nu wilt excuseren, ik moet nog een paar telefoontjes plegen.'

Darby legde haar visitekaartje op zijn bureau. 'Mocht u door deze man worden benaderd, of er schiet u nog iets te binnen, dan kunt u met mij of rechercheur Bryson contact opnemen. Bedankt voor uw tijd, meneer Hale. Het spijt me van uw verlies. Dat meen ik oprecht.'

# 21

De laagstaande middagzon weerkaatste op de glooiende, met sneeuw en ijs bedekte hellingen. Darby zette haar zonnebril op tegen de felle schittering en wachtte met praten tot ze bij Bryson in de auto zat.

'Wist je dat Hale Karim had ingehuurd?'

'Nee.'

'Je leek helemaal niet verbaasd.'

'Het is wat de rijken nu eenmaal doen. Met geld krijg je alles voor elkaar.' Bryson startte de auto en leunde achterover in zijn stoel, waarschijnlijk om de motor de tijd te geven om warm te worden. 'Neem nu die zaak van JonBenét Ramsey. Hun dochtertje wordt vermoord en weet je wat de ouders doen? Ze verschuilen zich achter advocaten en trekken de allerbeste forensische deskundigen aan. Ze zetten al die specialisten aan het werk en wat denk je, ze weten genoeg argumenten aan te voeren om te voorkomen dat de zaak ooit voor het gerecht komt.'

'De politie van Boulder was op de plaats delict erg slordig te werk gegaan – om het over de handelwijze van de officier van justitie nog maar niet eens te hebben.'

'Wat ik bedoel, is dat de rijken denken dat voor hen andere regels gelden. En zal ik je eens wat zeggen? Ze hebben nog gelijk ook.'

'Wil je met Karim praten?'

'Jij bent een vakgenoot. Misschien is hij genegen met jou meer informatie te delen.'

Darby verwachtte er weinig van. Juridisch gezien hoefde Karim helemaal niets met haar te delen.

'Wat vond je van ons gesprek daarbinnen?' vroeg Bryson.

'Toen we het over de indringer hadden, leek Hale me nogal gespannen. Hij drukte zijn sigaar uit, schoof onrustig heen en weer in zijn stoel, staarde voortdurend naar zijn glas en keek ons nauwelijks aan.'

'Misschien was hij kwaad omdat we hem geen informatie wilden geven en hem verder ook niets nieuws te melden hadden.'

'Hij leek nerveus.'

'Dat is me ook opgevallen. Maar dat zou ik ook zijn als ik de hulp had ingeroepen van iemand die als nummer vier staat vermeld op de landelijke lijst van in dit land gezochte criminelen.'

'Dat is nogal een veronderstelling, Tim.'

'Mogelijk.' Bryson schakelde de auto in zijn versnelling en reed langzaam de oprijlaan af.

'Hij leek oprecht verbaasd over de inbraak,' zei Darby.

'Het komt erg goed uit.'

'Mee eens. Wat niet uitsluit dat Fletcher alleen werkt.'

'Heb je kinderen?' vroeg Bryson toen ze aan het einde van de oprijlaan waren gekomen.

'Nee.'

'Ik had een dochtertje, Emily. Ze leed aan een zeldzame vorm van leukemie. We hebben alle mogelijke specialisten met haar afgelopen. Na te hebben gezien wat ze allemaal heeft moeten doormaken, zou ik mijn ziel aan de duivel hebben verkocht om haar leven te kunnen redden. Ik weet dat het nogal melodramatisch klinkt, maar ik zweer je dat het de waarheid is. Voor je kinderen doe je alles. Wat dat ook is.'

Terwijl Bryson de hoofdweg op draaide, dacht Darby aan haar moeder.

'Wat ze je ook nooit vertellen, is dat de pijn nooit verdwijnt. Het doet nu nog evenveel pijn als op de dag dat ze stierf.'

'Dat spijt me, Tim.'

'Mannen als Hale zijn niet gewend met vraagtekens te leven. De man kan alles kopen wat hij wil. Zijn nettovermogen wordt geschat op meer dan een half miljard dollar.'

'Denk je dat Fletcher en hij een soort duivelspact hebben gesloten?'

'Zijn dochter is ergens een halfjaar vastgehouden en alleen God weet wat ze heeft moeten verduren voordat die klootzak besloot haar een kogel in haar achterhoofd te jagen,' zei Bryson. 'Hale heeft tegenover de pers zijn mening over ons niet onder stoelen of banken gestoken. Hij vindt dat we beroerd werk hebben geleverd. En als hij het gevoel heeft dat hij van ons geen gerechtigheid hoeft te verwachten, dan heeft hij misschien besloten om het ergens anders te halen.'

# 22

Jonathan Hale staat voor het raam van zijn woonkamer. Zijn vingers glijden over het antieke medaillon met Susans foto. Overdag houdt hij het in zijn broekzak, 's avonds doet hij het om in bed, bang dat als hij het in een la doet, hij Emma op de een of andere manier in de steek laat, bang dat hij haar, net als Susan, zijn overleden vrouw, zal beginnen te vergeten.

Maar je kinderen vergeet je niet. Nooit zul je dat ongeruste telefoontje van Kimmy vergeten, je dochters beste vriendin, die je vraagt waarom Emma niet op college is verschenen en waarom ze op geen enkel telefoontje reageert. 'Is ze ziek, meneer Hale? Is alles in orde?'

Nooit zul je dat vreselijke ogenblik vergeten als je in het lege huis van je dochter staat en hoe je een misselijkmakende angst probeert weg te slikken als de eerste dagen zich aaneenrijgen tot een, twee, dan vier en dan zeven weken. Terwijl de maanden verstrijken blijf je hopen dat de politie haar levend zal vinden. Het kan nog, het kan nog steeds... Je klampt je nog steeds vast aan hoop en je vertrouwen op God als er wordt aangebeld en je die rechercheur voor je deur ziet staan. Je zult nooit de trieste uitdrukking op het gezicht van rechercheur Bryson vergeten als hij je vertelt dat in de rivier het drijvende lichaam van een vrouw is gevonden, waarvan het signalement overeenkomt met dat van je dochter. Hij opent een map en toont je een foto van een vrouw met een gezwollen gezicht. Haar wasachtige, bleke huid is aangevreten door vissen. Om haar hals hangt een platina ketting met een antiek medaillon – precies zo een als je afgelopen Kerstmis je dochter hebt gegeven. Je herinnert je Emma, knus weggedoken in de stoel, haar badjas warm om zich heen geslagen. Het zonlicht stroomt door het raam naar binnen en de achtertuin is bedekt met verse sneeuw. Je ziet hoe ze het medaillon openmaakt en je herinnert je de uitdrukking op haar gezicht als ze de foto van haar moeder ziet, alweer zoveel jaar dood.

Dat beeld, en duizend andere beelden, zie je voor je als je staart naar de foto in die map, naar het registratienummer op het witte kaartje onder haar kin in het mortuarium. Toch geloof je nog steeds dat er sprake is van een vergissing. Het móét een vergissing zijn.

De rechercheur wacht tot je zegt: 'Ja, dit is mijn dochter. Dit is Emma.' Maar dat doe je niet, want het uitspreken van die woorden betekent een definitief afscheid.

Hale richt zijn blik op de sneeuwruimende terreinknechten. Was het nog maar herfst, zijn favoriete jaargetijde. In gedachten ziet hij de bladeren op het gazon, buitelend in de wind, en hij ruikt de tintelende, kruidige lucht. Het roept het beeld in hem op van een zevenjarige Emma die met een schoenendoos in haar handen roepend over de kleurrijke bladeren op hem toe komt rennen. In de doos zit een Vlaamse gaai. Een vleugel is gewond, met de andere probeert hij wanhopig te vliegen.

*Pappa, je moet die vogel helpen, hij is gewond.*

In een poging die angstige blik uit de ogen van zijn dochter te halen, pakt Hale een telefoonboek en probeert terwijl de vogel smartelijk piept een dierenarts te bereiken. Uiteindelijk weet hij er een te vinden die vogels behandelt – het is in Boston, niet al te ver weg.

Hale weet hoe dit gaat aflopen. Hij hoopt Emma dit te besparen, maar ze wil beslist met hem mee.

Wanneer de dierenarts het slechte nieuws komt brengen, richt Emma zich tot hem om het probleem op te lossen. Hij legt haar uit dat God met ieder van ons een bedoeling heeft, ook al kunnen we dat soms niet begrijpen. Ze huilt. Hij houdt haar hand vast als ze samen zonder vogel teruglopen naar de auto en onderweg naar huis spreekt ze geen woord. Een jaar later zal ze zijn hand weer vasthouden als hij haar, na het uitspreken van dezelfde troostrijke woorden, wegvoert bij het graf van haar moeder.

Hale herinnert zich ooit diep in deze woorden te hebben geloofd. Nu is hij alle geloof en vertrouwen kwijt.

Hij wil zijn glas pakken, maar het is leeg. Hij schenkt weer in en doet er nieuw ijs in. Op een boekenplank naast de kachel staan Susans oude kookboeken. Toen ze nog leefde, kookte ze altijd.

Nu heeft hij personeel dat voor hem kookt. Diverse keren hebben ze geprobeerd de recepten te volgen die Susan op indexkaartjes had gekrabbeld of in haar favoriete kookboeken had gemarkeerd, maar het eten smaakte nooit hetzelfde.

Meer dan eens had hij geprobeerd de kookboeken weg te doen, maar elke keer had hij het gevoel gehad alsof hij innerlijk werd verscheurd. Susans kleren had hij zonder problemen kunnen wegdoen, maar van de kookboeken kan hij geen afscheid nemen. Weggooien – of ze zelfs maar weggeven aan een goede bekende – was alsof hij een deel van zichzelf afstond. *Ik kan je alleen maar stukje bij beetje weggeven.* Hale denkt aan Emma's spullen die allemaal nog moeten worden opgeruimd en hij vraagt zich af welke dingen aan hem zullen trekken, hem bedelend en smekend om niet te worden weggegooid, om te mogen blijven en herinnerd te worden.

Met zijn glas in zijn hand stommelt hij, behoorlijk dronken, terug naar zijn kantoor. Als hij de deur opendoet, zit daar Malcolm Fletcher in een leren stoel.

# 23

Jonathan Hale had de man eerder deze maand ontmoet. De ontmoeting in de Oak Room-bar van het stijlvolle Copley Fairmont Hotel was geregeld door dr. Karim.

Het was moeilijk om rustig te blijven zitten. Het bloed bonsde in zijn oren en alle kleuren en geluiden binnen leken fel en luid – de gedempte gesprekken van lunchende zakenmensen, begeleid door het getingel van bestek tegen serviesgoed; het roodbruine tafellinnen; het felle, door de ramen binnenvallende licht van de laagstaande middagzon, weerkaatst door de drankflessen op de planken voor de spiegelwand achter de bar.

Met zijn ogen op de voordeur gericht en nippend van zijn drankje denkt Hale terug aan het gesprek van de vorige dag met dr. Karim.

*'Meneer Hale, ik heb de zaak van uw dochter met een deskundige besproken. Deze persoon is onderweg naar Boston. Hij zou u graag persoonlijk willen spreken.'*

*'Wat is zijn naam?'*

*'Hij is erg bedreven in het opsporen van mensen die niet gevonden willen worden. Hij heeft veel succes geboekt met dit soort zaken.'*

*'Waarom wilt u me zijn naam niet noemen?'*

*'Dat ligt nogal... gecompliceerd,' antwoordde Karim. 'Ik ken deze man al dertig jaar. De laatste tien jaar werkt hij uitsluitend voor mij. Hij is zonder twijfel de beste op zijn gebied. Hij vond de man die verantwoordelijk was voor de dood van mijn zoon.'*

*Even was Hale verrast. Tijdens hun eerste gesprek, toen Karim hem had verteld hoe zijn team indertijd aan een zaak had gewerkt tot die was opgelost, had deze hem toevertrouwd hoe zijn oudste zoon Jason het toevallige slachtoffer was geworden van een schietpartij tussen rivaliserende bendes in de Bronx. Een zaak, had Karim gezegd, die de politie van New York nooit had opgelost.*

*'Ik meende dat u zei dat de zaak nog steeds open was.'*

*'Dat is wat de politie gelooft,' had Karim geantwoord.*

*Hale deed er het zwijgen toe toen de mogelijke implicatie van Karims woorden tot hem doordrong.*

*'Begrijpen we elkaar, meneer Hale?'*

*'Ja,' had Hale gezegd. Zijn mond was droog en over zijn huid kroop een elektrische tinteling. 'Ja, we begrijpen elkaar.'*

*'Wanneer u hem spreekt, moet u al zijn vragen beantwoorden,' had Karim gezegd. 'En als hij erin toestemt aan de zaak van uw dochter te werken, dan dient u alles te doen wat hij van u vraagt. En, wat u ook doet, lieg niet tegen hem.'*

Een man met een zonnebril op kwam op zijn tafel toelopen. Over zijn zwarte kostuum droeg hij een zwarte, wollen overjas. Het was een grote man, langer dan een meter tachtig, met het krachtige postuur dat Hale deed denken aan dat van boksers. Zijn dikke, zwarte haar was kortgeknipt en in het zonlicht leek zijn gezicht lijkbleek.

'Dr. Karim stuurt me,' zei de man. Zijn zware, diepe stem had een licht Australisch accent. De donkere brillenglazen schermden zijn ogen af.

Hale stelde zich aan hem voor. De man, die handschoenen droeg, schudde zijn hand maar deed ze niet uit toen hij zonder zijn naam te noemen in de stoel tegenover hem kwam zitten.

'Wat wilt u drinken?' vroeg Hale.

'Ik hoef niets, dank u.' De man steunde met zijn armen op tafel en boog zich voorover. Hale rook sigarenrook. 'Ik zou graag wat meer van u willen weten over het heiligenbeeldje dat in de zak van uw dochter is gevonden.'

'Wat is daarmee?'

'Was het een beeldje van de Maagd Maria?'

'Ik weet het niet,' antwoordde Hale. 'De politie weigert me ook maar iets te vertellen.'

'Hebt u het appartement van uw dochter al uitgeruimd?'

'Nee, dokter Karim heeft me gezegd alles te laten zoals het is.

Hij overweegt specialisten te laten komen om Emma's spullen te onderzoeken.'

'Wat hebt u bij haar weggehaald?'

'Ik heb niets... Ik kan mezelf er niet toe brengen iets weg te halen.'

'Haal niets weg en raak niets aan,' zei de man. 'En als u geen bezwaar hebt, dan zou ik graag eens willen rondkijken in het huis van uw dochter.'

'Het gebouw heeft een conciërge. Hij zal u een sleutel geven. Ik zal hem bellen.'

'Nu moet u even heel goed naar me luisteren, meneer Hale. Als we besluiten om samen te werken, dan mag u de politie niets zeggen over mijn betrokkenheid. Om allerlei praktische redenen is het gewoon beter als ik niet besta. Dit punt is niet onderhandelbaar.'

'Ik ken niet eens uw naam.'

'Malcolm Fletcher.'

De man wachtte, alsof hij een soort reactie verwachtte.

'En wat voor werk doet u, meneer Fletcher?'

'Vroeger was ik werkzaam bij de FBI, afdeling Gedragswetenschappen.'

'En nu bent u met pensioen?'

'Zo zou je het kunnen noemen,' zei Fletcher. 'Ik veronderstel dat u mensen hebt die iemand natrekken voordat u hem in dienst neemt.'

'Dat is standaardprocedure.'

'Voor uw eigen veiligheid, ik sta erop dat u mijn naam geheimhoudt. Als ik mijn naam in welk computerbestand dan ook tegenkom, dan verdwijn ik. Dr. Karim zal onder ede verklaren dat hij mijn naam nooit heeft genoemd en tevens zal hij ophouden te werken aan de zaak van uw dochter. Bent u een man van uw woord, meneer Hale?'

'Dat ben ik.'

'Laat dan een kopie van uw dochters sleutels maken en stuur die naar dr. Karim. Ik neem binnenkort contact met u op.'

'Voordat u gaat, meneer Fletcher, zou ik graag iets met u bespreken.'

Hale zette zijn glas neer. Hij probeerde de man in de ogen te kijken, maar het enige dat hij kon zien waren de donkere glazen.

'Mocht u de man vinden die mijn dochter heeft vermoord, dan wil ik hem ontmoeten. Voordat u hem uitlevert aan de politie, wil ik hem onder vier ogen spreken.'

'Dr. Karim heeft u verteld wat er met zijn zoon is gebeurd.'

'Ja, dat heeft hij.'

'Dan weet u ook dat ik de politie er niet bij ga betrekken.'

'Ik wil met hem praten.'

'Hebt u ooit een man gedood, meneer Hale?'

'Nee.'

'Hebt u *Macbeth* gelezen?'

'Dit punt is niet onderhandelbaar.'

'Volgens mij beseft u niet helemaal de implicaties van wat u vraagt. Ik zou hier nog maar eens goed over nadenken. En vergeet ondertussen niet wat ik heb gezegd over het erbij betrekken van de autoriteiten.'

Hale hield woord. Hij had Fletcher niet laten natrekken. Alles wat hij wist over de man had hij van het internet.

In 1984 werd Malcolm Fletcher, gedragswetenschapper bij de FBI, ervan verdacht drie federale agenten te hebben aangevallen. Een van hen, agent Stephen Rousseau, werd in een privékliniek in New Orleans nog steeds met kunstmatige voeding in leven gehouden. De lichamen van de andere twee agenten werden nooit teruggevonden.

In 1991 werd de voormalige profiler geplaatst op de Most Wanted List van de FBI. Hale kon nergens een verklaring vinden voor de tussenliggende periode.

Nu zat Malcolm Fletcher bij hem thuis in een van de leren stoelen in zijn kantoor.

De man had deze morgen gebeld. Toen Hale hem over de politie had verteld, had hij erop aangedrongen om tijdens het gesprek aanwezig te zijn. Om bij het personeel geen achterdocht te wekken, had Hale hem voorgesteld om het huis binnen te komen via de balkondeuren die toegang gaven tot het kantoor. Het bos zou een uitstekende dekking bieden.

Hale sloot de deur van het kantoor. Fletcher had het hele gesprek kunnen volgen vanuit de garderobekast.

'Ik heb ze alles verteld wat ik van u moest zeggen.'

Fletcher knikte.

'Over het beeldje wilden ze niets zeggen,' zei Hale.

'Dat weet ik.' Fletcher staarde in het haardvuur. 'Gaat u zitten, alstublieft. Ik wil met u praten over de man die uw dochter heeft vermoord.'

# 24

Jonathan Hale ging in de stoel tegenover Fletcher zitten. Alles wat de man droeg was zwart – zijn kostuum en overhemd, zijn schoenen en zijn sokken – een merkwaardige kleurkeuze voor iemand die zo bleek was als hij.

'Terwijl mevrouw McCormick zich gisteravond in het donker afvroeg waarom het licht uitging, probeerde ik de reden van haar onverwachte komst vast te stellen,' begon Fletcher. 'Ik wist dat ze me die nooit zou vertellen, dus voordat ik gedwongen werd me aan haar te vertonen, heb ik de vrijheid genomen om op de sierlijst boven de kastdeur een microfoontje te plaatsen en nog een andere in de logeerkamer. Gelukkig beschikte ik in mijn auto over de benodigde afluisterapparatuur, zodat ik het gesprek tussen mevrouw McCormick en rechercheur Bryson kon volgen. Ik weet nu waarom ze opeens zo'n haast had om toegang te krijgen tot de woning van uw dochter.'

Fletcher wendde zijn blik af van het vuur. De vreemde ogen van de man fascineerden Hale. Op de een of andere manier deden ze hem denken aan de spannende avonturenboeken die hij als jongen las – boeken over verborgen schatten in donkere, vochtige kastelen vol spinnenwebben, geraamtes en kamers vol duistere geheimen.

Toch had de blik van de man iets geruststellends. Hale voelde zijn hartslag afnemen.

'Toen Emma verdween,' zei Fletcher, 'heerste zowel bij de FBI als bij de politie van Boston de algemene veronderstelling dat ze was ontvoerd.'

'Dat klopt.'

'Die foto die rechercheur Bryson u liet zien om uw dochter te identificeren, kunt u zich die nog herinneren?'

'Ja.' Hale kon zich de foto duidelijk voor de geest halen. Hij wist nog hoe hij door de foto heen het vuil en het zand van haar gezicht had willen vegen en de takjes uit haar natte haar had willen halen.

'Op de foto draagt Emma een platina ketting met een medaillon,' zei Fletcher.

'Die had ik haar met Kerstmis cadeau gedaan,' zei Hale. Zijn hand tastte in zijn broekzak en zijn vingers klemden zich om het medaillon.

'De ketting en het medaillon bevonden zich in uw dochters huis *nadat* ze was ontvoerd.'

'Dat begrijp ik niet.'

'De man die uw dochter heeft vermoord is teruggekomen voor de hanger. De politie vermoedt dat hij op een van de bewakingstapes staat – daarom hebben ze toegang gevraagd tot uw kantoor in Newton. Ze willen de kopieën van de tapes bekijken. Maar die zijn nu in mijn bezit.'

'Hebt u in mijn kantoor ingebroken?'

'Ja. Ik wil de politie doen geloven dat ik zelfstandig werk.'

Malcolm Fletcher stak Hale een mobieltje toe. 'Zorg dat u deze altijd bij u hebt,' zei hij. 'Het is een prepaid, dus de politie kan het gesprek nooit traceren. Mocht u vragen hebben, bel dan het enige nummer dat in het geheugen staat. Kent u Judith Chen?'

'De vermiste studente uit Suffolk,' zei Hale.

'Haar lichaam is gisteren gevonden. Ingenaaid in haar zak vond de politie een religieus beeldje – een beeldje van de Maagd Maria. Een soortgelijk beeldje werd bij Emma gevonden. Ik hoorde mevrouw McCormick er gisteravond over praten. Het deed me aan iets denken, dus besloot ik wat dieper te graven. Daarbij ben ik op informatie gestuit die de politie van Boston voor problemen kan stellen.'

'Wat voor informatie?'

'Dat bespreek ik liever later met u, als ik de gelegenheid heb gehad om de beveiligingstapes te bekijken. Ik wil weten of mijn vermoeden juist blijkt te zijn.'

'Marsh vertelde me dat de politie de banden van gisteravond heeft meegenomen. Ik weet zeker dat u daarop staat.'

'Ongetwijfeld.'

'Dan is het slechts een kwestie van tijd voor ze weten wie u bent.'

'Dat weet ik,' zei Fletcher. Hij stond op. 'Ik ga hun aandacht afleiden.'

'Waarmee dan?'
'Met de waarheid,' antwoordde Fletcher.

Hales kantoor in Newton was gemakkelijk bereikbaar vanaf knooppunt Mass Pike. Op het sneeuwvrij gemaakte parkeerterrein stond een enkele politieauto. De glazen voordeur was verbrijzeld. Darby zag de baksteen in de lobby liggen.

Binnen was het een chaos. Computermonitoren waren op de vloer stukgesmeten, de inhoud van bureauladen lag overal verspreid. Planten waren tegen de witte muren gesmeten. Sommige muren waren met fluorescerende verf uit spuitbussen beklad met swastika's en leuzen als 'Jews Go Home' en 'White Power'.

De agent, een kleine man met vlezige schouders en een papperig gezicht, onderdrukte een geeuw. 'De klojo's kwamen hierbinnen en hebben zoals u ziet de zaak even verbouwd,' verklaarde hij tegen Bryson. 'En die kolerelijers waren nog slim ook. Ze hebben eerst de draden van het alarm doorgeknipt.'

'Waarom denkt u dat dit door tieners is gedaan?'

'Omdat dit soort haatacties altijd het werk van een jeugdbende blijkt te zijn. Waarschijnlijk van een Aryan Brotherhood-groep, een van die blanke jeugdbendes uit Zuid-Boston. Vorig jaar hebben ze hier bij een synagoge ingebroken en de muren daar volgespoten met dezelfde vriendelijke leuzen. Het is een soort ritueel.'

'En nu plunderen ze kantoorgebouwen?'

'Hé, luister, ik doe alleen maar suggesties. U bent hier de rechercheur, dus waarom laat ik u niet rechercheren?'

'Wie heeft het gemeld?' vroeg Bryson.

'Een van de twee sneeuwruimers,' antwoordde de agent. 'Ze zijn hier vanmorgen rond een uur of negen begonnen. Toen ze bij de voorkant van het gebouw kwamen, zagen ze de voordeur. Een snelle blik naar binnen was voldoende om ons te bellen en hier zijn we dan.'

Bryson knikte, met zijn blik gericht op de bewakingscamera aan het plafond.

'Die kunt u wel vergeten,' zei de agent. 'De banden zijn uit de recorders gehaald.'

'Laat me eens zien.'

De deur naar de bewakingsruimte was opengebroken. Aan de braaksporen te zien met zoiets als een koevoet, dacht Darby.

Net als in de lobby was het kleine vertrek volkomen overhoopgehaald. Goedkope opbergkasten van spaanplaat waren met inhoud en al omgetrokken. De vloer lag bezaaid met dvd's in transparante plastic cassettes. Sommige dvd's waren verbrijzeld. Darby zag fragmenten van apparatuur waarmee videobanden op dvd werden overgezet.

Bryson raapte een van de cassettes van de vloer. Op het etiket stond keurig de naam van het betreffende gebouw vermeld, en de maand en het jaar van de opname.

'Hoeveel verwed je erom dat de opname die we nodig hebben ontbreekt?' vroeg Bryson.

'Een vermogen,' antwoordde Darby. 'Maar om te weten wat er ontbreekt, hebben we hier mensen nodig om de dvd's te inventariseren.'

'Komt in orde. We moeten dit goed regelen. Ik ga de operationele dienst bellen om mensen te sturen.'

'Dan ga ik terug naar het lab. En ik zou graag even een kijkje nemen in de woning van Chen.'

'Ze huurde een flatje in Natick. Ze hebben daar een sleutel. Ik zal ze laten weten dat je komt.'

'En ik zou graag de bewakingstape van gisteravond willen bekijken.'

'Daar heb ik al een kopie van gemaakt. Ik zal hem in het nachtkluisje van het lab leggen. Ik zal je door de patrouilledienst naar de stad laten brengen,' zei Bryson. Met een zucht gooide hij het dvd-doosje weer op de vloer.

# 25

Het enige wat Darby in het nachtkluisje van het lab aantrof was een gevoerde envelop. Op de voorkant stond met de hand haar naam geschreven. Op weg naar de vergaderkamer maakte ze de envelop open.

In korrelige kleuren toonde de videobewakingsband het interieur van de parkeergarage. Zittend op rand van de tafel zag Darby een man in een zwarte overjas gehaast door de garage naar de goederenlift lopen. Hij had kort, zwart haar en een bleek gezicht. Met zijn rug naar de camera gericht, drukte hij de knop in en wachtte. Zijn haar en kleding kwamen overeen met die van de indringer die ze de avond daarvoor had gezien – Malcolm Fletcher.

Toen de deuren opengingen, liep Fletcher de lift in en deed toen een stap naar rechts – weg uit het blikveld van de camera. De deuren schoven dicht.

Als Fletcher voor Hale zou werken, dan zou hij niet stiekem het gebouw binnen hoeven te glippen.

Darby spoelde de band terug en bekeek die opnieuw.

*Wat moest je daar in het penthouse? Waar zocht je naar?*

Toen ze na drie keer kijken nog niets opmerkelijks had gevonden, verliet ze de vergaderkamer.

Coop en Keith Woodbury waren in een kleine onderzoeksruimte aan het werk. In een doorzichtige opdampkast, die zich geleidelijk vulde met cyanoacrylaatdamp, waren enkele van Emma Hales sieraden geplaatst. Langzaam tekenden zich op de juwelen witgrijze vingerafdrukken af.

'Hoe staat het met de vochtigheidsgraad?' vroeg Coop.

Woodbury, lang, goedverzorgd, met een kaalgeschoren schedel en de bouw van een hardloper, wierp een blik op de meter. 'Ziet er goed uit,' zei hij met zijn zoals altijd zacht en aangenaam klinkende stem. Toen hij Darby zag binnenkomen, begroette hij haar, om daarna weer zijn aandacht op de meter te richten.

Coop legde zijn klembord neer. 'De resultaten van AFIS zijn binnen,' zei hij tegen haar. 'Niet erg bemoedigend, vrees ik. De gedeeltelijke duimafdruk die we op de handgreep van de juwelencassette hebben gevonden heeft geen match opgeleverd. Zelfs geen *mogelijke* match. We zullen een betere afdruk nodig hebben.'

'Hebben de juwelen iets opgeleverd?'

'We hebben pas één plateau gedaan. Alle vingerafdrukken die we tot dusver hebben gevonden zijn van Emma Hale. Het gaat wel een paar dagen duren voordat we alles hebben gehad.'

Darby knikte. Opdampen met cyanoacrylaat, het hoofdbestanddeel van secondelijm, leverde geweldige vingerafdrukken op, maar het was een tijdrovend proces. Daarna, om ze te kunnen verwijderen, moesten ze nog met poeder worden bestoven om ze te fixeren.

'Hoe is de ontmoeting met de vader verlopen?' vroeg Coop.

Darby ging met een sprongetje op de achterste werktafel zitten en vertelde Coop over het gesprek met Hale en de daaropvolgende inbraak.

'Prima timing,' zei Coop. 'Denk je dat Fletcher weet van de ontbrekende hanger?'

'Hij kon het alleen weten als hij ons dossier heeft kunnen inzien,' antwoordde Darby. 'Hale heeft geen kopie.'

'Wat móést Fletcher daar dan, verdomme?'

'Ik heb geen idee. Ik wil het even hebben over het Mariabeeldje.'

'Geen vingerafdrukken.'

'Dat weet ik,' zei Darby. 'Of onze man heeft het schoongeveegd voordat hij het in de zak naaide, of hij droeg handschoenen. Maar met handschoenen aan een naald hanteren lijkt me niet echt handig, toch?'

'Dat hangt ervan af,' zei Coop schouderophalend. Als het skihandschoenen waren, of leren handschoenen, dan wel, ja. Maar met latex handschoenen...'

'Stel dat hij helemaal geen handschoenen droeg?' vroeg Darby. 'Dat hij de zak met blote handen heeft dichtgenaaid?'

'Ik begrijp waar je heen wilt. Maar om een latente vingerafdruk van kleding te nemen... zoiets wordt zelden gedaan. Textielweefsel neemt het lijnenpatroon van een vingerafdruk niet over.'

‘Normaal gesproken heb je gelijk,’ gaf Darby toe. ‘Maar Chens joggingbroek is van nylon en op het gedeelte rond haar zak zaten bloedspetters. Wat als hij daar een vingerafdruk heeft achtergelaten?’

‘Dan rijst het probleem hoe we die vingerafdruk kunnen afnemen zonder het bloedmonster voor DNA-bepaling te beschadigen.’

‘Er zijn chemicaliën die in een bepaalde mengverhouding het STR-patroon niet aantasten.’

‘Als je het zo wilt aanpakken,’ zei Woodbury, die had meegeluisterd, ‘dan zou ik geen chemische stoffen aanraden met een peroxidasereactie. Ten eerste zijn ze moeilijk om mee te werken en ten tweede zijn ze nogal giftig.’

‘En als we een kleurstof op eiwitbasis gebruiken?’ vroeg Darby.

Woodbury dacht even na.

‘Dat zou veiliger zijn,’ zei hij na een ogenblik. ‘Ik zal wat onderzoek moeten doen om te zien of ik het juiste, eh, recept kan vinden.’

‘En we zullen moeten wachten tot de kleren droog zijn,’ merkte Coop op.

‘Ik wil Chens huid onderzoeken,’ zei Darby. ‘Om te zien of onze man haar met zijn blote handen heeft aangeraakt.’

‘Volgens mij is de kans dat een latente vingerafdruk zo’n lange periode in het water doorstaat vrijwel nihil.’

‘Coop, wat is de eerste regel die je me met betrekking tot vingerafdrukken hebt voorgehouden?’

‘Er zijn geen regels.’

‘Precies,’ zei Darby, van de werktafel springend. ‘En laat ik je dan nu vertellen wat ik van plan ben...’

# 26

Coop moest de bewerking van de juwelen in de opdampkast nog afmaken, dus spraken ze af dat hij zich in het mortuarium weer bij hen zou voegen. Keith Woodbury hielp Darby de spullen te dragen die ze nodig had.

Het naakte lichaam van Judith Chen lag op een stalen tafel. Terwijl Woodbury in een ander vertrek de apparatuur klaarzette, sloot Darby de draagbare Luma-Lite aan, zette een beschermbril met oranje glazen op en bewoog toen de lichtbundel over Chens lichaam.

Bij een golflengte van 180 nanometer zag Darby op het gezicht en de borst van de vrouw vlekjes van verdund bloed oplichten. Op haar voorhoofd was een T-vormige veeg zichtbaar die Darby sterk aan een kruisteken deed denken.

Ze stopte regelmatig om de golflengte van het licht te veranderen. Bij 525 nanometer ontdekte ze een volledige, latente vingerafdruk. Ze belde Coop.

'Bingo.'

'Je neemt me in de maling.'

'Helemaal niet,' zei Darby. 'Ik heb een mooie latente afdruk op haar voorhoofd. Hij zit vlak boven – hou je vast – een kruis.'

'Ze heeft een *kruis* op haar voorhoofd?'

'Volgens mij heeft hij haar gedoopt voordat hij haar in het water dumpte. Herinner je je dan niets meer van de catechismusles?'

'Ik heb geprobeerd het te verdringen,' antwoordde Coop. 'Hoe gaan we de afdruk overbrengen?'

'Ik stel voor met secondelijm. Keith is nu bezig de opdampkast in gereedheid te brengen. We plaatsen Chens lichaam in de kast. Nadat het cyanoacrylaat is uitgehard, kunnen we de afdruk bestuiven met een ultraviolet poeder en daarna zichtbaar maken met een kleurstof als Ardrox. En aangezien jij de vingerafdrukexpert bent, mag jij beslissen.'

'Bedankt, hoor.'

'Geen dank,' zei Darby. 'En zorg nu dat je hier als een speer naartoe komt, en neem die gedeeltelijke, latente duimafdruk met je mee.'

Darby liet het overbrengen van de vingerafdruk aan Coop en Woodbury over en reed naar Natick.

Judith Chen woonde met een kamergenote in een duplexwoning op de hoek van een drukke straat. Op de oprit stond een patrouilleauto van de politie van Natick. Verder was er in de straat niets te zien. Gelukkig, geen pers in de buurt.

Darby toonde de politieman haar legitimatie.

'De slaapkamer is op de eerste verdieping, de trap op en dan direct rechts,' zei hij, uit de auto stappend. 'De ouders zijn al eerder vandaag geweest. Ze hebben niets meegenomen.'

'En hoe is het met Chens kamergenote?'

'Dat weet ik niet. Voor zover ik weet is ze weer bij haar ouders ingetrokken. Ze kwam van Long Island. Ze moet hier begin december zijn vertrokken. Ze slaat een semester over. Chens verdwijning heeft haar nogal van streek gemaakt en ze wilde hier niet alleen wonen. Ik zal u haar naam en telefoonnummer geven.'

Het huis was donker. Darby knipte het licht aan en liep de trap op.

De badkamer bevond zich boven. Hij was kraakhelder. Darby vroeg zich af of de kamergenote hem voor haar vertrek had schoongemaakt.

Ze opende het medicijnkastje. De linkerkant was leeg. De rechterkant bevatte spullen die waarschijnlijk van Chen waren geweest – flacons, tubes, potjes met verschillende soorten make-up en lotions, veel Alka-Seltzer-tabletten en middeltjes tegen verkoudheid. Verder stonden er nog twee flesjes met een voorgeschreven medicijn – Paxil, een antidepressivum, en iets dat Requip heette.

Darby liep verder de gang in. Het kostte haar even tijd om het lichtknopje van de slaapkamer te vinden.

Aan de muur van Judith Chens slaapkamer hing een ingelijste foto waarop ze een labradorpuppy vasthield. Het was dezelfde foto die Darby op de muur van haar werkkamer thuis had geplakt.

Op de vloer lagen enkele fotolijstjes. Darby vroeg zich af of haar ouders die eerder die morgen van de muur hadden gehaald. Op het bed lag een roze dekbed met bijpassende kussens. Darby zag de holtes waar de ouders waarschijnlijk hadden gezeten.

Darby was blij dat de kamer ongemoeid was gelaten. Ze wilde een indruk krijgen hoe de jonge vrouw had geleefd.

Op een bureautje stond een kleine Dell-laptop. Ze knipte de bureaulamp aan. Weggestopt in een hoek stonden drie grote studieboeken chemie en enkele spiraalschrijfblokken. Alles zat onder het stof.

Darby trok een paar latex handschoenen aan en bladerde een schrijfblok door. Het stond vol met ingewikkelde chemische formules en vergelijkingen.

Er was een uur verstreken toen haar telefoon ging.

'Goed nieuws,' zei Coop. 'De vingerafdruk die we van haar voorhoofd hebben gehaald, komt overeen met de gedeeltelijke duimafdruk op de handgreep van Hales juwelencassette. Ik heb de afdruk op het voorhoofd bij AFIS ingevoerd. Blijf duimen.'

In geen van de blocnotes vond ze 'nog te doen'-lijstjes, gele Post-It-briefjes of neergekrabbelde afspraakjes zoals waar te gaan eten met vrienden. De bureauladen bevatten een computerhandleiding en een paar romans van Jane Austin.

Darby richtte haar aandacht op de laptop en was opgelucht toen die niet om een wachtwoord vroeg.

Chen gebruikte Microsoft Outlook als e-mailprogramma en agenda voor haar afspraken. Darby liep de maanden tot het tijdstip van haar ontvoering na, maar de enige ingevoerde gegevens betroffen Chens collegerooster en de datums dat bepaalde werkstukken moesten zijn ingeleverd.

Haar telefoon ging opnieuw. Het was Tim Bryson. 'We hebben de dvd's van de beveiligingsbanden geïnventariseerd. Benieuwd welke ontbreken?'

'Die vanaf de dag dat Emma Hale werd ontvoerd tot de dag dat haar lichaam werd gevonden,' antwoordde Darby.

'Helemaal goed. Ik stel voor dat we mensen op Hale zetten om te zien of Fletcher komt opdagen.'

'Ik heb de bewakingsband bekeken. Als Fletcher voor Hale werkt, waarom is hij dan stiekem naar binnen geglipt?'

'Geen idee. Misschien is hij dat niet. Misschien probeert Fletcher op die manier Hale te benaderen, maar het kan ook zijn dat hij zelfstandig opereert. Wat ik maar wil zeggen, is dat we met alle mogelijkheden rekening moeten houden.'

'Mee eens. Denk je dat de commissaris akkoord gaat?'

'Dat is de volgende horde. Heb jij wat nieuws te melden?'

Darby praatte hem bij over de latente vingerafdruk die ze op het voorhoofd van Judith Chen hadden gevonden en over de overeenkomende duimafdruk op de handgreep van Emma Hales juwelencassette.

Ze hing op en richtte haar aandacht weer op de laptop. De in Word opgeslagen bestanden bevatten huiswerkopgaven en diverse essays voor een cursus Engelse literatuur.

Er was een kleine map met digitale foto's van Chen, samen met wat haar familie en vriendinnen leken te zijn. Ook waren er foto's van haar met de hond en een witte poes met zwarte vlekken rond de ogen en bek.

Darby was net bezig Chens zoekgeschiedenis op internet na te kijken toen haar mobieltje opnieuw ging.

'Goedemiddag, dr. McCormick.'

Het was de indringer, de man met de vreemde ogen, Malcolm Fletcher.

# 27

'Ik had niet verwacht nog iets van u te horen,' zei Darby, zich afvragend hoe hij aan haar nummer kwam.

'Ik wil met u praten over de man die Emma Hale heeft vermoord.'

'Weet u iets?'

'Mogelijk.'

'En waarom wilt u deze informatie met mij delen?'

'Als je het lijk in de kast niet kwijt kunt raken, dan kun je het maar beter leren dansen.'

'Nog een citaat van Shaw?'

'Heel goed. Ik dacht dat uw generatie het lezen had afgeschaft. Wat weet u van Themistocles?'

'Hij was een politiek leider in het oude Athene.'

'Indrukwekkend,' zei Fletcher. 'Themistocles leidde zijn volk naar de overwinning op de Perzen, om later door hetzelfde volk dat hij had gered te worden verbannen.'

'Ik kan u even niet volgen.'

'Uiteindelijk komt het allemaal neer op gradatie – hoever wil je gaan, hoe diep ben je bereid af te dalen in het duister. Juist iemand als u zou ik niet hoeven te vertellen dat de waarheid, vaker wel dan niet, een ondraaglijke last kan zijn. Daar zou u eens over kunnen nadenken.'

'Wat stelt u voor?'

'Ik bied u aan de man te ontmoeten die Emma Hale en Judith Chen heeft vermoord.'

'Hoe weet u dat Hale en Chen door dezelfde man zijn vermoord?'

'Omdat, als ik de kranten mag geloven, zowel Judith Chen als Emma Hale in het achterhoofd is geschoten. Staan die twee zaken in verband met elkaar, dr. McCormick? Of mag ik Darby zeggen?

Na zoveel over u te hebben gelezen, heb ik het gevoel dat ik u ken.'

'Hoe zou ik u dan moeten noemen?'

'Beschouwt u me maar als uw geheime vriend.'

'Als u me eens uw voornaam noemde?'

'Hoe zou u me willen noemen?'

'Wat dacht u van Mefisto?'

Er klonk een zacht gelach. Bent u soms bang dat ik u kwaad zal doen?' vroeg Fletcher.

'Die gedachte is bij me opgekomen.'

'Ik heb u gisteravond ook niets gedaan.'

'Dat lijkt me vrij moeilijk met een wapen op je gericht.'

'Ik stel een vertrouwelijke ontmoeting voor bij de Sinclair Mental Health Facility in Danvers. Ik neem binnen twee uur weer contact met u op.'

'En als ik nee zeg?'

'Dan wens ik u veel succes bij het vinden van de man die Judith Chen en die andere vrouwen heeft vermoord. Ik twijfel niet aan uw ambities. U bent duidelijk gemotiveerder en aanmerkelijk slimmer dan rechercheur Bryson. Hij had maanden geleden al van de ontbrekende halsketting moeten weten.'

*Klik*. Malcolm Fletcher had opgehangen.

Darby belde Tim Bryson en vertelde hem over het gesprek. Bryson luisterde zonder haar in de rede te vallen.

'Ik begrijp niet waarom hij je naar het Sinclair wil hebben,' zei hij nadat ze was uitgepraat. 'Dat gebouw moet al, jezus, minstens dertig jaar leegstaan.'

'Ik heb nog nooit van het Sinclair gehoord.'

'Van voor jouw tijd, veronderstel ik. Het ziekenhuis werd ergens aan het einde van de negentiende eeuw gebouwd. Het heette toen "Staatsinrichting voor Criminele Geesteszieken". In de jaren zeventig kreeg een privéonderneming het voor een schijntje in handen, vervolgens werd het weer een staatsinrichting, en voor zover ik weet staat het nu op de nominatie om te worden gesloopt om plaats te maken voor appartementen.'

'Fletcher zei: "Ik wens u veel succes bij het vinden van de man die Judith Chen en die *andere* vrouwen heeft vermoord." Misschien weet hij iets over nog een ander slachtoffer, iemand die we niet hebben gevonden.'

'Volgens mij probeert hij je uit je tent te lokken.'

'Hij weet van de vermiste hanger.'
Bryson gaf geen antwoord.
'Het enige bewijs dat we tot nu toe hebben, is een ongeïdentificeerde, mogelijke vingerafdruk,' zei Darby.
'Je hebt Chens kleren nog niet onderzocht.'
'Nee, dat kan niet eerder dan maandag, en ik voel er weinig voor om de hele zondag duimen te zitten draaien.'
'Ik vrees dat ik dit niet uit je hoofd kan praten.'
'Ik wil de reden weten waarom Fletcher heeft gebeld.'
'Oké. We zien elkaar bij de inrichting. En ik breng assistentie mee, voor het geval dat.'

# 28

Danvers lag op een uur rijden ten noorden van Boston. Darby maakte gebruik van het gps-navigatiesysteem van de Mustang. Ze nam de Route One naar het noorden en schoot goed op totdat ze in Saugus vast kwam te zitten in het winkelverkeer. Slalommend van de ene rijbaan naar de andere zocht ze zich een weg en toen het verkeer vlak voor Lynn weer op gang kwam, schoot ze de snelweg op.

De lange, smalle toegangsweg naar het ziekenhuis slingerde zich door het bos omhoog. Bij de ingang stond een aftandse Fordvrachtwagen. 'Reed Associates' stond op de zijkant te lezen.

Achter het stuur zat een jonge man van Italiaanse origine, met een glad, olijfkleurig gezicht en zwart piekhaar dat door veel gel overeind werd gehouden. In zijn linkeroor droeg hij een diamanten oorknopje en twee gouden ringetjes. Hij sloeg zijn *Playboy* dicht toen Darby op het zijraampje klopte.

'Ik zou graag een kijkje in het ziekenhuis willen nemen,' zei ze, hem haar geplastificeerde identiteitskaart tonend.

'Houden jullie hier soms een congres, of zo? U bent al de tweede agent die om een rondleiding vraagt.'

'Is hier onlangs dan nóg iemand geweest?'

'Vanmiddag,' antwoordde de bewakingsman. 'Meneer Reed heeft hem rondgeleid.'

'Heeft die agent zijn naam genoemd?'

'Ik zou het niet weten. Ik heb hem niet gesproken. Dat is Chuck geweest. Toen ik hier kwam om hem af te lossen, was de man al in gesprek met meneer Reed.'

'Hoe zag hij eruit?'

'Even denken... Hij was groot, minstens een meter tachtig. Hij had zwart haar en was nogal chic gekleed, met mooie schoenen en zo. Hij reed in een Jaguar. Boston betaalt zeker niet slecht, hè?'

'En hij reed in een Jaguar?'

'Ja, een zwarte, echt heel mooi. Het was een van de laatste modellen.'

'Hoe weet je dat precies?'

'Toen meneer Reed met hem boven was, heb ik hem bekeken. Ik heb iets met mooie auto's. Zelf heb ik een Beemer.'

'Is meneer Reed aanwezig?'

'Ja, hij is ergens boven.'

'Ik zou hem graag willen spreken.'

'Ogenblikje...' De bewaker pakte een mobilofoon op. 'Meneer Reed is op weg naar beneden.'

'Hoe heet je?'

'Kevin Salustro.'

'Heb je toevallig de kentekenplaat van de Jag gezien?'

'Nee.'

'Als ik meneer Reed heb gesproken, kom ik terug om je nog een paar vragen te stellen. Ondertussen wil ik dat je alles opschrijft wat je je over die agent weet te herinneren, met inbegrip van wat je in zijn auto hebt gezien.'

'Zoals ik al zei, heb ik hem maar even gezien.'

'Schrijf nu maar gewoon op wat je nog weet. Heb je pen en papier?'

'Nee.'

'Dat zal ik dan even voor je pakken,' zei Darby.

Bryson arriveerde een halfuur later, samen met een busje met zes agenten. Het was na zessen en de avondhemel was pikzwart.

Nathan Reed, de eigenaar van Reed Associates, de firma die de bewaking van het ziekenhuis verzorgde, was een lange, pezige man met scheefstaande, gele tanden en nicotinevlekken op zijn vingers. Darby schatte de leeftijd van de man ergens in de zestig. Hij droeg een geblokt flanellen jack en een rode jachtmuts waarvan de bontflappen zijn oren bedekten.

'Ik keek vreemd op toen daar zomaar die agent verscheen,' zei Reed tegen hen. Ze stonden onder aan de heuvel, met hun rug naar de wind gekeerd.

'Hij sprak met Chucky, een van mijn mannen, en aangezien ik hier toevallig was, pakte Chucky zijn mobilofoon en nam contact met me op. Vanwege de verzekering kunnen we niet hebben dat iemand zonder begeleiding door het ziekenhuis loopt.'

'Hoe wist u dat hij een agent was?'
'Hij liet ons zijn badge zien.'
'Wat was zijn naam?'
'Dat weet ik niet. Die heeft hij me niet gezegd.'
'Hebt u ernaar gevraagd?'
'Nee, mevrouw. Dat heb ik niet. Als de politie komt, dan doe je wat je wordt gezegd en dan stel je niet te veel vragen.'
'Had hij een accent?'
'Dat had hij inderdaad,' antwoordde Reed. 'Brits, of zoiets. Hij liet me zijn badge zien en zei dat hij naar binnen wilde om in de C-vleugel rond te kijken. Ik zei hem dat de zaak daarboven was uitgeruimd en dat er niets te zien viel. Maar aangezien hij beslist een kijkje wilde nemen, heb ik hem meegenomen naar boven.'
'Meneer Reed, dit lijkt misschien een vreemde vraag, maar hebt u zijn ogen gezien?'
'Zijn ogen?'
'Hebt u gezien wat voor kleur ze hadden?'
'Ik heb geen flauw idee,' zei Reed. 'Hij droeg een zonnebril. Ik wil niet nieuwsgierig lijken, maar waarom stelt u me al deze vragen? Weet ú dan niet wat hij hier deed? Ik neem aan dat jullie samenwerken.'
'De agent die u hebt gezien, kennen we niet,' antwoordde Darby, maar het móést Malcolm Fletcher zijn geweest. De beschrijving klopte precies. 'Elke informatie die u ons kunt geven, kan ons een stuk verder helpen.'
Reed schermde met zijn hand zijn aansteker af en stak een sigaret op. 'Hebt u ooit *High Plains Drifter* gezien, die film met Clint Eastwood?'
'Meer dan eens,' antwoordde Darby.
'Van deze knaap ging dezelfde soort dreiging uit. U weet wel, doe wat ik je vraag of je zult het bezuren. Daarom stelde ik geen vragen. Ik heb hem mee naar de C-vleugel genomen en hem daar wat rond laten kijken. Eerlijk gezegd was ik blij toen hij vertrok.'
'Hoe laat ging hij weg?'
Reed dacht even na. 'Rond een uur of vier,' zei hij toen.
'Heeft hij daarboven iets gevonden?'
'Nee. Zoals ik al zei, er is daarboven niets. Alles is leeggeruimd. Ik heb hem naar de C-vleugel gebracht en hem wat rond laten kijken. Daarna heeft hij me bedankt en is weer vertrokken.'

'Dus hij vroeg u specifiek hem naar de C-vleugel te brengen?' vroeg Darby.

'Ja, mevrouw. De C-vleugel was de plek waar vroeger de gewelddadige patiënten werden ondergebracht, beruchte types als Johnny Barber. Zegt de naam u iets?'

'Niet echt, nee.'

Reed nam een lange haal van zijn sigaret. 'Johnny Barber. Zijn echte naam was Johnny Edwards, of zoiets. Johnny was een serieverkrachter uit de jaren zestig. Hij werkte in een kapperszaak, waar hij met een scheermes de gezichten van vrouwen toetakelde. De rechtbank achtte hem ontoerekeningsvatbaar, dus kwam hij hier terecht.' Reed gebaarde met zijn duim naar de lange, door bossen omhoogkronkelende weg achter hem.

'Maar hij bleek ook zeer kunstzinnig te zijn. Ze hebben zelfs enkele van zijn schilderijen aan de muur gehangen en ik moet zeggen, ze waren verdomd goed. Maar toen hij een keer een dokter aanviel, die hij – uitgerekend met een penseel – probeerde neer te steken, hebben ze hem zijn schildersspullen afgenomen. Wat denkt u dat die geschifte klojo deed? Hij begon zijn eigen drollen als krijt te gebruiken. En ik moet zeggen dat zijn tekeningen er niet eens zo slecht uitzagen. Ze stonken alleen verschrikkelijk.' Reeds galmende lach werd meegevoerd door de wind.

'Ik wil dat u me laat zien waar die agent is geweest,' zei Darby.

'Het is me gelukt de hoofdweg hier sneeuwvrij te maken voordat mijn vrachtwagen de geest geeft,' zei Reed terwijl hij zijn sigaret wegknipte tussen de bomen. 'Maar boven is het een puinhoop. Hopelijk zijn jullie tweeën in de stemming voor wat lichaamsbeweging, want het wordt een flinke wandeling.'

# 29

Bryson had al een zaklamp bij zich. Darby pakte snel haar reservelamp die ze in de achterbak van haar auto bewaarde, en volgde toen Reed, samen met Bryson en de zes andere mannen, op de steile toegangsweg omhoog.

Het wegdek was bedekt met een dun laagje ijs, zodat ze bij elke stap goed oplette waar ze haar voeten neerzette. De dennenbomen langs de weg, hun takken diep doorbuigend onder zware, natte sneeuw, leken zich eindeloos uit te strekken.

'Zoals ik al tegen uw collega zei, staan de gebouwen op het punt te worden gesloopt,' zei Reed. Zijn adem condenseerde in de koude lucht. 'Er is niets daarbinnen, helemaal niets. Alles is leeggehaald.'

'Waarom werd het ziekenhuis gesloten?' vroeg Darby.

'In 1982 werd de Mason-vleugel door kortsluiting in het mortuarium gedeeltelijk door brand verwoest. De jaknikkers van Beacon Hill besloten dat herbouw te kostbaar was – het ziekenhuis is meer dan tweehonderd jaar oud – en gezien de toenmalige bezuinigingen op de geestelijke gezondheidszorg werd het ziekenhuis het jaar daarop gesloten.'

'Is er een mortuarium in dit gebouw?'

'Gedurende een bepaalde periode fungeerde het als onderzoekscentrum. Als een patiënt stierf, dan bestudeerden de artsen hun hersenen – dat was tijdens de eeuwwisseling naar de twintigste eeuw, toen dit soort zaken nog was toegestaan. Hoe dan ook, na de brand ging de zaak door gebrek aan fondsen en zo dicht. Ik kan niet zeggen dat ik het met die beslissing oneens ben. Het zou een flinke duit hebben gekost om de hele zaak op te knappen.'

Darby knikte afwezig. Ze luisterde maar half. Haar gedachten waren bij Malcolm Fletcher. Waarom was hij geïnteresseerd in een verlaten ziekenhuis? En als hij daar iets zocht, waarom was hij dan niet ongezien naar binnen geglipt? Misschien had hij geen andere mogelijkheid kunnen vinden om binnen te komen en daarom Reed om hulp gevraagd.

Darby was buiten adem toen ze de top van de heuvel hadden bereikt en haar benen trilden van vermoeidheid. Reed stak een verse sigaret op.

De Sinclair Mental Health Facility, een in gotische stijl opgetrokken kolos van roodbruine baksteen met getraliede vensters, was gebouwd rond een groot binnenplein met een vervallen fontein en bomen die waarschijnlijk nog ouder waren dan het ziekenhuis zelf. Sommige van de gebrandschilderde ramen waren nog intact.

'Dat daar is het Kirkland-gebouw,' zei Reed. 'Het is meer dan tweehonderd jaar oud.'

Darby had nog nooit een gebouw van dergelijke afmetingen gezien. Iemand kon daarbinnen voor eeuwig verdwalen.

'Hoe groot is dat wel niet?'

'Het beslaat een oppervlakte van ongeveer zesendertigduizend vierkante meter,' antwoordde Reed. 'Het heeft zeventien verdiepingen, de kelder – al een doolhof op zichzelf – niet meegerekend. Kirkland bestaat uit twee vleugels – Gable en Mason. Mason kun je niet in. De vloeren zijn grotendeels weggerot en de brand had nogal wat schade veroorzaakt, dus waren we in negenentachtig gedwongen de zaak te verzegelen. Met een paar maanden is alles wat u nu ziet verdwenen om plaats te maken voor appartementen. Eerlijk gezegd maakt het me een beetje triest. Dit gebouw is een historisch monument, het laatste in zijn soort. Ziet u daar aan de overkant links die twee gebouwen? Dat waren vroeger sanatoria – een voor de mannen, het andere voor de vrouwen. Er ligt hier veel geschiedenis.'

Darby waadde door de kniehoge sneeuw over het binnenplein. De plek deed haar denken aan een universiteitscampus in New England uit de jaren vijftig – vreemd en afgezonderd, een uitgestrekt conglomeraat van bakstenen gebouwen, verborgen in een bosrijk gebied op de top van een heuvel die uitkeek op het vijfentwintig kilometer zuidelijker gelegen Boston.

'Sinds de film *Creepers* is dit een soort toeristische attractie geworden,' zei Reed. 'Hebt u die gezien?'

Darby schudde haar hoofd. Ze was niet zo'n fan meer van horrorfilms. Ze kwamen te dichtbij.

'Het boek van Morrell was veel beter,' zei Reed. 'Het gaat over een groepje *urban explorers* die inbreken in oude, historische gebouwen. Dit ziekenhuis werd door de filmproducenten als locatie gebruikt. De afgelopen vijf jaar hebben we onze beveiliging steeds moeten verhogen. Het hele complex wordt rondom vierentwintig uur per dag door bewakers in de gaten gehouden. De meeste mensen die we aanhouden zijn, geloof het of niet, tieners en studenten die een plekje zoeken om te drinken, stoned te worden en een potje te neuken.'

Reed pakte zijn sleutels en liep de trap op naar de hoofdingang. De ruit achter de stalen veiligheidstralies was gebarsten.

'Bent u met hem door de voordeur binnengekomen?' vroeg Darby.

'Ja, mevrouw.'

'Is dit de enige manier om het ziekenhuis binnen te komen?'

'Het is de *veiligste* manier,' zei Reed. 'Je kunt ook binnenkomen via buizen in de kelder en een paar oude tunnels die naar andere delen van het complex lopen, maar de helft is ingestort of staat op instorten. Zo binnen proberen te komen is uiterst riskant. Vandaar al die bewaking hier. En we zijn wettelijk aansprakelijk. In 1991 brak een of andere klojo hier in en viel een gat in zijn kop. Hij klaagde ons aan en streek daarmee een aardig sommetje op. Niet te geloven wat dat heeft gekost.'

De gang achter de voordeur voerde naar een grote, rechthoekige ruimte. Het interieur was eruit verwijderd. Er was niets anders te zien dan kale vloeren en muren met afbladderende verf.

'Dit was vroeger de ontvangstruimte,' zei Reed. 'Pak een veiligheidshelm uit die doos daar. Jullie zijn toch niet gauw bang, hè?'

'Als hij bang wordt, dan houd ik zijn hand vast,' zei Darby, Bryson een blik toewerpend. Maar Tim hoorde haar niet. Hij liet de lichtbundel van zijn zaklamp door de ruimte schijnen.

'Op een keer had ik voor een of andere televisieshow een stelletje spokenjagers bij me,' zei Reed. 'De wonderlijke apparaten die ze bij zich hadden leken zo uit die film *Ghostbusters* afkomstig. Een van hen meende een geest te zien. De stomme eikel ging er gillend vandoor, viel in een gat en brak zijn voet. Blijf achter me en kijk goed waar je loopt.'

# 30

Het aangrenzende vertrek had de oppervlakte van een voetbalveld, met een gewelfd plafond en een door schimmel en water bevlekt, met kleine rode en blauwe roosjes bedrukt behang. In de achtermuur zaten grote glas-in-loodramen waarvan veel ruitjes waren gebroken of ontbraken. De linoleumvloer was bedekt met sneeuw en smeltend ijs.

'Dit was de grote dinerzaal,' zei Reed. 'In de jaren veertig werd hier door topkoks het meest exquise voedsel bereid. 's Zomers was er kreeft en bij mooi weer dineerden de patiënten buiten op het gazon. En, geloof het of niet, er was zelfs een kleine golfbaan. Ik zou er geen probleem mee hebben gehad om daar in die tijd te moeten zitten. Het leek er wel een vakantieoord. Weet u iets over Sinclair?'

'Niet veel,' zei Darby.

'Als u wilt kan ik u om de tijd te verdrijven iets over de geschiedenis vertellen. We hebben nog wel even te lopen.'

'Oké.'

Reed liep de eetzaal in. Sneeuw en ijs knerpten onder zijn voeten. 'Toen het ziekenhuis aan het eind van de achttiende eeuw werd gebouwd, heette het Staatsinrichting voor Geesteszieken. Het stond bekend om de menselijke behandeling van de patiënten. Dr. Dale Linus, de eerste directeur, geloofde dat een humane benadering – frisse lucht, gezond voedsel en lichaamsbeweging – bijdroeg tot genezing van mentale stoornissen. Een voor die tijd nogal radicale opvatting. Linus hield het aantal patiënten tot vijfhonderd beperkt, zodat elke patiënt de hulp en behandeling kreeg die hem toekwamen. Aanvankelijk werden hier allerlei soorten mensen behandeld, niet alleen misdadigers. Patiënten vanuit de hele wereld kwamen hier vanwege de door Linus ontwikkelde vooruitstrevende therapieën.'

‘Wat voor progressieve therapieën?’

‘Eens kijken... Nou, zo hadden ze bijvoorbeeld de waterthe-rapie, waarbij de patiënten in ijskoud water werden ondergedompeld om zo te proberen hen te genezen van hun schizofrenie. Verder experimenteerden ze met iets dat insulinecoma werd genoemd. Dat zou de patiënten helpen tot rust te komen. Sinclair was het eerste ziekenhuis in het land waar een lobotomie werd uitgevoerd.’

‘Ik weet niet of ik dat nu echt vooruitstrevend vind.’

‘Toen was het dat wel. Nu lijkt het barbaars, omdat je tegenwoordig voor bijna elke mentale stoornis een pil kunt nemen. Sinclair was zó succesvol, zó revolutionair in de behandeling van de geest, dat twee gebouwen uitsluitend waren bestemd voor onderwijs aan artsen die vanuit de hele wereld hierheen kwamen – ze moesten een slaapzaal voor hen bouwen om ze allemaal te kunnen huisvesten.’

Darby volgde Reed een koude gang in – nog meer beton, nog meer afbladderende verf. Veel muren waren bedekt met graffiti. Een half ingestorte gang lag vol met puin.

‘Wanneer veranderde de naam van het ziekenhuis in Sinclair?’ vroeg Darby.

‘Dat moet eh... in tweeënzestig zijn geweest,’ antwoordde Reed. ‘Toen Sinclair directeur werd. Rond die tijd begonnen ze alleen nog criminelen op te nemen. De zogezegd “normalere” patiënten gingen naar het McLean-ziekenhuis, dat zich een steeds grotere reputatie verwierf bij het behandelen van welgestelde figuren als rocksterren of excentrieke schrijvers en dichters. Als je geld had, dan was McLean de plaats waar je moest zijn. Sinclair werd steeds meer de plek om de misdadige geest te bestuderen. Dr. Sinclair probeerde de oorzaken van gewelddadig gedrag te ontdekken. Hij deed veel onderzoek bij kinderen uit gebroken gezinnen.’

Darby was tijdens haar doctoraalstudie Sinclairs naam nooit tegengekomen. Misschien werden zijn onderzoeken indertijd als baanbrekend beschouwd, tegenwoordig, in de eenentwintigste eeuw, leek de conclusie dat gewelddadig en afwijkend gedrag zijn oorsprong vindt in een jeugdtrauma echter bijna iets vanzelfsprekends.

Reed bukte zich voor een balk en ging hen voor naar een lange gang die naar een grote, rechthoekige ruimte met aan weerskanten deuren voerde. Darby scheen met haar zaklantaarn door de vertrekken met gebroken ruiten. De kamers waren verschillend van grootte. Alles was leeg.

'Dit waren de artsenkantoren,' zei Reed. 'Man, je had de meubels moeten zien. Alles antiek. Een of andere knaap heeft op alles een bod gedaan, het laten weghalen en er een klein fortuin aan verdiend.'

Hij bleef staan voor een grote kamer met een decoratief gebrandschilderd raam. 'Dit was het kantoor van de directeur. Die collega van jullie bleef hier even staan en staarde ernaar, alsof het herinneringen bij hem opriep. Hij zei niets, maar...'

'Maar?' drong Darby aan.

'Het is onbelangrijk. Alleen een beetje vreemd, misschien. Ik herinnerde me net dat hij zijn zonnebril niet afdeed. Ik zei nog tegen hem dat hij die, gezien de plek waar we heen gingen, beter kon afzetten, maar hij negeerde me en liep door alsof hij wist waar hij moest zijn.'

Terwijl het oude gebouw om haar heen kraakte en kreunde, volgde Darby Reed drie stoffige trappen omlaag. Tien minuten later bleef Reed staan voor een stalen deur en liet zijn lamp op de vervaagde, rode letters schijnen. AFDELING C.

'Hier werden de prefrontale lobotomies uitgevoerd,' zei Reed, de deur openend. Kijk hierbinnen goed uit waar je loopt. Op de tegels slaat vocht neer, zelfs in de winter. Deze ruimte zit potdicht. Het is hier spekglad.'

Geen ramen, alleen maar inktzwarte duisternis. De koude kamer rook naar schimmel. Aan de muur hing een oude, verroeste klok van General Electric. Darby zag diverse tapkranen. *Waarschijnlijk om de slangen op aan te sluiten waarmee het bloed werd weggespoten.* Ze vroeg zich af hoeveel patiënten datgene hadden moeten ondergaan wat destijds als een moderne medische ingreep werd beschouwd om geestelijke aandoeningen te behandelen.

'Toen ik dit werk aannam,' zei Reed, terwijl zijn laarzen knerpten op de vloertegels, 'stonden hier nog de stalen tafels met leren riemen. Ze deden hier ook elektroshockbehandeling.'

Er klonk een knarsend geluid toen hij de deur aan de andere kant opende. De gang erachter was gedeeltelijk ingestort. Darby volgde de man naar een grote ruimte met twee verdiepingen die haar aan een gevangenis deden denken. Aan weerszijden bevonden zich een soort cellen. De stalen deuren waren voorzien van sloten en een kijkgat, zodat de artsen hun patiënten konden bekijken. De celdeuren waren verroest, de verblijven leeggeruimd.

'Dit is de C-vleugel,' zei Reed. 'Die agent liep naar deze kamer.'

Reed scheen met zijn zaklamp naar binnen en stapte toen geschrokken weg van de deur. Darby werkte zich langs hem heen en keek de cel in.

Op de muur onder het raamkozijn was met punaises een foto bevestigd van het hoofd van een vrouw met lang, blond, uitwaaierend haar, met de scheiding in het midden. Ze had schrandere, blauwe ogen in een gebruind gezicht boven een wit overhemd.

'Dat was hier vanmiddag niet,' zei Reed. 'Dat durf ik met mijn hand op een stapel bijbels te zweren.'

Darby's blik was gericht op het raamkozijn. Boven de foto stond een beeldje van de Maagd Maria – net zo'n beeldje als was ingenaaid in de zakken van Emma Hale en Judith Chen.

Ze draaide zich om naar Bryson, die als gebiologeerd naar het beeldje staarde.

'Ken je die vrouw?'

Bryson schudde zijn hoofd.

Darby onderzocht de foto. Hij was afgedrukt op dik, glanzend papier. De achterzijde was onbeschreven – nergens op het papier stond een datum of een tijdstip geprint. Darby vroeg zich af of deze foto op een printer was afgedrukt. In elke drogisterij en supermarkt was wel een automaat die na het invoeren van een geheugenkaartje binnen een paar minuten digitale foto's uitprintte.

'Meneer Reed, kunt u ons even alleen laten?'

De beheerder knikte. Hij liep weg bij de cel en voegde zich bij de andere mannen die vanuit de enorme ruimte elke cel op beide etages met hun zaklantaarns beschenen.

'In mijn kofferbak liggen bewijszakjes en een forensische reservekit. Ik kan deze cel zelf onderzoeken en jij kunt getuige zijn van alles wat we vinden. Dat gaat een stuk sneller dan dat we mensen van het lab moeten laten komen.'

'En foto's?'

'Ik heb een polaroid en een digitale camera.'

Darby's mobieltje trilde tegen haar heup.

'En, wat vindt u van Sinclair?' vroeg Malcolm Fletcher. 'Het is net alsof je door het vagevuur loopt, vindt u niet?'

# 31

‘Ik zou het niet weten,’ zei Darby, Bryson wenkend. ‘Ik ben nog nooit in het vagevuur geweest.’

‘Hebt u Dante gelezen?’ vroeg Fletcher. ‘Of leren ze je dat tegenwoordig niet meer op school?’

‘Ik heb *Paradiso* gelezen.’

‘Precies. Nette katholieke meisjes leren eerst altijd over de hemel, is het niet?’

Fletcher lachte. Bryson stond vlak achter Darby. Ze hield de telefoon een paar centimeter van haar oor zodat hij kon meeluisteren.

‘De nonnen hadden u *Purgatorio* moeten laten lezen,’ zei Fletcher. ‘Daarin beschrijft Dante het vagevuur als een plek waar lijden echt zin heeft en kan leiden tot loutering als je bereid bent de hele weg te gaan. Bent ú bereid de hele weg te gaan?’

‘Ik heb de cel met de foto gevonden.’

‘Herkent u de vrouw?’

‘Nee. Wie is zij?’

‘Wat vindt u van het beeldje van de Maagd Maria?’

‘Heeft het een bepaalde betekenis?’

‘Niet zo bescheiden, Darby. De waarheid ligt binnen handbereik.’

‘Laten we het hebben over de vrouw op de foto. Waarom hebt u die hier achtergelaten?’

‘Misschien ben ik eerder bereid uw vraag te beantwoorden als u ook een van mijn vragen beantwoordt,’ zei Fletcher. ‘Is het beeldje op het raamkozijn hetzelfde als het beeldje dat u op Emma Hale en Judith Chen hebt aangetroffen?’

‘Waarom hebt u die hier achtergelaten?’ vroeg Darby, niet van plan de voormalige profielschetser enige specifieke informatie over de zaak te geven. ‘Waarom wilde u dat ik die zou vinden?’

'Vertel me over de beeldjes en ik geef u de naam van de vrouw op de foto.'

Bryson schudde zijn hoofd.

'Ik vrees dat ik niet begrijp waar u het over hebt,' antwoordde Darby.

'Waarom vraagt u het niet aan rechercheur Bryson? Of geeft u hem liever even aan de telefoon.'

Hoe wist Fletcher dat Bryson bij haar in de cel aanwezig was? *Hij moest hen kunnen zien.*

Bryson stapte bij haar weg, trok zijn wapen, en gebaarde naar Reed terug de cel in te komen. Darby legde haar hand over het mondstuk van haar mobiel.

'Vertel hem niets, verdomme,' zei Bryson, daarna naar zijn mannen gebarend.

Met haar gehandschoende hand trok Darby langzaam de SIG uit haar schouderholster. Zich afvragend waar de voormalige profielschetser zich kon schuilhouden, tuurde ze langs de celdeur door opflakkerende lichtbundels en flarden gecondenseerde adem de duistere, in verval zijnde zaal in.

Darby hield het telefoontje weer tegen haar oor. 'Vertel me over de vrouw op de foto.'

'U kunt die vrouw niet alleen vinden,' zei Malcolm Fletcher. 'Maar als u bereid bent de tocht te ondernemen, dan zal ik uw gids zijn.'

Als dit een soort valstrik was, waarom zou Fletcher die dan plannen in een verlaten psychiatrisch ziekenhuis met een zaal vol politieagenten? Het was te gecompliceerd. Kon het zijn dat de man de waarheid sprak?

'Als u me eens vertelde wat u van plan bent.'

'U hoeft niet bang voor me te zijn. We zijn allebei naar hetzelfde op zoek.'

'En dat is?'

'De waarheid,' antwoordde Fletcher. 'Ik breng u naar de vrouw op de foto, maar bedenk wel, als u de doos van Pandora eenmaal hebt geopend, dan is er geen weg meer terug.'

'En u brengt me naar die vrouw, zomaar, uit onbaatzuchtigheid?'

'Beschouw me maar als Charon, de veerman die u overzet over de Styx, de rivier van de haat.'

'Waar is ze?'

'Ze wacht beneden op u.'

Darby's adem stokte. Het kostte haar even haar gedachten te ordenen.

'Ze is hier,' zei ze toen.

'Ja. Bent u bereid haar te ontmoeten?'

Er klonk geen dreiging in Fletchers woorden, en evenmin de milde spot die Darby kende uit vorige gesprekken. Wat ze hoorde was een vlakke, emotieloze stem die een herinnering opriep uit haar jeugd. Ze was tien jaar en nam een kortere weg door het Belham-bos toen ze daar jongens uit haar klas tegenkwam. Ze hadden een dode coyote gevonden. Een van de jongens, Ricky dinges, de dikke met de gemene ogen, vroeg haar of ze die wilde zien. Toen Darby nee zei, scholden ze haar uit voor bangeschijter en moederskindje. Om te bewijzen dat ze ongelijk hadden, liep ze de berm af, struikelde en maakte een smak. Boven het gelach van de jongens uit was ze zich vaag bewust van het gezoem van vliegen en toen ze zich opdrukte, voelde ze tussen haar vingers iets warms en levends wriemelen. Honderden maden krioelden in het kadaver. Darby gilde en de jongens moesten nog harder lachen. Toen ze begon te huilen, zei de dikke jongen met een pesterig lachje: 'Hé, je moet niet boos op ons zijn. Je bent zelf gaan kijken.'

De herinnering vervaagde toen Fletcher zei: 'Ik wil niet onbeleefd zijn, maar ik heb nogal haast. Ik wil nu je antwoord weten.'

Waarom deed Fletcher dit? Was dit een truc van hem om zo meer informatie over de zaak los te krijgen? Of wist de voormalige profiler écht iets?

Darby richtte haar blik op het Mariabeeldje op het raamkozijn. *Hoe ben je daar aan gekomen, verdomme?*

*Vertel hem niets,* had Bryson gezegd.

Wel of niet gaan? Nú beslissen.

'Bel me als u van plan bent te praten,' zei Darby, waarna ze de verbinding verbrak.

'Hoeveel verdiepingen bevinden zich hier nog onder?' vroeg ze aan Reed, die duidelijk geschrokken leek. De oudere opzichter trok een handschoen uit en veegde met een hand vol levervlekken over zijn gezicht. 'Vier,' antwoordde hij. 'De kelderverdieping niet meegerekend.'

'Bent u recentelijk nog daar beneden geweest?'

'Daar is al jaren niemand meer beneden geweest.'

'Misschien dat we het ziekenhuis moeten doorzoeken. Daarbij heb ik de hulp van u en uw mensen nodig.'

'U wilt dat wij u helpen met het doorzoeken van het héle ziekenhuis? Dat kan ik niet toestaan, mevrouw McCormick. Hele gedeelten staan op instorten. Het is niet veilig.'

Darby staarde naar de foto van de jonge vrouw. Bevond ze zich hier ergens in het ziekenhuis? Leefde ze nog? Had ze pijn, of was ze gewond?

'Blijft u alstublieft in dit vertrek tot ik terug ben, meneer Reed.'

Met haar pistool in de aanslag verplaatste Darby zich dicht langs de muren. Boven haar, en aan de overkant van de zaal, smeten Brysons mannen celdeuren open, op zoek naar Malcolm Fletcher. Ze betwijfelde of ze hem zouden vinden. Daarvoor was de vroegere FBI-agent te goed getraind in het zich verbergen. Hij had zijn arrestatie al tientallen jaren weten te voorkomen.

Aan het eind van de gang stond Tim Bryson. Zijn in de koude lucht condenserende adem lichtte op in de lichtbundel van de onder de loop van zijn 9mm-Beretta gemonteerde *tactical light*, een heldere lichtbron waarmee de schutter tegelijkertijd zijn doelwit kan onderscheiden en kan richten.

Ze wist Brysons aandacht te trekken en gebaarde met haar hoofd naar een leegstaande kamer. Het glas achter het getraliede raam was gebroken. Op de vensterbank lag sneeuw.

'Volgens mij moeten we een zoekactie op touw zetten,' zei Darby tegen Bryson.

'Denk je dat de vrouw op de foto hier ergens op ons wacht?'

'Hij wilde ons meenemen naar beneden. Volgens mij moeten we daar gaan kijken.'

Bryson dacht een ogenblik na. Hij transpireerde.

'Misschien heb je gelijk,' zei hij toen. 'Ik zal de zoekactie organiseren. Onderzoek jij de cel en ga daarna terug naar het lab. Ik wil weten wat die schoft van plan is.'

# 32

Ver uit de buurt van de politie van Boston zocht Malcolm Fletcher met het licht van zijn zaklamp behoedzaam zijn weg door de gang met half vergane vloerplanken.

Fletcher beschikte over een uitstekend visueel geheugen. Een eeuwigheid geleden had hij als FBI-agent bij de pas geformeerde eenheid Gedragswetenschappen – BSU – door deze gangen gezworven, en de indeling van het gebouw stond hem nog helder voor de geest.

In 1954 had de orkaan Edna een van de machtige eiken aan de voorzijde van het ziekenhuis geveld, waarbij de boom op het dak was gevallen en het neerstortend puin de meeste verdiepingen had verpletterd. Aangezien herstel van de vloeren enorme bedragen zou vergen, besloot de directie tot het afsluiten van de gangen.

Toen in 1982 een brand door kortsluiting een groot gedeelte van de Mason-vleugel in de as legde, stond het ziekenhuis al onder staatstoezicht. Politici, die lucratieve mogelijkheden zagen, boden het terrein te koop aan. Een historische vereniging die het gebouw wilde behouden – door velen beschouwd als een architectonisch monument en tevens het laatste in zijn soort – kwam met petities en gerechtelijke bevelen. Potentiële kopers werden afgeschrikt door de dreiging van hoge juridische kosten en een zich lang voortslepend proces.

Gedurende de ruim twintig jaar dat het ziekenhuis leegstond, hadden de lange winters van New England het houtwerk doen rotten en muren grote waterschade toegebracht, en het had veel geduld en inzicht gevergd om een veilige doorgang naar de bovenste verdieping te vinden; de mate van verval en instorting was dramatisch.

Fletcher glipte een kamer met gebroken ruiten binnen en pakte zijn mobiele telefoon. Hij vond een signaal en belde toen Jonathan Hale.

'Ik denk dat ik weet wie uw dochter heeft vermoord,' zei Fletcher.

Darby had haar auto niet afgesloten. De forensische kit lag in de kofferbak. Reed nam via de mobilofoon contact op met Kevin – de jonge man in de vrachtwagen beneden aan de weg – en vroeg hem het oranje kistje uit de kofferbak te halen en naar de C-vleugel te brengen. En dat deed hij, een halfuur later.

Ze nam foto's en besloot toen dat ze bij het onderzoek van de ziekenhuiscel wel wat hulp kon gebruiken. Ze deed de foto en het beeldje in een zakje en belde toen vanaf de weg naar Coop.

'Fletcher heeft twee presentjes voor ons achtergelaten,' zei Darby. 'Een foto en – raad eens – een Mariabeeldje. Ik weet vrijwel zeker dat het precies zo'n beeldje is als we bij Hale en Chen hebben gevonden. '

'Weten we waar en hoe special agent Engerd aan dat beeldje is gekomen?'

'Nee, dat weten we niet.'

'Waarom laat hij je dan naar een verlaten ziekenhuis komen? Hij had de foto en het beeldje ook per post kunnen sturen.'

'Dat is veel minder spannend.'

'Wat je zegt.'

'En misschien wilde Fletcher wel dat we in die kamer iets zouden ontdekken. Hij heeft de foto en het beeldje bewust in een kamer achtergelaten waarin gewelddadige patiënten werden ondergebracht – dezelfde kamer waar hij eerder op de dag is geweest.'

'Hoe lang zei je dat het ziekenhuis al dicht was?'

'Meer dan twintig jaar,' antwoordde Darby. 'Waarschijnlijk eerder dertig.'

'En dan verwacht jij nog de naam van de patiënt of patiënten te kunnen achterhalen die in die speciale kamer hebben gelegen? Ik wens je veel succes.'

'Ik zie je over een uur.'

Tijdens het rijden dacht Darby aan Coops laatste opmerking.

Toen Sinclair werd gesloten, waren de gewelddadigste patiënten waarschijnlijk naar andere psychiatrische instellingen overgebracht. Maar schizofrene patiënten, zij die bipolair waren, of manisch depressief, zouden onder druk van de voortdurende bezuinigingen in de geestelijke gezondheidszorg na evaluatie met een poliklinische behandeling weer op straat zijn beland. Dossiers waren gedurende tientallen jaren tussen de landelijke instellingen voor geestelijke gezondheidszorg uitgewisseld. Zelfs al had je een naam, dan nog was het zoeken naar een patiëntendossier als het zoeken naar de spreekwoordelijke speld in de hooiberg.

Coop wachtte op haar in hun kantoor.

'Waar is Keith?' vroeg Darby.

'Naar huis om samen met zijn vrouw en kinderen te eten, maar daarna komt hij terug naar het lab om ons te helpen met het onderzoeken van de kamer. Laten we eerst de foto maar eens bekijken.'

Na foto's te hebben genomen onderzocht Coop het papier. Het vertoonde geen kentekens of karakteristieke eigenschappen.

'Gezien haar kleding en kapsel veronderstel ik dat de foto van de vrouw in het begin van de jaren tachtig is genomen,' zei Darby. 'Waarmee ga je het papier behandelen?'

'Met een mengsel van ninhydrine en heptaan,' antwoordde Coop, de knop van de afzuiginstallatie omzettend.

Darby zette een veiligheidsbril op en deed een ademmasker voor. Coop, die een paar nitrile handschoenen droeg, besproeide de achterkant van het papier. Het kleurde paars. Beiden keken ze naar het papier, wachtend of de ninhydrine met de door een menselijke hand achtergelaten aminozuren zou reageren.

Er waren geen vingerafdrukken.

Coop bespoot de fotozijde.

'Geen vingerafdrukken,' zei hij. 'Nog een geluk dat we al weten wie hij is.'

# 33

Hannah Givens zat op bed met het blad eten – toast en eieren – dat de man die Walter Smith heette op een serveerboy voor haar had achtergelaten. Er was geen klok of kalender, maar dit was haar tweede ontbijt, dus het moest vandaag zaterdag zijn.

Ramen waren er ook niet, maar ze had genoeg licht. In de kamer stonden twee leuke lampen in Tiffany-stijl – een op het nachtkastje naast het bed, een andere op een kleine leestafel die vol lag met intensief doorgebladerde glossy bladen als *People, Star, Us, Cosmopolitan* en *Glamour.*

Het meest interessante object was de grote, witte kleerkast. De blouses die erin hingen hadden de maten small en medium; Hannah droeg large, maat 40. Op de onderste plank stonden keurig gerangschikt schoenen – Prada, Kenneth Cole, en twee paar van Jimmy Choos, allemaal maat 39. Hannah had schoenmaat 40. De schoenen en de kleren waren duidelijk niet voor haar bestemd.

Hannah dacht na over de kleren en de oude glossy's, en opnieuw vroeg ze zich af of hier vóór haar misschien een andere vrouw had gewoond. En als dat zo was, wat was er dan met haar gebeurd? De vraag gaf haar een hol gevoel in haar maag.

Hoewel het warm was in de kamer trok ze het donzen dekbed strak om zich heen. De angst was er nog steeds, maar hij hield haar niet meer in zijn greep. Om een reden die ze niet helemaal begreep, had hij zich ergens in haar teruggetrokken, en ze voelde niet meer de aandrang om te huilen of te schreeuwen. Dat had ze wel allemaal gedaan.

Toen Hannah de eerste keer versuft in het donker wakker was geworden, had ze even geloofd dat ze thuis was. Maar toen het besef van wat er gebeurd was in volle hevigheid tot haar doordrong, was ze uit het bed gesprongen en terwijl ze rondstommelde in het donker en tegen onbekende voorwerpen op botste, was haar angst in paniek omgeslagen en ze had het uitgeschreeuwd tot haar keel er rauw van was.

Toen ze uiteindelijk haar angst voor de duisternis had weten te overwinnen, was ze de kamer gaan verkennen zoals een blinde dat doet – schuifelend, voetje voor voetje, elk voorwerp aftastend om de vorm te bepalen. Dit was een tafel, en dat een stoel – leer, aan het gladde, koele oppervlak te oordelen. Dan een nachtkastje, en wat kon dit zijn? Het leek wel een schemerlampje. Ze vond de schakelaar en knipte het aan.

Het eerste wat ze zag waren haar pyjama's – zacht, van roze flanel. Ze hadden haar maat, maar dit waren niet haar pyjama's. De man die zich Walter noemde, had haar uitgekleed. Hij was hier binnengekomen toen ze bewusteloos was en had toen haar jack en haar kleren uitgetrokken. Hij had haar naakt gezien.

Maar Hannah wist zeker dat hij haar niet had verkracht. De twee keren dat ze seks had gehad, was het de ochtend daarna een beetje gevoelig geweest. Walter mocht haar dan niet hebben verkracht, hij had haar wél uitgekleed. Had hij haar aangeraakt? Of foto's genomen? Wat wilde hij van haar? *Waarom* wilde hij haar?

Eén ding was duidelijk. Walter wilde niet dat ze wegging. De kamer had een deur, maar die had geen deurknop. Op de muur ernaast was een soort paneeltje met cijfertoetsen gemonteerd dat ze wel eens had gezien in kantoorgebouwen; je had een keycard en een cijfercode nodig om het slot te kunnen openen. In de deur zat een kijkgaatje – Walter kon naar binnen kijken, maar Hannah niet naar buiten.

Het was duidelijk Walters bedoeling dat ze zich op haar gemak zou voelen. De kamer was zo ruim als een kleine studio, maar dan zonder ramen. Er was een kleine kitchenette en de muren waren zachtgeel geschilderd. Over de leren leesstoel met bijpassende sofa lag een prachtige rode, kasjmieren foulard gedrapeerd. Achter de stoel was een boekenplank met veelgelezen paperbackromans. Achter een linnen gordijn bevond zich een toilet. Een douche of een bad ontbrak. Er was zelfs een kamerthermostaat.

In de twee keukenkastjes boven de gootsteen vond ze dozen met cornflakes en gezouten crackers. Er waren geen borden of een fornuis. De laden bevatten geen bestek of enig ander scherp voorwerp, alleen maar papier, maandverband, tampons en een vreemd assortiment make-upartikelen.

De koelkast was gevuld met pakken melk, sinaasappelsap, yoghurt, plastic flessen met water en bijna elk soort frisdrank – Coca-Cola, Pepsi, Mountain Dew, Dr. Pepper en Slice.

Hannahs blik verplaatste zich naar het midden van de kamer. Op een kleine, ronde eettafel stond een plastic vaas met witte rozen waarvan de blaadjes begonnen te verwelken.

Een verkrachter zou geen bloemen voor haar neerzetten. Een verkrachter zou de kamer binnenkomen en met haar doen wat hij wilde. Walter was haar kamer niet binnengekomen. Nóg niet... Steeds als hij haar maaltijd bracht – drie keer per dag – zette hij het plastic dienblad op de serveerboy en schoof die zonder een woord te zeggen naar binnen. Als lunch – of diner? – had hij kip met aardappelpuree en jus klaargemaakt.

Hannah liet zich op haar bed vallen en sloot haar ogen. Haar kamergenoten moesten zich ondertussen zijn gaan afvragen waarom ze niet naar huis was gekomen en maandagmorgen vroeg was ze ingeroosterd bij de eerste ploeg op de delicatessenafdeling. Als ze niet kwam opdagen, zou meneer Alves, de eigenaar, haar thuis bellen en een boze boodschap op het antwoordapparaat achterlaten. Robin en Terry zouden de boodschap horen en haar ouders bellen en die zouden dan weer de politie bellen. Men zou haar gaan zoeken. Ze moest een manier zien te vinden om vol te houden en te overleven tot ze werd gevonden.

Maar stel dat ze haar niet konden vinden? Zou er dan niet een moment komen dat de politie zou ophouden met zoeken?

Daar mocht ze niet aan denken. Hoe onmogelijk het ook leek, ze móést positief blijven en helder blijven denken.

Gisteren, na het ontbijt, was Hannah in de kamer op zoek geweest naar iets wat ze als wapen zou kunnen gebruiken. Geen magnetron of een koffiepot. De kleine kleurentelevisie was stevig op een houten standaard geschroefd. Geen heet water bij de gootsteen, alleen maar koud. De groenteladen in de koelkast ontbraken. Kennelijk was Walter bang dat ze hem met een van die laden op zijn hoofd zou slaan, of zoiets. De twee eetstoelen had hij met kettingen en hangsloten aan de poten van de tafel verankerd. Ze kon de stoelen achteruitschuiven om te gaan zitten, maar ze niet als wapen gebruiken. Walter had met die mogelijkheid rekening gehouden. De tafelpoten waren te dik en te massief om ze los te krijgen; tenzij ze een zaag had.

Op een bepaald ogenblik zou Walter komen om met haar te doen wat hij zich had voorgenomen en op dat moment moest ze zijn voorbereid. Hannah haalde een keer diep adem en dwong zichzelf de kamer opnieuw te doorzoeken.

# 34

*Oké,* dacht Hannah. *Waar heb ik nog niet gezocht?*

Onder de matras en de kussens van de stoel.

Gewoon omdat ze iets moest doen, kwam Hannah uit bed en voelde met haar hand tussen de matras en de boxspring. Toen ze niets vond, liep ze naar de leren stoel, haalde het zitkussen weg, zocht met haar vingers tussen de diepe, donkere plooien van de bekleding en stootte op iets hards. *God, alstublieft, laat het een mes zijn.* Toen ze het voorwerp tevoorschijn haalde, bleek het een notitieboekje te zijn met een spiraal – van het soort dat je gemakkelijk in de borstzak van een overhemd steekt. Toen Hannah het opensloeg zag ze met vervaagd potlood beschreven pagina's. Ze las de eerste bladzijde.

*Ik vond dit blocnootje op de vloer onder het bed. In de spiraal zat een dun potlood. Walter moet het hebben laten vallen – ik weet niet wanneer. Misschien tijdens een van de keren dat we hebben gevochten. Het moet uit zijn zak zijn gevallen, of uit zijn overhemd en hij moet het zijn vergeten. Hij gebruikte het als boodschappenlijstje. Nu gebruik ik het om mijn gedachten op te schrijven. Als ik dat niet doe, word ik gek.*

*Ik weet niet hoe lang ik hier nu al ben. Na drie maanden ben ik gestopt de tijd bij te houden. Tijd heeft hier beneden geen betekenis en als ik erover nadenk maakt het me doodsbang. Ik kan me niet meer tegen hem verzetten. Ik heb er de kracht niet voor. Ik heb besloten aardig tegen hem te zijn. Als hij cadeautjes voor me meebrengt, bedank ik hem altijd. (Hij vindt het leuk mooie kleren voor me mee te nemen.) Walter brengt me alles wat ik wil (behalve de telefoon). Ik hoef hem er maar om te vragen. Walter, mijn afzichtelijke djinn. Een tijd geleden, ik moet hier toen een maand zijn geweest, toen we het over Kerstmis hadden, vroeg hij me: 'Wat is het mooiste cadeau dat je ooit hebt gekregen?' Ik vertelde hem dat het een platina ketting was met een medaillon met daarin een foto van mijn moeder. Ik had het afgelopen Kerstmis van mijn vader gekregen. Toen hij me vroeg waar het was, vertelde ik het hem en dacht er verder niet meer aan. We waren gewoon aan het praten.*

*Een week later gaf hij me de halsketting. Ik was verbijsterd.*

*'Ik heb je sleutels geleend,' zei Walter. 'Ze zaten in je tas. Zie je nou hoeveel ik van je houd?'*

*Walter lijkt nooit van streek of boos – in feite lijkt hij niets te voelen, en dat beangstigt me het meest. Het is alsof er achter zijn ogen niets leeft, in elk geval niets wat elk normaal mens zou herkennen. Ik stel me zijn geest voor als een donkere zolder vol spinnenwebben en kruipende, enge dingen die bijten als je te dichtbij komt. Walter praat met me alsof we de beste maatjes zijn. En ik praat ijverig met hem mee en verzin allerlei verhalen, zodat hij zich bij me op zijn gemak voelt. Ik speel toneel, zoals ik op de toneelcursus heb geleerd. Ik doe alsof ik om hem geef en zijn gevoelens deel, maar ondertussen neem ik de situatie in me op, wachtend op het juiste ogenblik om te kunnen ontsnappen.*

*Ik heb hem zover weten te krijgen dat ik twee keer per dag mag douchen. Hij staat altijd aan de buitenkant van de deur, die hij op een kier laat staan om met me te kunnen praten.* HIJ MOET PRATEN. *Want dat is wat hem drijft, heb ik ondertussen begrepen – de behoefte om te praten – menselijk contact.*

*Walter heeft net mijn kamer verlaten. We hebben samen naar een film gekeken –* Pretty Woman. *Hij mag graag elke avond na het eten naar een romantische komedie kijken. Dan brengt hij wijn mee (altijd in plastic verpakking, nooit in een glazen fles, want hij weet dat ik, als de kans zich voordoet, de fles op zijn hoofd kapotsla). Deze keer zat hij naast me op het bed. Ik had de jurk en de schoenen aan die hij had uitgezocht (Walter staat erop dat we ons elke avond netjes kleden, alsof we een stel zijn dat samen uitgaat). Ik heb mijn haar gedaan zoals hij dat leuk vindt en nagellak opgedaan. Hij heeft me zelfs een klein flesje van mijn favoriete Chanelparfum gegeven. Ik heb het voor hem opgedaan. Ik ben zijn speelpop – zijn eigen, persoonlijke, levende speelpop. Tijdens de hele film had ik het gevoel dat hij mijn hand wilde vasthouden.*

*Toen de film was afgelopen en Walter de dvd uit de speler haal-*

*de – met een oog op mij gericht, natuurlijk – kwam het idee bij me op waar ik al weken op had zitten broeden.*

*'Ga nog niet weg,' zei ik.*

*Walter leek verheugd. Hij vindt het heerlijk als ik hem vraag te blijven.*

*Ik glimlachte en slikte mijn angst weg. Hoe weerzinwekkend dit ook was, nu moest ik doorzetten.*

*Ik stond op. Dit was mijn laatste kans.*

*'Wat is er, Emma?'*

*Ik knoopte mijn jurk los.*

*'Wat doe je?' vroeg hij.*

*Ik liet de jurk op de vloer vallen en stond naakt voor hem, afgezien van de ketting met het medaillon met mijn moeder die ik had omgedaan om me moed te geven.*

*'Wat doe je?'*

*'Ik wil met je vrijen,' zei ik, uit alle macht proberend de haat en walging uit mijn stem te houden.*

*Walter zei geen woord en wendde gegeneerd zijn blik af.*

*Toen ik hem aanraakte, deinsde hij achteruit.*

*'Wees maar niet bang,' zei ik.*

*'Dat ben ik niet.'*

*'Wat is er dan?'*

*Walter gaf geen antwoord.*

*'Ben je nog... maagd?'*

*'Seks hebben met iemand zonder van elkaar te houden is een zonde,' zei Walter. 'Een gruwel in de ogen van God.'*

*Iemand ontvoeren en gevangen houden was dat kennelijk niet. 'Hoe kan het nu een zonde zijn als ik met je wil vrijen?'*

*Walter antwoordde niet, maar zijn ogen bewogen zich omhoog naar mijn borsten. Ik pakte zijn goede hand en legde die op mijn borst. Hij sidderde.*

*'Vrij met me.' Als ik hem bij me op bed kon krijgen, dan zou hij kwetsbaar zijn. Ik zou op hem gaan zitten en met mijn duimen zijn vervloekte ogen uitsteken. Ik haatte hem inmiddels genoeg om ertoe in staat te zijn.*

*'Toe maar,' zei ik, zijn hand over mijn borsten bewegend. 'Het is goed.' Hij ademde zwaar, maar hij bleef trillen. Toen ik zijn hand over mijn buik omlaagduwde, rukte hij zich van me los en stormde de kamer uit.*

*Toen hij wat later terugkwam, gaf hij me een plastic beeldje van de Maagd Maria. Het staat nu op mijn nachtkastje. Hij heeft me samen met hem laten bidden om kracht. We bidden nu elke avond samen. Geknield aan weerszijden van het bed, danken we zíjn Heilige Moeder. Walter sluit nooit zijn ogen. Natuurlijk bid ik met hem mee. Ik zeg hem niet dat ik allang niet meer in dit soort dingen geloof.*

*Nadat hij was vertrokken, hield ik het beeldje in mijn hand, hopend dat het troost zou schenken. Maar dat doet het niet. Ooit stelde ik me de hel voor als een of ander verdoemd oord vol vuur en eeuwige pijn. Nu beschouw ik het als een plek waar je voor eeuwig alleen zult zijn, een plek van totale eenzaamheid. Ik weet dat ik eenzaam in deze kamer ga sterven. Ik weet alleen niet wanneer.*

Hannah hoorde een pieptoon, gevolgd door het geluid van klikkende sloten. Vlug schoof ze het notitieblokje onder het stoelkussen toen de deur openzwaaide.

# 35

De man die zich Walter Smith noemde kwam de kamer binnen. Hij hield zijn hoofd gebogen – uit schaamte of verlegenheid, misschien wel allebei – wat Hannah de kans bood hem in het zachte licht wat beter te bekijken.

Zijn gezicht was ernstig verbrand. Zelfs onder alle make-up zag ze dikke, bobbelige littekens. *Daarom houdt hij zijn hoofd omlaag,* dacht ze. *Hij wil niet dat ik naar zijn gezicht staar.*

Het besef dat hij lichamelijk beschadigd was, deed hem op een of andere manier minder superieur lijken, minder bedreigend. Misschien viel er redelijk met hem te praten, dacht Hannah. Dat kon ze vrijwel met iedereen.

Walter droeg een rieten mandje. De zijkanten waren afgedekt met vloeipapier en het hengsel was versierd met linten. Het was gevuld met diverse soorten muffins en croissants. Het deed haar denken aan de fruitmand die haar vader voor haar moeder had meegebracht op de morgen nadat haar baarmoeder was weggenomen.

Enigszins gespannen keek Hannah toe hoe Walter het mandje op de tafel zette en zich toen terugtrok in de schaduw bij de gootsteen. Zijn lange, glanzende, warrig gekapte haar leek gewoon te perfect. Als het een pruik of een haarstukje was, was dat het beste dat ze ooit had gezien.

Walter, met zijn hoofd nog steeds gebogen, staarde naar de vloer en schraapte zijn keel.

'Je neus ziet er al beter uit.'

Was dat zo? Ze had geen spiegel, maar toen ze haar neus met haar vingers had betast, was die nog steeds gezwollen. Ze vroeg zich af of hij was gebroken.

'Het spijt me wat er is gebeurd,' zei Walter.

Hannah zweeg, bang om iets terug te zeggen. Stel dat ze het verkeerde antwoord gaf en hij woedend zou worden? Als hij haar zou aanvallen, zou ze zich niet tegen hem kunnen verweren. Daarvoor was hij te groot en te sterk.

'Het ging per ongeluk,' zei hij. 'Ik zou nooit iemand kwaad doen van wie ik houd.'

Het koude zweet brak haar uit.

*Je kunt niet van me houden,* wilde ze zeggen. *Je* kent *me niet eens.*

Het was alsof Walter haar gedachten had gelezen.

'Ik weet alles over je,' zei hij. 'Je naam is Hannah Lee Givens. Je middelbareschooldiploma heb je behaald aan de Jackson High School in Des Moines, Iowa. Je bent eerstejaars op de Northeastern University. Je hoofdvak is Engels. Je wilt lerares worden. Als je het kunt betalen, dan ga je graag naar de film. Bij de bibliotheek leen je boeken van Nora Roberts en Nicholas Evans. Als je wilt, kan ik een paar van die boeken voor je meenemen. En films ook. Zeg maar gewoon wat je wilt hebben, dan haal ik het voor je. We kunnen samen de films bekijken.' Walter keek op en forceerde een glimlach. 'Is er iets dat je graag wilt zien?'

Hoe lang was hij haar gevolgd? En waarom was hij haar niet opgevallen?

Walter leek op haar antwoord te wachten.

Wat had de schrijfster ook weer in het notitieboekje geschreven? *Praten. Dat is wat hem drijft. Hij moet praten, om menselijk contact te hebben.*

Hannah wilde dat hij wegging, zodat ze in het notitieboekje verder kon lezen wat deze vrouw nog meer over Walter had geschreven. Misschien stond er iets in dat haar kon helpen een manier te vinden om te ontsnappen – want ontsnappen zóú ze. Ze zóú een manier vinden. Hannah Lee Givens wist dat ze hier beneden niet voor eeuwig zou blijven, en ze was zeker niet van plan om zich als boksbal te laten gebruiken. Ze moest alleen een manier zien te vinden om te overleven tot ze werd gevonden.

'Je bent nog steeds van streek,' zei Walter. 'Dat begrijp ik. Over een poosje kom ik terug met je diner. Misschien dat we dan kunnen praten.'

Hij pakte zijn portefeuille en bewoog die heen en weer voor de kaartlezer. Het slot klikte open. Hij toetste geen cijfercode in. Hij deed de deur open, maar liep niet verder.

'Ik ga je erg gelukkig maken, Hannah,' zei hij. 'Dat beloof ik je.'

# 36

Terwijl Darby op maandagmorgen naar haar werk reed, werd ze gebeld door Tim Bryson. De commissaris wilde hen om negen uur spreken.

'Ik heb ook kopieën van de moordzaken in Saugus waar Fletcher in de jaren tachtig aan heeft gewerkt,' zei Bryson. 'Waarom kom je niet wat eerder? Dan heb je de gelegenheid om ze even door te nemen.'

Darby trof Bryson in de wachtruimte bij het kantoor van de commissaris. Op zijn voorhoofd zat een grote pleister. Tijdens het doorzoeken van een van de lager gelegen verdiepingen van Sinclair had Bryson de vorige avond zijn hoofd aan de rand van een stalen balk gestoten.

'Zes hechtingen, schat ik,' zei Darby, terwijl ze naast hem ging zitten.

'Maak er maar tien van. Hoe voel je je?'

'Mijn rug en mijn benen doen pijn. Ik heb in mijn hele leven nog niet zoveel gebukt en gekropen.'

Geassisteerd door politieagenten van Danvers en door Reed met zijn bewakingsmensen had een tiental zoekteams de zaterdagnacht en de hele zondag aan de hand van bouwtekeningen onafgebroken een groot gedeelte van de lagergelegen verdiepingen van Sinclair doorzocht, totdat de zoekactie een paar minuten voor middernacht werd stopgezet.

Er werd helemaal niets gevonden.

'Ik heb je al gezegd dat hij een spelletje met ons speelde,' zei Bryson.

'We hebben de kelder nog niet helemaal gehad.'

'Jij gelooft dus écht dat die vrouw hier ergens in het ziekenhuis ligt.'

'Wat ik geloof, is dat Fletcher wil dat we iets vinden.'

'Ik denk nog steeds dat je het mis hebt.'

'In dat geval trakteer ik op een rondje.'

'Op een etentje zul je bedoelen.' Brysons lach maakte hem jaren jonger. Hij gaf haar een dikke map. 'Dit zijn kopieën van de moorddossiers van de twee gewurgde vrouwen uit Saugus. Begin maar vast met lezen. Ik ga een zwarte koffie halen. Hoe wil jij die van jou?'

'Zwart,' antwoordde Darby. Ze sloeg de map open.

Op de avond van 5 juni 1982 werd de negentien jaar oude Margaret Anderson, afkomstig uit Peabody, voor het laatst gezien bij haar vertrek van een feestje bij een vriendin. De volgende morgen werd haar gedeeltelijk naakte lichaam gevonden langs verkeersweg Route One in Saugus. Drie weken later verliet de twintigjarige Paula Kelly uit Revere na afloop van haar dienst het restaurant. Kelly's lichaam werd gevonden langs de weg, op iets meer dan een kilometer afstand van de plek waar Anderson werd gevonden. Om haar nek zat een leren mannenriem gewikkeld, maat 38. Hoewel beide vrouwen waren verkracht, werden er geen spermasporen gevonden.

De negentien jaar oude Sam Dingle woonde thuis bij zijn ouders en zijn jongere zusje en werkte in het winkelcentrum van Saugus bij een platenzaak die door beide vrouwen regelmatig werd bezocht. Volgens de bedrijfsleider had Dingle bij meerdere gelegenheden uitgebreid met beide vrouwen gesproken en Paula Kelly zelfs om haar telefoonnummer gevraagd.

De politie van Saugus had op de riem om Kelly's keel een gedeeltelijke duimafdruk gevonden, die afkomstig bleek te zijn van Sam Dingles rechterduim.

De riem bereikte nooit het forensisch staatslab voor verder onderzoek. Hij verdween uit de bergplaats voor belastend materiaal en de politie van Saugus raakte haar belangrijkste bewijsstuk kwijt. Sam Dingle werd nooit gearresteerd.

Terwijl de politie naar meer bewijzen zocht om een zaak tegen hem te kunnen beginnen, kreeg Dingle volgens zijn zus een zenuwinstorting, werd daarna opgenomen in de Sinclair Mental Health Facility en zes maanden later ontslagen. Na nog een week bij zijn ouders te hebben gewoond, liftte hij naar het westen.

Bryson kwam terug en gaf haar een koffiebekertje met een plastic dekseltje. 'Je bent de eerste vrouw die haar koffie zwart drinkt die ik meemaak.'

'Waarom zou je iets dat goed is verpesten?'
'En, wat denk je?' vroeg Bryson, met zijn kin naar het dossier gebarend.
'Ik denk dat ik graag eens een praatje met Sam Dingle zou willen maken.'
'Anders ik wel,' zei Bryson. 'We zijn naar hem op zoek. Zijn ouders zijn dood en zijn zus woont niet meer in Saugus.'
'Ik zal het staatslab bellen om te zien wat ze aan bewijsmateriaal hebben.'
Bryson nam een slokje van zijn koffie. 'Vanmorgen kregen we een telefoontje van twee meisjes uit Brighton,' zei hij. 'Een studente, genaamd Hannah Givens, werd door haar kamergenoten als vermist opgegeven. Ze studeren alle drie aan Northeastern. Volgens de melding zou Hannah vrijdag na afloop van haar werk bij een of andere delicatessenzaak in Downtown Crossing naar huis komen. Ze hebben haar op haar mobiele nummer proberen te bereiken en boodschappen ingesproken, maar Givens heeft daar niet op gereageerd en is niet meer thuisgekomen.'
'Komt ze daar uit de buurt?' vroeg Darby, denkend aan de mogelijkheid dat de studente het weekeinde naar huis was gegaan om haar ouders op te zoeken.
'Haar ouders wonen in Boise, Idaho,' zei Bryson. 'Maar aangezien het een voorlopig rapport is, ken ik nog niet alle details. Watts is op weg naar Brighton om de zaak verder te onderzoeken. Er zijn de afgelopen maand nog enkele personen als vermist opgegeven, maar bij geen van die meldingen betrof het een vrouwelijke student.'
De secretaris van de commissaris was een slanke, elegante man, met lange gemanicuurde nagels en blonde plukjes in zijn met gel gemodelleerde bruine haar. 'De commissaris kan u nu ontvangen.'

# 37

Christina Chadzynski zat achter een breed mahoniehouten bureau in het zachte licht van een schemerlamp een dossier door te lezen. Haar ruime, lichte kantoor, met ramen die uitkeken op de grijze hemel boven Boston, was gedecoreerd met nautische antiquiteiten en replica's van oude houten zeilschepen.

Voor het bureau stonden vier stoelen. Darby ging naast Bryson zitten en wachtte tot de commissaris zijn verslag van de gebeurtenissen van vrijdag- tot zondagavond had gelezen.

'Ik weet niet eens waar ik moet beginnen,' zei Chadzynski terwijl ze het dossier dichtsloeg. Ze zette haar bril af en masseerde de brug van haar neus. In haar ooghoeken zaten kraaienpootjes. Zelfs met make-up maakte ze een vermoeide indruk. 'Laten we beginnen met de man die je vrijdagavond in de woning van Emma Hale hebt gezien.'

'Malcolm Fletcher,' zei Darby.

'Weet je zeker dat deze man Malcolm Fletcher is?'

'Rechercheur Bryson liet me zijn foto zien op de website van de FBI. Dat is de man die ik heb gezien. Fletcher was hier in tweeentachtig, om de politie van Saurus te adviseren bij twee wurgmoorden. We onderzoeken een mogelijk verband.'

'Desondanks weten we nog steeds niet wat Fletcher in Emma Hales huis deed.'

'Nee. En meneer Hale beweert de man niet te kennen.'

De bruine ogen van Chadzynski kregen een staalharde uitdrukking. 'Wil je daarmee zeggen dat Jonathan de diensten van een berucht misdadiger heeft ingehuurd?'

'Kent u meneer Hale?' vroeg Darby.

'We verkeren in dezelfde kringen. Mijn man kent hem erg goed. Ze doen samen veel liefdadigheidswerk.'

'We weten dat Malcolm Fletcher via de garage het gebouw is

binnengekomen,' zei Darby. 'Hij nam de dienstlift naar de etage van Emma Hale en ging haar appartement binnen. De afdeling Inbraak heeft de sloten onderzocht. Ze waren niet geforceerd, dus moet hij een sleutel hebben gehad. Het lijkt me verstandig om Jonathan onder surveillance te plaatsen.'

'Darby, de man is een vooraanstaand burger. Ik kan hem zonder gegronde reden niet zomaar laten schaduwen en hem zeker niet laten opdraven voor ondervraging. De pers zou ons kruisigen.'

'Een ogenblikje, alstublieft. Fletcher is de man die ik in Emma Hales huis heb gezien. Ik weet niet wat hij daar deed. Of hij werkt alleen, om een reden die we niet kennen, of hij werkt voor Hale. Laten we voorlopig even aannemen dat Fletcher alleen werkt – wat heel goed mogelijk is,' vervolgde Darby. 'We weten dat Fletcher hier eerder was, toen hij in het begin van de jaren tachtig werkte als profiler. Is het mogelijk dat hij zelfstandig op zoek is naar een verband tussen de wurgmoorden en de moorden op Chen en Hale? Ja. Ook weten we dat er in het kantoor van Hales beveiligingsdienst in Newton is ingebroken en dat uitgerekend de bewakingstapes en de dvd's van het gebouw waar Emma Hale woonde ontbreken. Dus hebben we enige reden om aan te nemen dat Fletcher alleen werkt. Maar is het, gezien wat we van de man weten en zijn prominente positie op de lijst van meest gezochte personen, toch niet verstandig om Hale voor zijn eigen veiligheid onder surveillance te plaatsen?'

'Daar heeft Darby een punt,' merkte Bryson op.

Chadzynski zette haar bril op. 'Hoe vaak heb je met Malcolm Fletcher gesproken?'

'Ik heb hem persoonlijk gesproken in het huis van Emma Hale,' antwoordde Darby. 'En tot nu toe heeft hij me twee keer opgebeld – zaterdagmiddag toen ik in het huis van Judith Chen was en wat later toen Tim en ik in het Sinclair waren.'

'Heeft hij daarna nog gebeld?'

'Nog niet.'

'Verwacht je dat hij weer zal bellen?'

'Die mogelijkheid acht ik erg groot.'

'Waarom denk je dat?'

'Hij heeft zich in ons onderzoek gemengd. Hij zei me naar het Sinclair te gaan, waar we in een kamer op een afdeling voor potentieel gewelddadige patiënten de foto van een vrouw en een

Mariabeeldje aantroffen – precies zo'n beeldje als we in de zakken van Hale en Chen hebben gevonden.'

'Weten we waar hij dat beeldje vandaan heeft?'

'We hebben geen enkel idee.'

'En de vrouw op de foto,' vroeg Chadzynski. 'Is er een verband tussen haar en die gewurgde vrouwen uit Saugus?'

'Cliff Watts heeft haar foto op het politiebureau van Saugus laten rondgaan,' antwoordde Bryson. 'Niemand daar weet wie ze is. Ook staat ze nergens als vermist opgegeven. Na deze bespreking zal ik een kopie van de foto afgeven bij de afdeling Vermiste Personen.'

'Naar ik heb begrepen,' zei Chadzynski, 'hebben jullie het ziekenhuis doorzocht en verder niets gevonden.'

'We hebben maar een deel van het ziekhuis kunnen doorzoeken,' zei Darby. 'De kelderverdieping is al een doolhof op zichzelf. Sommige gedeelten waren wegens instortingsgevaar verzegeld en andere secties waren afgesloten. Het is een gigantisch complex en het heeft veel tijd gekost om de gedeelten die we hebben doorzocht in kaart te brengen. We hadden maar anderhalve dag.'

'Dus jij vindt dat we moeten doorgaan met zoeken?'

'Ja.'

'Tim?'

'Ik zie de noodzaak er niet van in.' Bryson lichtte zijn zienswijze toe.

'Wat denk je dat Malcolm Fletcher wil dat je vindt?' vroeg Chadzynski, zich weer tot Darby richtend. 'Je kunt onmogelijk aannemen dat in dat ziekenhuis een levende vrouw gevangenzit.'

'De laatste keer dat ik Fletcher sprak, gebruikte hij een citaat van Bernard Shaw – "als je het lijk in de kast niet kwijt kunt, dan kun je het maar beter leren dansen". Ik geloof niet dat hij het grappig bedoelde. Ik had eerder het gevoel dat hij me wilde waarschuwen. Hij had het over het openen van de doos van Pandora. Ik denk dat er zich in dat ziekenhuis iets bevindt en dat hij wil dat we het vinden.'

'Of hij houdt ons aan het lijntje, zoals Tim zei.'

'Dat kan heel goed zijn,' zei Darby. 'Blijft het feit dat hij zichzelf bij deze zaak heeft betrokken. Hij heeft net zo'n Mariabeeldje voor ons achtergelaten als we in de zak van Hale en Chen hebben gevonden en ik wil weten waar hij dat vandaan heeft.'

'Denk je dat hij ons wil helpen bij het onderzoek?'

'Ik ken zijn motieven niet,' antwoordde Darby. 'Alles wat ik van de man weet, komt van de website van de FBI, en dat is niet erg veel.'

'Er is ook nog een andere mogelijkheid,' merkte Bryson op. 'Stel dat Malcolm Fletcher Hale en Chen heeft vermoord?'

'Dat is Fletchers stijl niet,' zei Chadzynski.

'Weet u iets over hem?'

'Hoeveel mensen hebben jullie over Malcolm Fletcher verteld?'

'Ik heb het Watts verteld,' zei Bryson, naar Darby kijkend.

'Alleen Jackson Cooper en Keith Woodbury weten het,' zei ze. 'Verder heb ik niemand iets verteld.'

Chadzynski sloeg haar benen over elkaar. 'Ik zou graag willen dat wat ik nu ga zeggen, binnen de muren van deze kamer blijft.'

# 38

'Dit is de tweede keer dat Fletcher in Boston is opgedoken,' zei Chadzynski. 'De eerste keer was ongeveer negen jaar geleden. Herinneren jullie je de zaak-Sandman nog?'

'Het was groot nieuws.' Darby had het verhaal in de kranten gevolgd.

Een seriemoordenaar – Gabriel LaRouche – had, na de moord op een gezin in Marblehead, een kuststadje ten noorden van Boston, de politie gebeld. LaRouche, die het huis met geavanceerde apparatuur observeerde, had gewacht tot iedereen van de politie binnen was en daarna de bom tot ontploffing gebracht die hij op de plaats van het misdrijf had achtergelaten. Er werden nog twee gezinnen afgeslacht voordat hij uiteindelijk werd gearresteerd.

'Ooit van Jack Casey gehoord?' vroeg Chadzynski.

'De voormalige profiler,' antwoordde Darby. 'Hij was de man die Miles Hamilton pakte, de "All-American Psycho".'

'Precies. Casey was gepensioneerd bij de FBI en werkte als hoofd van de rechercheafdeling bij de politie van Marblehead, waar het eerste gezin werd vermoord. Op een gegeven moment werd de hulp van het SWAT-team uit Boston ingeroepen – er was een gijzeling op een autoweg. Ik heb een goede kennis bij de FBI, iemand die werkt bij Investigative Support. Jack Casey haalde Fletcher binnen als een soort adviseur op de achtergrond. Nadat de zaak-Sandman was opgelost, vertrok Casey uit Marblehead en sindsdien is er niets meer van hem vernomen. Fletcher verdween, om een jaar daarna op de FBI-lijst van meest gezochte criminelen te worden geplaatst.'

'Fletcher viel de agenten al in vierentachtig aan,' zei Darby. 'Weet u misschien waarom de FBI zo lang heeft gewacht met hem op de lijst te plaatsen?'

'Het Bureau wilde de zaak in stilte afhandelen.'

'Wat een verrassing.'

'Malcolm Fletcher was een van hun beste profilers,' zei Chadzynski. 'Het aantal zaken dat hij heeft opgelost is ongeëvenaard. Het probleem was alleen dat hij de grens overschreed en eigen rechter begon te spelen. Bij zo'n beetje de laatste tien seriemoordzaken waar hij aan werkte, kwam steeds de moordenaar om het leven en bij de laatste vier zaken verdween de verdachte. Mijn kennis vertelde me niet hoe lang dit al aan de gang was, maar toen het Bureau erachter kwam, stuurden ze drie agenten om Fletcher te arresteren, en je weet wat er toen gebeurde.

Nadat Fletcher op de lijst was gezet, werd er een speciale groep geformeerd om hem op te sporen. Het probleem was alleen, naar ik heb begrepen, dat niemand veel van hem weet. Voor een man op de vlucht neemt hij het er goed van. Hij verblijft in goede hotels, houdt van goede wijn en sigaren en rijdt graag in dure auto's.'

'Volgens de bewaker bij Sinclair reed Fletcher in een Jaguar,' zei Darby.

'Hij is ook een kledingsnob,' zei Chadzynski. 'Ik herinner me dat mijn kennis vertelde dat Fletcher zijn maatpakken en overhemden betrok van een gerenommeerde kleermaker in de Londense wijk Myfair. Niemand weet iets over zijn privéleven en of dat wat er met zijn ogen aan de hand is het gevolg is van een genetische afwijking of een ziekte. Ook is me verteld dat de man geen psychopaat is. Hij doodt om een speciale reden. Ooit van *The Shadow* gehoord?'

'Die film met Alex Baldwin? Die was niet al te best.'

'In feite doelde ik op de hoofdpersoon uit een oud sensatieblad. De Shadow was een soort engel der wrake, die rondwarend in het duister het onrecht bestreed.'

'"Wie weet welk kwaad er in de harten van de mensen huist? De Shadow weet het",' oreerde Bryson. 'Van voor jouw tijd,' voegde hij er grijnzend aan toe toen hij de uitdrukking op Darby's gezicht zag.

'Malcolm Fletcher is net zo'n figuur,' zei Chadzynski. 'Hij richt zich uitsluitend op mensen die volgens hem een afschuwelijk misdrijf hebben begaan. Ik heb wat speculaties gehoord – en dat is precies wat het voorlopig zijn, pure speculaties – dat Fletcher in zijn eentje werkte aan een paar van zijn onopgeloste zaken. Misschien dat er tussen de Saugus-zaken en die van Hale en Chen een zeker verband bestaat. Ik zal wat telefoontjes moeten plegen.'

'Gaat u de FBI erbij betrekken?' vroeg Darby.

'Die mogelijkheid zullen we moeten overwegen.'

'Het lijkt me geen goed idee.'

'Ik ben het met Darby eens,' viel Bryson haar bij. 'De FBI komt hier, neemt de zaak in handen, en als het dan verkeerd gaat, dan zorgt hun pr-machine er wel voor dat wij de schuld krijgen.'

'Laat me eerst die kennis van me bellen om te zien of ik daar wat subtiel speurwerk kan verrichten,' zei Chadzynski. 'Ik betwijfel of hun opsporingsteam op grond van een enkele waarneming zomaar komt opdraven. Alvorens de zaak in gang te zetten, zullen ze concreet bewijs willen hebben. Ondertussen zullen wij voorbereidende maatregelen nemen. Darby, aangezien hij zich op jou lijkt te richten, zou ik je toestemming willen vragen om al je telefoons af te tappen. Ook zou ik je graag onder surveillance plaatsen.' Darby knikte.

'Tim, jij hebt ervaring met surveillance. Kun jij dat regelen?'

'Zorg ik voor.'

'Mooi. En wat het voortzetten van de zoekactie in het Sinclair betreft: daar zou ik even mee willen wachten totdat we over concretere informatie beschikken. Nu wil ik dat we ons concentreren op Judith Chen.'

'Misschien hebben we nog een ander potentieel slachtoffer,' zei Bryson, waarna hij Chadzynski informeerde over Hannah Givens.

'Heeft een van jullie dr. Karim al gesproken?' vroeg Chadzynski.

'Ik heb het afgelopen weekend op zijn kantoor een telefonische boodschap voor hem achtergelaten,' antwoordde Darby. 'Ik hoop dat hij wil samenwerken.'

'Dat regel ik wel,' zei Chadzynski. 'Karim mag graag een beetje moeilijk doen en ik doe graag moeilijk terug. Hou me van elke ontwikkeling op de hoogte.'

De commissaris stond op. 'Dat met die halsketting was prima werk, Darby. Nu eens zien wat we verder nog kunnen vinden.'

# 39

Zodra Darby op het laboratorium kwam, liep ze direct door naar achteren, waar Coop bij een rij ramen waardoor het meeste daglicht naar binnen viel een opstelling had gemaakt. Keith Woodbury was foto's aan het nemen.

Het roze T-shirt, de nylon joggingbroek en de sneakers lagen uitgestald op een wit vel vetvrij papier. Net als bij Emma Hale waren de met vuil besmeurde kleren van Judith Chen op diverse plaatsen gescheurd door de stenen, takken en andere scherpe voorwerpen waar ze tijdens haar tocht over de koude, donkere bodem van de haven van Boston tegenop was gebotst. Hoewel de kleren droog waren, droegen ze nog steeds de metaalachtige geur van het vervuilde water.

'De papieren zijn allemaal verwerkt,' zei Coop, haar een ademmasker aanreikend. 'En Keith is bijna klaar met de polaroids.'

'En de digitale opnamen?' Darby gebruikte altijd digitale foto's om haar dossiers meer volume te geven.

'Hoe lang werken we nu samen?'

Ze namen elk een kledingstuk en begonnen het weefsel onder een verlichte loep aan een nauwgezet onderzoek te onderwerpen.

Aan de binnenzijde van de joggingbroek vond Coop een lange, zwarte haar, die hij onderzocht onder een vergelijkingsmicroscoop. Het haarzakje ontbrak, wat een DNA-bepaling uitsloot. Gezien de lengte, structuur en kleur, was de haar mogelijk afkomstig van Judith Chen. Hij deed de haar in een cellofaan zakje en vervolgde zijn onderzoek.

Het sweatshirt zat vol met bloedvlekken. Net als bij Emma Hale wees het vlekkenpatroon erop dat Judith Chen eerst was doodgeschoten en daarna vervoerd naar de plek waar haar lichaam in het water was gegooid. Darby vroeg zich af of de moordenaar beide keren hetzelfde vervoermiddel had gebruikt en of

Chen en Hale beseft hadden dat ze zouden gaan sterven. Gezien de verregaande staat van ontbinding waarin de lichamen verkeerden, was het onmogelijk om vast te stellen of beide vrouwen zich hadden verzet.

'Dit is interessant,' zei Darby, met een pincet naar een kleine, vage veeg op de schouder van het sweatshirt wijzend.

'Wat is het?' vroeg Coop.

'Het lijkt op make-up.'

'Van dat spul dat jullie meiden op je wangen en je gezicht smeren?'

'Zoiets noem je foundation. Vrouwen gebruiken het om de kleur van hun huid egaal te maken.'

'Oké, dus Chen smeerde wat van haar make-up op haar schouder.'

'Kijk eens naar de plaats waar het zit. Het zit te hoog op haar schouder. Dat kan ze niet zelf hebben gedaan.'

'Misschien heeft ze haar handen aan haar sweatshirt afgeveegd.'

'Vrouwen vegen hun handen niet af aan hun kleren, Coop.'

'Het lijkt er veel op dat ze werd vastgehouden onder minder prettige omstandigheden.'

'Als ze haar handen wilde afvegen, waarom zou ze dan haar hand optillen naar haar schouder? Dan zou ze dat doen aan haar broek, of aan de voorkant van haar sweatshirt.'

'Goeie vraag.'

'Dit is waarschijnlijk op oliebasis.'

'Ik kan je even niet volgen.'

'Je hebt make-up op oliebasis en op waterbasis. Make-up op waterbasis zouden we waarschijnlijk niet meer kunnen zien. Door al die tijd in de haven zou het zijn uitgewassen.'

Darby trok de verlichte loep boven de vlek. 'De kleur is te licht,' zei ze. 'Chens huid was donkerder. Deze tint zou ze niet hebben gebruikt. Dit is meer voor bleke, Ierse meiden.'

'Emma Hale had een blanke huid. Misschien was het van haar.'

'Hoe komt dat dan op Judith Chens schouder?'

'Misschien moesten ze van de man die Chen ontvoerde make-up dragen.'

'Of misschien gebruikt hij wel zelf make-up om een litteken of een misvorming te verbergen,' zei Darby. 'En kijk maar niet zo raar, ik ken genoeg kerels die een smeerseltje gebruiken om een pukkel of een litteken te verdoezelen.'

'Kerels als Tim Bryson, bedoel je?'
'Volgens mij gebruikt Tim geen make-up.'
'Nee, maar hij laat wel zijn haar knippen bij een of andere dure zaak in Newbury Street én hij doet aan yoga.'
'Voor het geval je het nog niet wist, yoga is uitstekend voor je conditie. Je zou het eens moeten proberen.'
'Ik blijf liever bij mijn gewichten, dame.'
'Waar zou jij voor kiezen?'
'Sorry, maar zo werkt dat niet bij mij.'
'Fijn voor je, maar ik had het over het monster. Wordt het de massaspectrometer of de FTIR?'
'De FTIR heeft de meest uitgebreide digitale bibliotheek,' beantwoordde Woodbury de vraag.
Darby knikte. Hoewel de massaspectrometer de componenten van een monster kon analyseren, was de Fourier Transform Infrarood Spectroscopie veel nauwkeuriger. Het zou zowel de organische als de anorganische in het monster aanwezige stoffen analyseren en in het digitale bestand zoeken naar een overeenkomstige 'moleculaire vingerafdruk'.
Darby nam diverse close-upfoto's van de veeg en bereidde toen het monster voor.
'Gaan jullie je gang maar,' zei Coop. 'Dan blijf ik ondertussen aan de broek werken, om te zien of ik in de zak de vingerafdruk kan vinden.'

De FTIR vond geen exclusieve match in zijn gegevens over make-up, wat niet betekende dat er geen bestond. Het FTIR-systeem van het lab was slechts zo goed als zijn digitale bestand groot was.
Met een staafdiagram op het computerscherm van de FTIR werden de verschillende chemische componenten van het monster weergegeven.
'Het bevat een hoge concentratie titaniumdioxide,' merkte Woodbury op. 'Dan hebben we nog paraffineolie, bijenwas, talk, isopropylpalmitaat, magnesiumcarbonaat, allantoïne, propylparaben en carnaubawas. En dan is er ook nog een onbekende stof. Laten we voor de zekerheid even kijken of we de laatste versie van het make-upbestand hebben.'
Woodbury controleerde het systeem. Het make-upbestand bleek

aan het begin van de vorige maand te zijn bijgewerkt. Er waren geen nieuwe updates.

'Misschien is het geen make-up,' zei Darby.

'Dit soort chemicaliën wordt in make-up aangetroffen, maar welk merk?' Achteroverleunend in zijn stoel staarde Woodbury, peinzend over zijn achterhoofd wrijvend, naar de monitor. 'Het probleem is de onbekende component. Daardoor raakt het systeem van slag. We zullen eerst moeten weten wat het is.'

'Kan de FTIR ons geen lijst van mogelijke merken geven?'

'Dat kan, maar dan heb je het misschien wel over honderden monsters. De hoeveelheid titaniumdioxide is interessant.'

'Hoezo...?'

'Die is nogal hoog,' zei Woodbury. 'Make-up – en dat omvat alles van basiscrème tot producten voor het camoufleren van puistjes en littekens – bevat sporen van titaniumdioxide, mica en ijzeroxides. Deze hoeveelheid titaniumdioxide is hoger dan normaal. Had Chen littekens op haar gezicht?'

'Volgens mij niet. Maar ik zal het op de foto's controleren.'

'Gebruikte ze make-up?'

'Ze had wat spullen staan in haar medicijnkastje.'

'Als ik de make-up zou hebben die ze gebruikte, dan kon ik monsters daarvan vergelijken met wat we nu hebben.'

'Ik zorg ervoor dat je ze krijgt.'

'Haal je ze zelf, of laat je ze door iemand halen?'

'Waarom vraag je dat?'

'Ik weet niet hoe ik dit moet zeggen zonder seksistisch te lijken, daarom zeg ik het maar gewoon. Je bent een vrouw.'

'Fijn dat het je is opgevallen,' zei Darby.

'Wat ik bedoel, is dat je meer vertrouwd bent met make-up dan bijvoorbeeld een mannelijke agent die wat in haar medicijnkastje of make-updoos rommelt en misschien wat over het hoofd ziet. Voor zover ik weet, is dit een acnecrème met een camouflagekleur.'

'Ik begrijp het. Ik zal de spullen zelf halen.'

'En nog iets anders, misschien hebben we het wel over meerdere soorten make-up – twee verschillende merken, bijvoorbeeld. Misschien zou je ook Emma Hales make-up kunnen ophalen. Als beide vrouwen op dezelfde plaats zijn vastgehouden, dan heeft Chen misschien een van Hales producten gebruikt.'

'Hoe ga je die onbekende component bepalen?'
'Ik zal eens kijken wat ik kan doen.'
Het was Woodbury's manier om te zeggen dat hij wat tijd alleen wilde hebben om na te denken. Darby wist dat hij niet graag werkte terwijl iemand voortdurend over zijn schouder meekeek en vragen stelde.
'Ik ga de make-up voor je halen,' zei Darby.
Ze stond in haar kantoor haar jas aan te trekken toen de dienstdoende brigadier van de receptie belde. 'Ik heb hier een dame die u wil spreken. Haar naam is Tina Sanders.'
De naam kwam Darby totaal onbekend voor. 'Wat wil ze?'
'Ze zegt dat u informatie heeft over haar vermiste dochter Jennifer. Ik heb haar gezegd dat ze naar Vermiste Personen moest gaan, maar ze zei dat de rechercheur die ze heeft gesproken heeft gezegd dat ze alleen maar met u moest praten en met niemand anders.'
'Wat is de naam van die rechercheur?'
Even klonk een gedempte conversatie, toen klonk de stem van de brigadier weer. 'Ze zegt dat ze zijn naam niet weet, maar hij zei dat hij met u werkte aan de zaak-Sinclair. Zegt dat u iets?'
'Stuur haar maar naar boven,' zei Darby.

# 40

Tina Sanders werd geteisterd door osteoporose. Onder haar afgedragen, rode gewatteerde jas tekende zich een klassieke bochel af. De vrouw liep voorovergebogen, haar knokige vingers klemden zich om de rubber handgrepen van een looprek. Haar in krulspelden gedraaide haar ging gedeeltelijk schuil onder een blauwzijden sjaal.

'Hebt u Jenny gevonden?'

'Laten we in de vergaderkamer praten,' zei Darby.

Met haar zwarte orthopedische schoenen schuifelde de vrouw achter haar looprek over de vloer. Darby hield de deur open. Ze had op Tim Brysons mobiele telefoon en zijn voicemail op kantoor al een boodschap ingesproken met het verzoek haar zo snel mogelijk terug te bellen.

Darby hielp de vrouw in een stoel. Haar kleren en haar haar waren doortrokken van sigarettenrook.

Tina Sanders pakte met trillende vingers een opgevouwen stuk papier uit haar tas en legde het op de tafel.

Op het glanzende papier in A4-formaat was een foto afgedrukt van een blonde vrouw met lang, uitwaaierend haar – dezelfde foto die Darby had zien hangen aan de beschimmelde celmuur van Sinclair.

'Hoe komt u hieraan, mevrouw Sanders?'

'Hij heeft het in mijn brievenbus gedaan.'

'Wie?'

'De rechercheur,' antwoordde Tina Sanders. 'Hij zei me hiernaartoe te gaan en naar u te vragen. Hij zei dat u wist wat met er Jenny is gebeurd.'

'Wat was de naam van de man?'

'Dat weet ik niet. Wat is er allemaal met Jenny? Hebt u haar lichaam gevonden?'

'Neemt u me niet kwalijk, mevrouw Sanders, maar u overvalt me een beetje. Geef me even de tijd.' Darby sloeg haar blocnote open. 'Vertelt u me eerst eens hoe u aan die foto komt.'

De oude vrouw wist met moeite haar ongeduld te bedwingen. 'Ik werd vanmorgen gebeld door een man die zei dat hij een rechercheur was uit Boston en dat Darby McCormick van het Boston Crime Lab had ontdekt wat er met mijn dochter was gebeurd. Toen ik hem ernaar vroeg, zei hij me dat ik buiten in mijn brievenbus moest gaan kijken. Daar vond ik de foto. Toen ik weer aan de telefoon kwam, was hij er niet meer. Verbroken, of zoiets. Zo is het gegaan. En nu over Jenny. Wat hebt u ontdekt?'

'Waar woont u, mevrouw Sanders?'

'In Belham Heights.'

Darby was in Belham opgegroeid en kende de Heights goed – armoedige etagewoningen met waslijnen op de veranda's en postzegelgrote achtertuintjes, onderling gescheiden door ingezakte hekken van harmonicagaas.

'En die foto, dat is uw dochter?'

'Hoe vaak heb ik dat nu al gezegd, een keer of zes?' Uit haar tas haalde Tina Sanders een pakje Virginia Slims.

'Het spijt me, mevrouw Sanders, maar u mag hier niet roken.'

'Ik wil het alleen even vasthouden.' Toen ze het pakje omdraaide, zat onder het cellofaan een gouden crucifix. 'Ik heb zesentwintig jaar lang om dit ogenblik gebeden,' zei ze met brekende stem. 'Ik kan bijna niet geloven dat het eindelijk gebeurt.'

'Vertel me wat er met uw dochter is gebeurd,' zei Darby. 'Begin maar bij het begin en neem de tijd.'

# 41

Jennifer Sanders, psychiatrisch verpleegkundige bij de Sinclair Mental Health Facility, verliet op de middag van 18 september 1982 het ziekenhuis. Ze had om vijf uur met haar moeder afgesproken bij een bruidswinkel in het centrum van Boston, waarna ze samen zouden gaan eten.

Toen Jennifer om zes uur nog niet bij de bruidswinkel was verschenen, veronderstelde Tina dat haar dochter, die de stad vanuit het noorden moest binnenkomen, in het verkeer was komen vast te zitten. Even bellen dat het later werd, kon Jennifer niet. Dit was 1982, een tijd dat mobiele telefoons lijvige, zware speeltjes waren die alleen de rijken zich konden permitteren.

Toen Tina Sanders om halfacht nog niets van haar dochter had gehoord, begon ze ongerust te worden. Misschien had Jennifer een kleine aanrijding gehad. Misschien had ze autopech gekregen, en was ze nu op zoek naar een telefooncel om de wegenwacht te bellen. Maar als dat het geval was, dan zou ze naar de winkel hebben gebeld om haar moeder te laten weten wat er was gebeurd. Misschien had ze een ongeluk gekregen en werd ze ernstig gewond naar het ziekenhuis gebracht.

Of misschien had Jenny zich wel in de datum vergist, dacht Tina. Of was ze het gewoon vergeten. Want Jenny was de laatste tijd nogal vergeetachtig. Ze maakte lange dagen en was altijd moe. De voorbereidingen op haar huwelijk en het vooruitzicht misschien een andere baan te moeten gaan zoeken, bezorgden Jenny veel stress. Door kortsluiting was een gedeelte van het Sinclair afgebrand en te midden van de chaos van het overbrengen van patiënten naar andere ziekenhuizen, werden de geruchten steeds hardnekkiger dat het Sinclair misschien gedwongen zou worden haar deuren te sluiten.

Met de telefoon van de bruidszaak belde Tina naar het werk

van haar dochter. Haar baas, die nog steeds in zijn kantoor was, vertelde haar dat Jennifer een paar minuten voor vijf was vertrokken.

De verloofde van Jennifer, dr. Michel Witherspoon, een oncoloog, was thuis. Ze hadden pas een huis gekocht in Peabody, niet ver van Jenny's werk en ze zouden er binnenkort gaan wonen.

Nee, Tina had zich niet in de datum vergist, had Witherspoon gezegd. Was er iets niet in orde?

Tina vertelde haar aanstaande schoonzoon dat Jenny er nog niet was. Nadat ze in de winkel was blijven wachten tot die om acht uur dichtging, reed ze weer terug naar Belham, zichzelf voortdurend voorhoudend dat hiervoor een logische verklaring moest zijn en dat er dus geen reden was om zich zorgen te maken.

Maar dr. Witherspoon deelde het optimisme van zijn aanstaande schoonmoeder niet. Toen hij tegen middernacht taal noch teken van Jennifer had vernomen, wist hij zeker dat er iets was gebeurd. Terwijl hij ijsberend door het huis liep, wachtend tot de deur openging of de telefoon ging, riep zijn fantasie allerlei angstwekkende scenario's op.

Hij had nog een reden om zich zorgen te maken: Jennifer was twee maanden zwanger. Ze had het nog aan niemand willen vertellen – het was nog te vroeg, er kon nog van alles gebeuren. Ze kende te veel vriendinnen die een miskraam hadden gehad.

Er was nog een reden waarom Jennifer niet wilde dat haar moeder het wist. Vanwege haar streng katholieke achtergrond schaamde Jennifer zich een beetje omdat ze voor het huwelijk zwanger was geraakt.

Sinclair was een enorm complex, en Jennifer werkte in een wereld waar voortdurend gevaar dreigde. De patiënten die ze behandelde waren gewelddadige misdadigers, die soms zichzelf ombrachten, of een andere patiënt. Ook vielen ze het personeel aan. Het jaar daarvoor was Jennifer nog door een paranoïde patiënt in haar gezicht gestompt omdat de jonge man geloofde dat ze hem wilde vergiftigen.

Witherspoon belde de alarmlijn van het ziekenhuis en vroeg of hij iemand van de bewaking kon spreken. Hij legde de situatie uit en vroeg de man aan de andere kant van de lijn om de zaak te onderzoeken. De man van de bewakingsdienst belde Witherspoon een uur later terug.

'Ze vonden haar auto op het parkeerterrein,' zei Tina Sanders tegen Darby. 'Dat is het enige dat ze van haar hebben gevonden.'
'Woont Michael Witherspoon nog in Peabody?'
'Nee, hij is verhuisd... dat moet al tien of vijftien jaar geleden zijn. Naar Californië, geloof ik. We zijn elkaar uit het oog verloren. Die eerste paar jaar bleef hij nog contact met me houden, maar op zekere dag kwam hij naar me toe en zei dat hij zo niet meer kon leven, met die onzekerheid en dat gedoe met de politie.'
'Wat voor gedoe met de politie?'
'Ze dachten dat hij iets te maken had met Jenny's verdwijning, maar dat was belachelijk. De man was een wrak. Ze hebben hem door een hel laten gaan. Hij wilde verder met zijn leven en ik kon hem geen ongelijk geven. Het is een luxe die je als ouder niet hebt.'
'Waren u en Jenny hecht met elkaar?'
'Natuurlijk waren we dat.' De vrouw leek de vraag als een belediging op te vatten. 'Ik heb haar alleen moeten opvoeden. Jenny's vader was marinier en gestationeerd in China. Op een gegeven moment kreeg ik een brief van hem waarin hij me liet weten dat hij verliefd was geworden op een of ander Chinees snolletje. Ik heb nooit meer iets van hem gehoord.
'Ik hielp Jenny met al haar huwelijksvoorbereidingen, weet u. We gingen samen naar bruidsjurken kijken en bloemen uitzoeken. Ze betaalde elke cent zelf. Jenny werkte veel over in het ziekenhuis om de bruiloft te kunnen betalen. God weet dat ik het niet kon, niet van wat ik als serveerster verdiende.
Michaels familie had het nogal hoog in de bol; ze dachten dat hun eigen poep niet stonk,' zei Tina Sanders. 'Hoewel Jenny hier nooit een woord over heeft gezegd, denk ik dat het Micheal was die een grootse bruiloft wilde. Zijn ouders boden aan de kosten zelf te betalen, maar Jenny zei nee. Daar was ze te trots voor. Ze stond erop alles zelf te betalen. Ze wilde een mooie, eenvoudige trouwpartij, niet een of ander chic ballroomgala. Michaels ouders waren er niet erg gelukkig mee. Hij was een aardige vent. Een beetje bekakt misschien, omdat hij arts was en zo, maar hij behandelde Jenny erg goed.'
'Hoe was Jenny?'
Tina Sanders klemde haar handen om het sigarettendoosje toen ze sprak. 'Het was een lieve meid. Gehoorzaam en ze deed altijd wat haar werd gezegd. Ze heeft me nooit voor problemen gesteld.

Ze zag de toekomst rooskleurig in en ze vertelde erg bevlogen over haar werk. Ze geloofde écht dat ze iets deed voor de mensen in McLean's. Dat was het eerste psychiatrische ziekenhuis waar ze werkte. Ik weet niet waarom ze daar is weggegaan. Ze zei dat de patiënten daar beter waren, veel handelbaarder. Jenny vond het heerlijk om mensen te helpen. Ze had die baan bij Sinclair nooit moeten nemen.'

'Waarom zegt u dat?' vroeg Darby.

'Gedurende het laatste jaar werd ze echt prikkelbaar en eenzelvig. Ze belde me minder vaak en als we samen waren, dan zei ze nauwelijks een woord. Ze zei dat ze slecht sliep. Dat het kwam door de stress van haar werk, de vele overuren die ze moest maken om de bruiloft te betalen, de geruchten over dreigende ontslagen en de mogelijkheid dat het ziekenhuis voorgoed zou worden gesloten. Ik wist niet dat ze zwanger was – dat zou de stemmingswisselingen hebben verklaard.' De oude vrouw wreef met haar vinger over het crucifix. 'En als dat zo was, dan zou ik het haar niet kwalijk hebben genomen.'

'Verzweeg ze wel eens dingen voor u?'

'Nee. Dat deed ze nooit. Ik zei al eerder dat we erg aan elkaar gehecht waren. Dat Jenny me niets over haar zwangerschap heeft verteld, dat heeft me een tijdje behoorlijk dwarsgezeten, maar ik begreep het. Ze wilde in een katholieke kerk trouwen, en zwanger raken voor je feitelijk getrouwd bent... nou ja, ik hoef u niet te vertellen hoe de katholieke kerk over dat soort dingen denkt.'

'Heeft uw dochter ooit iets gezegd of een opmerking gemaakt over een man met zwarte ogen?'

'Bedoelt u dat iemand hem een blauw oog had geslagen, of zoiets?'

'Ik bedoelde echt de kleur van zijn ogen,' zei Darby. 'De ogen van deze man zijn volkomen zwart. Hij is lang, ruim een meter tachtig lang, zijn huid is bleek en hij is erg goed gekleed.'

'Zo iemand ken ik niet.'

'Een ogenblikje alstublieft, mevrouw Sanders.'

# 42

Darby liep de vergaderkamer uit en haalde in haar kantoor de van de FBI-website geprinte foto van Malcolm Fletcher.

'Hebt u deze man ooit gezien of ontmoet, mevrouw Sanders?'

'Is dit de man die Jenny heeft vermoord? Hebt u hem soms gevonden?'

'Nee, dat hebben we niet. Herkent u deze man ergens van?'

'Nee.'

'Heeft Jenny u ooit verteld dat ze een dergelijke man heeft gezien of ontmoet?'

'Voor zover ik me herinner niet. Hebt u haar lichaam gevonden?'

'We vonden deze foto in verband met een andere zaak,' antwoordde Darby. 'Het spijt me, maar dat is alles wat ik u kan vertellen.'

'Ik begrijp het niet. De man die ik sprak zei uitdrukkelijk dat ú informatie had over wat er met Jenny is gebeurd. Hij zei dat u me de waarheid zou vertellen.'

'Ik vertel u de waarheid.'

'Zo te horen lijkt het alsof u niets weet. Als dit alles is, waarom zei hij me dan helemaal hierheen te gaan?'

'Mevrouw Sanders, wat u me hebt verteld, is zo belangrijk dat ik er zeker van ben dat een rechercheur bij u langskomt om met u over uw dochter te praten. Bent u later op de dag thuis?'

'Wat zou ik anders moeten doen? Gaan dansen?' Tina Sanders strekte haar arm uit naar haar looprek. Darby stond op om te helpen, maar de vrouw stopte haar met een handgebaar. 'Nee, laat maar, dat kan ik zelf nog.'

'Heeft, behalve u, verder nog iemand dit stuk papier aangeraakt?'

'Nee.'

'Zou ik misschien uw vingerafdrukken mogen nemen voordat u gaat?'

'Voor welk doel?'

'Ik heb een stel vingerafdrukken nodig om te kunnen vergelijken,' antwoordde Darby. 'Om na te gaan of nog iemand anders de foto heeft aangeraakt.'

Darby's mobieltje ging. Het was Tim Bryson. Ze vertelde hem waar ze was en wat er was gebeurd. Bryson vroeg haar de vrouw te laten blijven.

'Rechercheur Bryson is onderweg hiernaartoe,' zei Darby. 'Hij zou u graag even spreken.'

'Als u de man vindt die Jenny heeft vermoord, dan wil ik met hem praten. Ik wil dat deze man weet dat ik hem vergeef.'

'U vergeeft hem,' herhaalde Darby.

'Kijk maar niet zo raar. Ik ben geen oude, seniele troela.'

'Mevrouw Sanders, ik denk helemaal niet – '

'Ik verwacht niet dat u het begrijpt, maar ik zal het u toch maar vertellen.' Tina Sanders pakte haar looprek vast. 'Na Jenny's dood besloot ik terug te keren naar mijn katholieke geloof. Ik ga bijna elke dag naar de St.-Stephenkerk. Pater Donnelly zei me dat ik mijn haat moest loslaten en de enige manier om dat te doen was door de man te vergeven. Alleen zo kan ik Jenny in leven houden, dicht bij me, en me de mooie dingen blijven herinneren. En dat is wat ik nu nog heb, de mooie dingen.' Tina Sanders liet zich weer terugzakken in haar stoel. 'Het heeft lang geduurd om zover te komen, veel verdriet en woede, maar toen ik eenmaal besloten had de man te vergeven – maar dan ook écht te vergeven – nam de Goede Heer Jezus de pijn van me weg. Nu ben ik elke dag omringd door Jenny's liefde. En als ik doodga, dan zullen Jenny en ik weer verenigd worden in de hemel.'

Darby vroeg zich af wat de vrouw ertoe had bewogen om over haar verdriet heen te stappen en zo sterk te geloven.

# 43

De vierde verdieping, waar de rechercheafdeling van de politie van Boston huisde, werd de inwerpruimte genoemd – de plaats waar de werpers zich ingooien voor een honkbalwedstrijd. Rijen met de rugzijde tegenover elkaar geplaatste metalen bureaus stonden opgesteld in een lange, op een sportzaal lijkende ruimte, slecht verlicht door goedkope tl-armaturen die reflecteerden in de computermonitors. Telefoons rinkelden dag en nacht.

Hoewel aan het hoofd van de organisatie een vrouw de scepter zwaaide en de onderste gelederen van straatagenten uit vrouwen van allerlei soorten, maten en kleuren bestonden, was de inwerpruimte nog steeds een mannenbastion. Ongeacht op welk tijdstip van de dag of seizoen Darby hier kwam, voor haar rook de inwerpruimte altijd als een mannenkleedkamer – zweet en testosteron, gemaskeerd door te veel aftershave en eau de cologne.

Het was maandagmiddag vijf uur. Terwijl ze over het middenpad liep, waren rechercheurs bezig met papieren, typten op hun toetsenbord of praatten aan de telefoon.

Tim Bryson zat in een hoekje bij een van de begeerde ramen. Steunend met zijn kin op zijn gevouwen handen las hij in een NCIC-dossier van Jennifer Sanders.

'Heeft die foto nog iets opgeleverd?'

'Die zat vol met vingerafdrukken van Tina Sanders,' antwoordde Darby. 'Ik heb Coop gestuurd om de brievenbus te bepoederen, maar ik heb weinig hoop.'

Tim Bryson duwde zich weg van zijn bureau en stond op. 'Hier, lees maar eens door. Ik ga koffie halen. Wil jij ook?'

'Nee, dank je, ik hoef niet.'

Darby voelde de warme plek die hij in zijn stoel had achtergelaten. Op de hoek van zijn bureau stond een ingelijste foto van een jong meisje met lang, blond haar en een lach met spleetjes tussen haar tanden. Zijn dochter leek hoogstens tien.

Het eerste gedeelte van het NCIC-dossier kwam vrijwel overeen met wat Tina Sanders hun had verteld. Darby las vluchtig de tekst door, maar stopte toen ze bij de onderzoeksresultaten was gekomen.

Gedurende de eerste zes maanden had de recherche van Danvers zich terughoudend opgesteld. Misschien had een van haar vroegere patiënten haar ontvoerd. Jennifer Sanders was een aantrekkelijke vrouw.

Toen de rechercheurs tegen het einde van het jaar over geen enkele getuige, aanwijzing of bewijs beschikten, besloten ze de mogelijkheid van huurmoord te onderzoeken, uitgaande van de veronderstelling dat Witherspoon, die de verloving had willen verbreken, maar niet terug kon vanwege de zwangerschap, iemand had ingehuurd om zijn verloofde te vermoorden. Witherspoon, die koel en afstandelijk bij hen overkwam, werd meerdere malen aan een test met een leugendetector onderworpen, die hij elke keer doorstond. Desondanks bleven de onderzoekers de geregistreerde huurmoordenaars ondervragen.

Twee jaar later liep het spoor dood. De zaak stond nog steeds vermeld als actief.

'En,' vroeg Bryson, die op de rand van zijn bureau ging zitten. 'Nog wat nieuws te melden?'

'Nee, ik heb het forensisch lab gebeld. Het enige bewijs dat ze hadden was de auto van Jennifer Sanders. En afgaande op wat ze me door de telefoon vertelden, zijn ze grondig te werk gegaan – ze hebben de vloerbedekking gestofzuigd en alles uitgekamd. Ze vonden wel wat interessante vezels, maar daar kwamen ze niet verder mee. Ze beloofden kopieën te sturen van wat ze hebben.'

'Geweldig, nog meer troep om te lezen. Die klojo is van plan ons onder papier te begraven.' Bryson stond op en pakte een bureaustoel.

'Ik heb met de politie van Danvers gesproken,' zei hij, de stoel over de vloer rollend. 'Het dossier-Sanders is nooit doorgestuurd naar hun computersysteem, het is ergens opgeslagen. Als we geluk hebben, dan hebben we tegen het eind van de week een kopie.'

'Hoe ging je gesprek met de moeder?'

'Die zwangerschap zit me niet lekker.'

'Niet alle zwangerschappen zijn gepland.'

'Wat ik bedoel, is dat ze het haar moeder niet heeft verteld. Misschien dat ze zich ervoor schaamde, je weet wel, een katholiek schuldgevoel om voor de huwelijkse staat in verwachting te raken.'

'Huwelijkse staat? Waar heb je dat begrip vandaan, Tim? Uit *Het woordenboek voor oude taarten?*'

'Watts is naar Brighton geweest en heeft daar de twee kamergenoten van Hannah Givens ondervraagd,' zei Bryson, zijn kartonnen koffiebekertje in de prullenmand gooiend. 'Givens' rugzak staat in haar kamer. Ook is hij bij Northeastern langsgegaan om daar een kopie van haar lesrooster te halen. Hannah verscheen niet meer op haar Shakespeare- en geschiedenislessen. Niemand heeft nog iets van haar gezien of gehoord.'

'Hoe staat het met haar ouders?'

'Watts heeft vanmiddag met haar moeder gesproken. Ze was erg ongerust. Hannah belt haar moeder elke zondag. Iets dat ze volgens haar moeder nooit vergeet. Watts ondervraagt Hannahs baas en laat de mensen die daar in de buurt werken de foto zien die haar kamergenoten hem hebben gegeven. De foto wordt op alle nieuwsprogramma's getoond en verschijnt morgen in de kranten.'

Werd Hannah Givens op dezelfde plek vastgehouden als Hale en Chen? Ondanks haar vermoeidheid voelde Darby even een steek van angst door zich heen gaan.

'Chadzynski houdt morgen een persconferentie om de stand van zaken met Hale, Chen en Givens toe te lichten. Ze is nog in overleg of de naam van Fletcher wordt vrijgegeven. Persoonlijk lijkt het me een goed idee. Het zal hem dwingen weer onder zijn steen terug te kruipen. De klojo heeft ons door hoepels laten springen en eerlijk gezegd ben ik dat spuugzat.'

'Ik kan het je niet kwalijk nemen en ik denk er net zo over.'

Maar Bryson was nog niet klaar. 'Hij stuurt ons naar Sinclair, waar we anderhalve dag verprutsen met het doorzoeken van lege kamers en gangen. En waartoe? Vanwege een foto van een vermiste vrouw die hij aan de muur heeft geprikt?'

'We weten wie ze is.'

'Ja, en dat weten we alleen maar omdat de klootzak haar moeder op ons dak heeft gestuurd. En wat doen we? We laten alles uit onze handen vallen en we verspillen de rest van de dag met het zoeken naar een vrouw die al zesentwintig jaar wordt vermist. Voor zover we weten, heeft Fletcher jaren geleden bij deze zaak geadviseerd, en nu zadelt hij ons ermee op.'

'Ik kan het even niet volgen.'

'Het is allemaal gelul. Fletcher houdt ons aan het lijntje.'

'En dat beeldjc dan. Het is hetzelfde – '

'Darby, dat verdomde beeldje is me bekend.' Brysons gezicht was rood aangelopen. 'Ik was daar samen met jou, weet je nog? Ik heb het met mijn eigen ogen gezien.'

Darby gaf geen antwoord.

Bryson maakte een verontschuldigend handgebaar. 'Sorry, het is niet mijn bedoeling mijn frustratie op je af te reageren,' zei hij. 'Ik heb nauwelijks vier uur geslapen.'

'Als het enige troost is, ik denk er precies zo over. Fletcher houdt ons met het beeldje een worst voor en elke keer als hij opbelt of iets onderneemt, stoppen we met wat we aan het doen zijn en springen.'

'Misschien is dat wel wat hij wil.'

'We moeten te weten zien te komen wat hij aan het doen is.'

'Dat is tijdverspilling.'

'We hebben weinig keus, Tim. Malcolm Fletcher is hier en hij weet iets. En hij gaat niet weg.'

'Laten we het over je surveillance hebben,' zei Bryson.

# 44

‘Als Fletcher je thuis belt, of op het lab, dan kunnen we in ongeveer vijfenveertig seconden zijn locatie traceren,’ zei Bryson. ‘De peiling begint zodra je telefoon gaat, dus laat hem drie keer overgaan voordat je opneemt.’

‘En mijn mobiele telefoon?’ vroeg Darby.

‘Dat is wat lastiger. Mobiele-telefoonsignalen worden weerkaatst door gebouwen.’ Brysons hand verdween in zijn zak. ‘Dan kan het wel een tot drie minuten duren voor we hem hebben gevonden. Als hij je mobiel belt, is het zaak om hem zo lang mogelijk aan de praat te houden. Hebben we eenmaal zijn signaal te pakken, dan kunnen we, zelfs nadat hij heeft opgehangen, het blijven volgen zolang zijn toestel blijft ingeschakeld. Ook wil ik dat je dit draagt.’

Tussen zijn vingers hield hij een rechthoekig, zwart plastic doosje met in het midden een grijs knopje. Het apparaatje deed Darby denken aan zo’n alarmknop die sommige bejaarden dragen voor het geval ze komen te vallen en niet meer overeind kunnen komen.

‘Dit is wat we een “paniekknop” noemen,’ zei Bryson. ‘Als zich iets voordoet, of je denkt dat je gevaar loopt, dan druk je op die knop. Je moet hard genoeg drukken om de verzegeling te verbreken, maar dan zijn we ook zo bij je. Het heeft ook een gps-zender, zodat we steeds weten waar je bent. Draag dit altijd bij je, zelfs wanneer je naar bed gaat.’

‘Denk je dat Fletcher me zal aanvallen als ik slaap?’

‘Ik denk dat je geen enkel risico mag nemen. Hou het overdag in je broekzak. Hoe laat ga je hier weg?’

‘Ik weet het niet.’

‘Laat het me weten wanneer je weggaat. We moeten nog wat technische aanpassingen doen aan je telefoons. Als je privé wordt gebeld en je wilt niet dat we meeluisteren, dan druk je gewoon het privéknopje in en dan hoort niemand meer iets. Bel me even als je van plan bent te gaan, dan kom ik naar je toe.

Nog één ding,' zei Bryson. 'Als je buiten komt, kijk dan niet om je heen of je de surveillance ziet. Als Fletcher in de buurt is, dan krijgt hij misschien argwaan en gaat hij ervandoor. Dus blijf je normaal en ontspannen gedragen. Heb je een vriend?'

'Nee.'

'Iemand met wie je omgaat?'

'Ik hoop niet dat je me aan een blind date probeert te koppelen.'

'Ik vroeg het omdat ik hoopte dat iemand bij je bleef.'

'Coop is bij me.'

Even zag ze een lichte flikkering in zijn ogen. Was het teleurstelling?

'Hij is niet mijn partner, alleen maar een goede vriend,' zei Darby. 'Hij is erg beschermend.'

'Het surveillanceteam zal je volgen als je vandaag je werk verlaat en naar huis gaat. Je zult voortdurend in de gaten worden gehouden. En nog een keer, probeer je zo natuurlijk en ontspannen mogelijk te gedragen. Mocht zich een probleem voordoen, dan nemen we contact met je op en geven we je instructies.'

Bryson gaf haar zijn visitekaartje. 'Mijn privételefoonnummer staat op de achterkant. Programmeer het in je mobiele telefoon. Als je iets nodig hebt, bel me dan op.'

'Wat is Hannahs adres?'

'Ze is nooit thuisgekomen. Is ook niet in de bus gestapt.'

'Ik wil haar spullen eens goed bekijken.'

Bryson schreef het adres op een velletje papier en gaf het haar. 'Ik ga naar het centrum om Watts daar te helpen.'

'Mocht ik bij Hannah thuis iets vinden, dan bel ik je,' zei Darby. 'Daarna moet ik wat make-upmonsters ophalen.'

Ze vertelde Bryson over de make-upvlek op Chens sweatshirt.

'Klinkt nogal magertjes.'

'Het is het enige bewijsmateriaal dat we tot nu toe hebben om mee te werken.'

'Voordat je gaat, ik heb een cadeautje voor je.'

Hij trok zijn bureaula open en gaf haar een klein doosje. Het bevatte een *tactical light* voor op haar handwapen.

Darby glimlachte. 'Jij weet ook precies hoe je een meisje blij kunt maken.'

# 45

Op de terugweg naar haar kantoor belde Darby Coop op, aan wie ze beknopt verslag deed van haar gesprek met Tim Bryson.

Coop was alweer op weg naar de stad met de vingerafdrukken die hij op de brievenbus van Tina Sanders had aantroffen. Ze spraken af elkaar bij de woning van Hannah Givens in Brighton te ontmoeten.

De gebeurtenissen van die dag overheersten haar gedachten. Darby wilde dat ze naar de fitness kon. Een stuk rennen op de loopband zou haar hoofd helder maken, maar ze had geen tijd. Ze trok haar jas aan, pakte haar forensisch koffertje en vertrok. Eenmaal buiten in het donker, lopend in de ijzige kou, vroeg ze zich af waar de surveillance was en ook of Malcolm Fletcher haar observeerde.

Eenmaal veilig achter het stuur van haar Mustang gingen haar gedachten terug naar de Mariabeeldjes. Opnieuw zag ze het bedroefde gezicht van de Heilige Moeder voor zich, haar armen in mededogen gespreid, klaar om te omhelzen. Het gezicht verdween en maakte plaats voor de vreemde, zwarte ogen van Malcolm Fletcher. Even dacht Darby dat ze hem hoorde lachen.

Ze wilde niet nadenken over de voormalige profiler. Ze concentreerde haar gedachten op de man die Hale en Chen had doodgeschoten, de man die het Mariabeeldje in hun zakken had gestopt. Hij had ze dichtgenaaid en daarna het eind dichtgeknoopt zodat de beeldjes bij hen zouden blijven. Hij had op Chens voorhoofd een kruisteken aangebracht en vervolgens haar lichaam in de haven van Boston gedumpt. Waarom? Wat was de betekenis van het beeldje en waarom was het zo belangrijk dat het na de dood van de twee vrouwen bij hen zou blijven?

*Je gaf om hen, dat weet ik gewoon. Maar waarom hield je hen dan zo lang in leven, om ze uiteindelijk neer te knallen?*

Was de moordenaar misschien schizofreen, vroeg Darby zich af. Bij de meeste gevallen was bij schizofrenie sprake van een specifieke waanvoorstelling – UFO's, geheime staatsorganisaties die chips bij mensen implanteren om hun gedachten te kunnen lezen. Veel schizofrene mensen geloofden dat God, Jezus of de duivel direct tot hen sprak.

In het geval van Hale en Chen leek de wijze waarop beide vrouwen waren vermoord en in het water gegooid iets planmatigs te hebben. En dan was er nog de tijdsduur tussen de ontvoeringen. Emma Hale was ruwweg een maand of zes ergens vastgehouden – lieve god, een halfjaar – voordat haar lichaam begin november werd gevonden. Chens lichaam was twee dagen geleden gevonden. Het was nu februari. Haar gevangenschap had maar een paar maanden geduurd.

Normaal gesproken waren schizo's geen berekenende misdadigers. Het waren impulsieve moordenaars die op de plaats delict altijd sporen achterlieten. Bij Hale en Chen was er geen plaats delict.

Emma Hale, het eerste slachtoffer, was na een feestje in het appartement van haar vriendin in de Back Bay vertrokken. Het was niet ver lopen, maar het had gesneeuwd, dus had Emma een taxi gebeld. Ze had haar jas aangetrokken om buiten een sigaret te gaan roken. Toen twintig minuten later de taxi bij het appartementengebouw arriveerde, was Emma Hale daar niet meer.

Judith Chen had tot laat in de avond gestudeerd. Ze had de bibliotheek verlaten en was ergens op weg naar huis verdwenen.

Beide vrouwen waren nooit thuisgekomen. Waren ze met geweld ontvoerd? Als een vreemde man Hale of Chen had willen overrompelen, dan zouden beide vrouwen geprobeerd hebben zich te verzetten. Ze zouden hebben geschopt en gegild. Maar er had zich geen enkele getuige aangediend om een dergelijk voorval te melden.

Darby wist vrijwel zeker dat de moordenaar het anders had aangepakt – hij had geen aandacht willen trekken en was sluwer te werk gegaan. Hij had deze vrouwen *nodig*. Alvorens hen te benaderen, moest hij een plan hebben gehad om hen zo snel en onopvallend mogelijk in zijn auto te krijgen. Was de moordenaar gewoon gestopt en had hij hun een lift aangeboden? Darby overwoog de mogelijkheid. Als dat was gebeurd, dan had de moordenaar niet in een roestbak of een bestelbusje gereden – van bestelbusjes ging altijd iets dreigends uit. De eerste indruk was belangrijk.

Beide vrouwen waren intelligent en goed opgeleid. Darby was ervan overtuigd dat geen van beiden van een vreemde man een lift zouden hebben geaccepteerd. Ze moesten hem hebben gekend, of hij had hen zo op hun gemak weten te stellen dat ze bij hem waren ingestapt. Maar om dat te kunnen doen, moest hij iets van zijn slachtoffers hebben geweten. Was hij hen gevolgd, om zo achter hun gewoontes, dagelijkse routines, vrienden en lesroosters te komen? Of waren ze een toevallige keuze geweest?

Willekeurige keuzes werden in een opwelling gedaan. Als deze vrouwen impulsief waren gekozen, dan zouden ze zijn misbruikt en daarna zijn afgedankt. Ze zouden niet ergens maanden zijn vastgehouden. Misschien waren ze het slachtoffer van de omstandigheden. Misschien had de moordenaar gewoon meerdere vrouwen benaderd om te zien wie uiteindelijk bij hem in de auto stapte. Misschien had hij zich wel voorgedaan als een undercoveragent en een nepbadge gebruikt om hen te overtuigen. Of misschien was alles wat ze nu zat te bedenken wel een totale verspilling van tijd en energie.

Toen Darby ergens een Starbucks ontdekte, stopte ze om een beker koffie te halen. Net toen ze weer naar haar auto terugliep, ging haar mobiele telefoon. 'Anoniem nummer' vermeldde het schermpje. Voor de zekerheid wachtte ze tot hij vier keer was overgegaan voordat ze opnam.

'Bent u bereid de waarheid te ontdekken?' vroeg Malcolm Fletcher.

# 46

'Ik heb Tina Sanders gesproken,' zei Darby.

'Heeft ze u over haar dochter verteld?'

'Dat heeft ze. Om de een of andere reden heeft de vrouw het idee dat ik weet wat haar is overkomen. Weet u misschien iets?'

'Als u wilt weten wat er met Jennifer Sanders en de anderen is gebeurd, rij dan naar Sinclair,' antwoordde Fletcher. 'Maar deze keer wil ik dat u alleen komt.'

'Waarom?'

'Ik heb besloten dat ik u helemaal voor mezelf wil hebben.'

*Klik.*

Het gesprek had nog geen dertig seconden geduurd. Wist Fletcher dat het telefoongesprek werd getraceerd? Deze keer had hij haar gevraagd alleen te komen. Had hij op de een of andere manier de surveillance al opgemerkt, of had hij het gewoon voorzien?

Darby reed de snelweg op en belde Bryson. Hij beloofde haar terug te bellen, wat hij twintig minuten later deed.

'Ik had net Bill Jordan aan de lijn,' zei Bryson. 'De man die de leiding heeft over jouw surveillance. Het gesprek met Fletcher duurde te kort om zijn signaal te kunnen volgen.'

'Kan hij op de een of andere manier te weten zijn gekomen dat hij werd afgeluisterd?'

'Onmogelijk. Volgens mij speelt hij op zeker en neemt hij geen enkel risico. Ik moet nu opschieten om samen met Jordan de zaak te coördineren. Hij is nog steeds druk bezig zijn mensen bij elkaar te krijgen.'

'Wat wil je dat ik doe?'

'Je had gelijk toen je zei dat hij precies zo'n beeldje voor ons had achtergelaten als we in de zakken van Chen en Hale hebben aangetroffen. Dat feit valt moeilijk te ontkennen.'

'Hij wil me alleen ontmoeten.'

'Jordan gaat een paar undercoveragenten van de afdeling Narcotica inzetten. Ze zullen zich voordoen als bewakingsmensen van Reed en je daarbinnen begeleiden.'

'Tim, als Fletcher echt iets mocht weten, dan is het misschien beter als ik alleen naar binnen ga.'

'Dit heb ik dus niet gehoord.'

'Als de man me iets had willen aandoen, dan heeft hij daar alle gelegenheid toe gehad,' zei Darby. 'Wat wint Fletcher erbij als hij mij vermoordt?'

'Als ik jou zonder enige vorm van bescherming dat ziekenhuis laat binnengaan, dan krijg ik de commissaris op mijn dak. Als jou daarbinnen iets overkomt – al stoot je maar je teen, dan is de stad aansprakelijk. Je zou mij en de stad voor het gerecht kunnen slepen.'

'Wil je dat ik een afstandsverklaring teken?'

'Ik ga hierover niet met je in discussie. Als jij zo nodig naar Sinclair wilt rijden, mij best, maar bedenk wel dat we er zullen zijn.'

'Ik ben al onderweg.'

'Oké, we zullen zorgen dat alle in- en uitgangen worden bewaakt.'

'Hoeveel zijn dat er?'

'Veel,' antwoordde Bryson. 'Dit afgelopen weekend heeft Reed me laten zien waar mensen allemaal naar binnen kunnen glippen. Zijn bewakingsmensen kunnen ze niet allemaal tegelijk in de gaten houden. Als Fletcher belt, probeer hem dan aan de lijn te houden, dan doen wij de rest. Is je mobiel helemaal opgeladen?'

Darby wierp een blik op de batterij-indicator. 'Voldoende,' zei ze. 'In mijn auto heb ik een oplader.'

'In orde. Tegen de tijd dat jij daar bent staat iedereen in positie.'

'Stel dat hij me meeneemt naar de kelder? Daar beneden doet mijn mobiel het niet. Dat hadden ze tijdens hun zoekactie in het weekend ontdekt. De keldergewelven bevonden zich te diep onder de grond en de muren waren te dik, waardoor het signaal te zwak werd of helemaal wegviel.'

'Hopelijk komt het niet zover,' zei Bryson.

# 47

Jonathan Hale zat op de vloer van zijn kantoor. Met zijn ellebogen op zijn opgetrokken knieën steunend en zijn handen begravend in zijn ongewassen haar, staarde hij naar de foto's van Emma en Susan die voor hem op het tapijt verspreid lagen.

De hele zaterdag lang had hij uit elk fotoalbum dat hij in het huis had kunnen vinden de foto's verwijderd en ze op de vloer gerangschikt. Het was nu maandagavond. Hij had de hele tijd in zijn kantoor doorgebracht met het drinken van bourbon en het herbeleven van de herinneringen die elke foto in zich droeg. Sommige waren helder en levendig, maar de meeste waren weggezakt of vaag.

Als hij even indutte, flitsten soms beelden door hem heen, fragmentarische herinneringen die geen speciale gevoelswaarde of betekenis leken te hebben – Susan die, geknield zittend op de steiger, Emma's mollige armpjes inwrijft met zonnecrème; Emma die het haar van haar pop afknipt en in huilen uitbarst als Susan haar vertelt dat het niet meer aangroeit; Susan tijdens een concert van de Stones, bier drinkend uit een kartonnen bekertje terwijl Mick Jagger zich uitleeft in 'Sympathy for the Devil'.

Ergens ging een telefoon. Hij dacht dat het de telefoon in zijn kantoor was, maar toen hij stond, besefte hij dat het geluid uit de binnenzak van zijn colbert kwam. Hij droeg maar één telefoon bij zich; het mobieltje dat Malcolm Fletcher hem had gegeven.

'Hebt u de post van vandaag al doorgekeken?' vroeg Fletcher.

'Nee.'

'Ik heb een envelop in uw brievenbus gedaan. Daarin vindt u een dvd met een door de bewakingscamera in de garage gemaakte video-opname van de man die Emma heeft vermoord. Bel me terug nadat u hem hebt bekeken.'

Hale opende de deur van zijn werkkamer. Zijn assistent had de binnengekomen post van die dag – samen met een nieuwe fles Maker's Mark-bourbon – op het leren dienblad op de kleine tafel gelegd. Onderop lag een kleine, bruine, gevoerde envelop. Op de plaats van het afzendadres stond Fletchers naam geschreven. Een postzegel ontbrak. Staande aan zijn bureau pakte Hale een briefopener, ritste de envelop open en een spiegelende, zilverkleurige dvd gleed op het vloeiblad op zijn bureau.

Zijn kantoor was voorzien van een tv en een dvd-speler. Na zich ervan te hebben overtuigd dat de deur was gesloten, schoof hij het schijfje in de speler en wachtte.

De video-opname van de garage was korrelig en zonder geluid. Op het televisiescherm holde een man met een honkbalpet op en gekleed in een spijkerbroek en een windjack door de garage naar de privélift. Hij drukte de knop in, boog daarna zijn hoofd voorover en balde zijn gehandschoende handen naast zijn lichaam. Zijn rug was naar de camera gekeerd.

De liftdeuren schoven open en de man stapte naar binnen. Hij draaide zich niet om en hield zijn hoofd voorovergebogen. Hij besefte dat hij door de camera's werd gefilmd.

Net op het moment dat de liftdeuren zich begonnen te sluiten, draaide hij zijn hoofd een ogenblik naar de camera toen hij het nummer van Emma's etage indrukte.

Jonathan Hale verplaatste zijn aandacht naar de rechteronderzijde van het beeldscherm, waar met grote witte letters de datum en het tijdstip van de opname vermeld stonden: 20 juli, 02.16. Emma was toen twee maanden vermist. De man die haar had ontvoerd, was om een reden die alleen God wist, naar haar huis gekomen om een halsketting te halen.

Waarom? Waarom zou dit monster alles riskeren voor een *halsketting*? Waarom ondernam hij deze ogenschijnlijk goedaardige actie om uiteindelijk te besluiten haar te vermoorden?

De bandopname stopte.

Starend naar het donkere beeldscherm stelde Hale zich zijn dochter voor, opgesloten in een of andere haveloze kamer zonder ramen of licht. Een eenzame Emma, bang en verward, gedwongen om dingen te doen die alleen God kon zien. Zou Hij, als ze Hem huilend van pijn om hulp smeekte, naar haar luisteren of haar zijn rug toekeren? Hale kende het antwoord al.

Feit: de man was via de garage binnengekomen.

Feit: hij had gewacht tot de garagedeur openging en was toen naar binnen geglipt.

Feit: rechercheur Bryson had gezegd dat hij mensen voor het gebouw had geposteerd. Waarom hadden ze deze man dan niet gezien? Als Brysons mensen hun vervloekte werk goed hadden gedaan, dan zouden ze deze man hebben gezien en gepakt en dan zou Emma nu nog leven.

Feit.

Hale startte de dvd opnieuw, gekweld door de herinnering aan Emma, zittend in deze zelfde stoel, kijkend naar *The Sound of Music*. Nadat Susan was gestorven, bekeek Emma de film steeds opnieuw, waarbij ze erop stond hier te kijken, in het kantoor, zodat ze dicht bij hem kon zijn. Pas nu begreep hij de reden – de moeder ging dood en de kinderen vonden een nieuwe moeder in de gouvernante. *Emma moet troost hebben gezocht bij de film omdat ik niet beschikbaar was.*

Nu zocht Hale zijn troost in een film. Opnieuw keek hij naar de man die zijn dochter had vermoord, de man die Emma voor het laatst in leven had gezien, met haar had gesproken, de laatste man die haar had aangeraakt.

Hales hand klemde zich om de stoelleuning toen een nieuwe herinnering in hem opkwam: Emma, ruim een jaar oud, zit op zijn schoot terwijl hij door de telefoon praat. Waar het gesprek over ging wist hij niet meer, waarschijnlijk was het iets zakelijks. Wel rook hij opnieuw de geur van zijn dochters pas gewassen haar, zag hij de ronding van haar tegen zijn nek gedrukte bolle, donzige wangetje. Hij herinnerde zich hoe Emma met open mond naar zijn pen staarde. Ze houdt hem in haar kleine knuistjes en haar ogen zijn groot van verbazing.

Hale wist dat hij er een groot deel van het leven dat hem nog restte voor over zou hebben gehad als hij de klok naar dat ogenblik had kunnen terugzetten. Als God hem de onmogelijke macht zou schenken om terug te gaan in de tijd, dan zou hij de telefoon neerleggen om alleen nog maar te kijken naar Emma die met zijn pen speelt. Hij wist dat hij zich voor altijd in deze herinnering zou kunnen koesteren en gelukkig zijn.

# 48

Malcolm Fletcher stond voor een raamloos venster in de bouwvallige, donkere en stoffige restanten van Sinclairs bovenste etage en keek uit over de hoofdweg. Hij had voor deze locatie gekozen vanwege het sterke telefoonsignaal en het strategische uitzicht over de campus, daarbij geholpen door een geavanceerde infrarood-nachtkijker. Met een simpele druk op een knop kon hij warmtebeelden zichtbaar maken van alle inzittenden van tot een bewakingsdienst behorende auto's of busjes.

Met de verrekijker tegen zijn ogen gedrukt, speurde Fletcher de omgeving af. Reeds bewakingsmensen controleerden de campus in ploegendienst, waarbij hun speciale aandacht uitging naar de meer ongebruikelijke plaatsen waar men het ziekenhuis kon binnendringen. Er waren meerdere toegangsmogelijkheden en vele mogelijkheden om ongemerkt te ontsnappen.

Terwijl hij verder de campus afzocht, gingen Fletchers gedachten naar de man die hij op de bewakingsband van Emma Hales garage had gezien. De man had één cruciale fout gemaakt: hij had zich omgedraaid voordat de liftdeuren dicht waren, zodat de bewakingscamera een glimp van zijn gezicht had opgevangen. Het was toereikend geweest. Fletcher had het beeld op zijn computer gezet en het fotobewerkingsprogramma had de rest gedaan.

De man die de halsketting uit Emma Hales appartement had weggenomen, vertoonde een sprekende gelijkenis met Walter Smith, een twaalfjarige, door een benzinebrand ernstig verminkte, aan paranoïde schizofrenie lijdende patiënt. Teruggaand in de tijd haalde Fletcher zich zijn eerste ontmoeting met Walter voor de geest.

De jonge jongen zat op het bed in zijn ziekenhuiscel. Zijn hoofd was een haarloos, roodglimmend masker van littekens, hechtingen en stukken genezende huid. Een bril met dikke glazen vergrootte de ernstige schade aan zijn wijd opengesperde, starende rechteroog.

Walters armen waren om zijn middel gebonden. Als hij niet kokhalzend boven de afvalemmer hing, dan wiegde hij, kauwend op zijn tong, onafgebroken heen en weer, in een poging het sidderen te doen ophouden.

'Ik heb Maria nodig,' zei Walter op smekende toon. 'Breng me naar haar toe.'

'Waar is ze?'

'In de kapel. Breng me erheen, alstublieft, zodat Maria de pijn kan wegnemen.'

Aan de muur hingen stukken tekenpapier met daarop opmerkelijk gedetailleerde, met kleurkrijt en viltstift gemaakte afbeeldingen van een jonge jongen, vrij van littekens en verminkingen. Hij houdt de hand vast van een jonge vrouw of houdt zijn armen om haar heen geslagen. Ze is gekleed in lange, geplooide gewaden en op de voorkant van haar witte tuniek is een rood hart geschilderd.

'Maria is weg,' zei Walter met een door tranen verstikte stem. In zijn goede hand hield hij een plastic Mariabeeldje geklemd. 'Dr. Han heeft het medicijn in mijn aderen gespoten en het heeft Maria opnieuw laten verdwijnen. Ik moet met mijn moeder praten. Zonder haar ben ik verloren. Breng me alstublieft naar de kapel.'

Het vibreren van zijn mobiele telefoon rukte Fletcher weg uit de herinnering. Hij beantwoordde de oproep, maar zonder de verrekijker van zijn ogen te nemen. Door het bos bewogen zich de warmtebeelden van vier mannen die in de richting van Reeds verwarmde caravan renden.

'Ja, meneer Hale?'

'Ik heb de dvd gezien.' Hales stem klonk onduidelijk van de whiskey. 'Is dit de man die mijn dochter heeft vermoord?'

'Ik vermoed van wel. Hij heet Walter Smith.'

'Kent u hem?'

'Ik heb Walter Smith ontmoet toen hij patiënt was in de Sinclair Mental Health Facility in Danvers. Hij lijdt aan paranoïde schizofrenie – van de ernstige soort. Zijn specifieke psychose is zelfs met het juiste medicijn moeilijk te behandelen en ik weet zeker dat Walter dat niet langer inneemt. Het medicijn maakt dat hij Maria niet meer kan horen.'

'Wie is Maria?'

'De Heilige Moeder van God,' antwoordde Fletcher. 'Walter gelooft dat de Heilige Moeder tot hem spreekt. Toen Walter negen was, overgoot zijn echte moeder hem met benzine toen hij sliep. Negentig procent van zijn lichaam raakte verbrand, inclusief zijn gezicht. Zijn moeder kwam om in de brand en Walter werd naar het Shriners Brandwondencentrum in Boston gebracht om daar te worden behandeld. Walter overleefde twee ernstige verbrandingen. Zijn linkerhand raakte eerder ernstig verminkt toen zijn moeder, nadat ze hem op masturbatie had betrapt, zijn hand in een pan met kokend water duwde. Ze bracht haar zoon niet naar een ziekenhuis, maar verpleegde hem thuis, waar ze hem ook thuisonderwijs gaf.

Toen duidelijk werd dat Walter schizofreen was, werd hij opgenomen in het Sinclair, waar hij jarenlang patiënt was. Waarschijnlijk werd hij, toen het ziekenhuis gedwongen werd zijn deuren te sluiten, in een lagere risicogroep geplaatst of hij verdween gewoon in de samenleving.'

'Hoe weet u dit?'

'Ik leerde Walter kennen via zijn vriendschap met een psychopaat, ene Samuel Dingle, een man die volgens de politie van Saugus verantwoordelijk is voor de dood van twee vrouwen die gewurgd langs Route One werden gevonden. Ze vroegen me Dingle te ondervragen omdat ze een essentieel bewijsstuk waren kwijtgeraakt, namelijk de riem die gebruikt was om een van de vrouwen te wurgen. Ik had diverse sessies met Sammy, maar hij was toen nog niet bereid zijn zonden te bekennen. Ik moest wachten tot we elkaar jaren later in wat meer persoonlijke omstandigheden spraken.'

'Hoe kunt u zo zeker weten dat de man op de band Walter Smith is? Het kan wel iemand anders zijn.'

'Walter is recentelijk nog in het Sinclair geweest.'

'Waarom? Het ziekenhuis is verlaten – jaren geleden heb ik nog geprobeerd het complex te kopen, maar dat stuitte op juridische problemen. Waarom zou hij daarheen gaan?'

'Om Maria te bezoeken, zijn enige ware moeder,' antwoordde Fletcher.

'Walter gaat daarheen om met de Maagd Maria te praten?'

'Ja.'

'Bent u naar het ziekenhuis geweest?'
'Ja. In feite ben ik daar nu, om te wachten tot de politie er is.'
'Hoe weten zij van Sinclair?'
'Ik heb ze gebeld en gevraagd te komen.'
'U hebt ze *gebeld?'*
'Ze zijn er al.'
'Weten ze van Walter Smith?'
'Nee, meneer Hale. En ik wil dat u nu even heel goed naar me luistert.'
De daaropvolgende tien minuten legde Fletcher aan Hale uit wat er ging gebeuren. Toen hij klaar was, zei Hale geen woord.
'De politie zal u er op geen enkele manier mee in verband kunnen brengen, maar ik kan niet voorkomen dat ze hun aandacht op u zullen richten.'
'Weet Karim hiervan?' vroeg Hale.
'We hebben de aangelegenheid diepgaand besproken.'
'Hij stemt ermee in?'
'Dat doet hij. Maar aangezien we geen andere keus hebben dan u erbij te betrekken, zijn zowel dr. Karim als ik van mening dat de beslissing bij u ligt. Mocht u nog van mening veranderen, dan weet u hoe u me kunt bereiken. Maar wacht daar niet te lang mee, alles is al in gang gezet.'
'Hoeveel tijd heb ik?'
'Een uur,' antwoordde Fletcher. 'Ik stel voor dat u vanavond naar New York vertrekt. Dr. Karim heeft in een nationaal gegevensbestand van patiënten gezocht. Het heet het Medical Information Bureau. Walter bezoekt een arts bij het Shriners Brandwondencentrum, maar het MIB heeft een oud adres.'
'Kunt u hem vinden?'
'Het lukt Karim niet in het databestand van Shriners te komen. Ik ben van plan het vanavond zelf te doen. Ik verwacht Walter binnen een paar dagen te vinden. Misschien dat u ondertussen nog eens serieus zou kunnen nadenken over wat ik u tijdens ons eerste gesprek hebt gevraagd.'
'Ik ben niet van mening veranderd.'
'Nadat ik heb opgehangen, wil ik dat u rechercheur Bryson belt en hem vertelt over de dvd die u per post hebt ontvangen. Vertel hem wat u hebt gezien en denk er alstublieft aan hem de envelop te geven.'

‘Uw naam staat erop.’

‘En mijn vingerafdrukken.’

‘Ik begrijp het niet.’

‘De politie weet al dat ik hier ben. Ik wil dat ze denken dat ik onafhankelijk werk.’

‘En de FBI, komt die het niet te weten?’

‘Tegen de tijd dat hun eenheid hier is, ben ik al vertrokken.’

Een zwarte Mustang reed met grote snelheid de kronkelende weg omhoog.

‘Ik neem binnenkort weer contact met u op,’ zei Fletcher. ‘Mocht u van mening veranderen, dan weet u hoe u me kunt bereiken.’

Darby McCormick stapte uit en toonde haar legitimatie aan de twee bewakers die naast hun truck stonden. Kennelijk had ze hen van tevoren gebeld om haar komst te melden.

De jonge vrouw straalde moed en zelfvertrouwen uit; maar zou dat ook zo blijven tijdens haar zoektocht naar de waarheid? Het was tijd om dat uit te vinden.

# 49

Darby beende ongeduldig heen en weer voor de kamer waar ze de foto en het beeldje had gevonden. De twee undercoveragenten uit Boston die haar hadden geëscorteerd, hielden ergens in het donker de zaak in het oog.

Ze drukte het lichtknopje van haar horloge in. Het was bijna negen uur en Malcolm Fletcher had nog steeds niet gebeld.

Het oude gebouw kreunde om haar heen. Verderop in de gang gierde de wind door een raam. Het klonk als een langgerekte gil.

Darby voelde de aanwezigheid van het ziekenhuis, alsof het een levend, ademend organisme was, zoals het Overlook Hotel uit *The Shining*. Ze geloofde niet in geesten, maar ze wist dat er op deze wereld plaatsen bestonden waar het spookte, waar mensen elkaar de vreselijkste wreedheden hadden aangedaan, waar het geweeklaag van de verdoemden voor eeuwig weerklonk.

Al wachtend vroeg ze zich af welke mogelijke geheimen haar binnen deze muren zouden wachten.

Haar telefoon ging. Ze nam snel op, maar de andere kant van de lijn was dood. Pas toen realiseerde ze zich dat ze haar mobieltje op de vibratiestand had gezet.

Het geluid kwam vanuit de patiëntenkamer.

Darby had het *tactical light* al op haar SIG gemonteerd. Ze scheen naar binnen. Op de vloer achter de stalen deur lag een mobiele telefoon.

'Loop de cel uit en ga dan naar rechts,' zei Fletcher. 'Aan het einde van de gang ziet u een trappenhuis.'

Darby zag de trappen. Ze voerden maar één kant op: omlaag.

'Maak u geen zorgen over de trappen of de bordessen,' zei Fletcher. 'Ze zijn veilig.'

'Wat is er met Jennifer Sanders gebeurd?' vroeg Darby terwijl ze de lichtbundel van haar *tactical light* door de koude, lege cellen liet schijnen.

'Vraag het haar zelf,' antwoordde Fletcher. 'Ze wacht beneden op u.'

'Ik weet dat u hierbinnen bent en dat u nu naar me kijkt.'

Fletcher gaf geen antwoord.

'Ik ben alleen,' zei Darby. 'Laat uzelf zien. Dan gaan we samen naar beneden.'

'Ik vrees dat u deze tocht alleen zult moeten volbrengen.'

'Ik ga nergens heen tot u me vertelt wat u van plan bent.'

'Ik dacht dat u de waarheid wilde weten.'

'Vertel me die dan.'

'U de waarheid vertellen, heeft niet hetzelfde effect als wanneer u die zelf ontdekt.'

'Zeg me waar u het beeldje hebt gevonden.'

'De historicus Ian Kershaw heeft ooit gezegd dat de weg naar Auschwitz geplaveid was met onverschilligheid,' zei Fletcher. 'De tijd is gekomen om te kiezen. U zult nu moeten beslissen.'

Denkend aan Emma Hale en Judith Chen keek Darby weer naar de trappen. Ze dacht aan Hannah Givens en ze vroeg zich af of het antwoord op de verdwijning van Jennifer Sanders daar ergens beneden ook inderdaad zou liggen te wachten.

Ze dacht aan Jennifers moeder, met haar vingers geklemd om het crucifix onder het cellofaan van haar sigarettendoosje en nam de eerste tree.

Afdalend in de benauwende duisternis voelde Darby haar lichaam reageren op haar angst – het slappe gevoel in haar benen, het transpireren onder haar armen en veiligheidshelm, de manier waarop haar galmende voetstappen het ritme volgden van haar bonkende hart.

'Hoe voelt u zich?'

'Nerveus,' antwoordde Darby. 'Angstig.'

'Bent u claustrofobisch?'

'Ik geloof het niet. Hoezo?'

'Dat merkt u zo wel.'

Darby bereikte de onderste verdieping. Op een stalen deur stond AFDELING 8. Tijdens het weekend hadden ze dit stuk niet kunnen doorzoeken omdat het was afgesloten. Reed had dit gedeelte te onbetrouwbaar gevonden en hij had hun de toegang geweigerd, daarmee de zoekteams dwingend naar alternatieve routes te zoeken.

Op de vloer lag een hangslot. Het was doorgezaagd.

'Ik ben er.'

'Open de deur,' zei Fletcher.

Links en rechts van haar strekten zich gangen uit. Ze waren smal en pikdonker en in de smalle lichtbundel van haar lamp leken ze eindeloos door te lopen.

'Uw bestemming ligt recht voor u,' zei Fletcher. 'Als u aan het einde van de gang bent gekomen, ga dan naar links en loop de volgende gang door totdat u halverwege bij de deur van een onderhoudsruimte komt.'

Langs de muren bij het plafond liepen blootliggende buizen. Bijna elke deur was afgesloten. De vloeren waren bevroren met ijs. Darby hoorde een bonzend geluid en besefte toen dat het haar bloed was dat tegen haar trommelvliezen bonkte.

In de ijzige duisternis, met de gladde, aangevroren vloer onder haar laarzen, zocht ze haar weg door de hoofdgang. Ze herinnerde zich een regel uit Dante, waarin de hel geen laaiend vuur was, maar een oord waar de duivel huisde in een meer van ijs.

Darby sloeg linksaf naar een volgende doolhof van gangen. Op een muur met afbladderende witte en gele verf, gaven vervaagde pijlen en belettering de verschillende bestemmingen binnen het ziekenhuis aan. De koude lucht rook naar schimmel en roestige buizen. Verdacht op ieder geluid en elke beweging betrad ze de gang.

Tien minuten later vond ze de deur met het opschrift ONDERHOUD.

'Ik heb de deur gevonden,' zei Darby.

Malcolm Fletcher gaf geen antwoord.

'Hallo?'

Geen antwoord.

Darby controleerde haar telefoon. Geen ontvangst. Ze zat te diep onder de grond.

Ze legde haar mobiel op de vloer. Ze leunde tegen de deur, drukte met haar elleboog de handgreep omlaag en duwde hem open.

# 50

De werkplaats was leeg.

Darby stak het telefoontje in haar zak. Het vertrek was een bergruimte met niets dan roestige schappen. De middelste en onderste waren leeg, maar op het bovenste schap lag verroest gereedschap, enkele metalen bakken en een paar oude zakken cement. Onder het laagste schap in het midden zat in de muur een groot metalen ventilatierooster, zoals gebruikt wordt voor het koelen en verwarmen van grote gebouwen.

Darby liet zich op een knie zakken en liet de smalle lichtbundel van haar zaklamp door het rooster schijnen. Erachter bevond zich een ventilatieschacht die na een meter of tien naar links afboog. Voor de bocht stond een beeldje van de Maagd Maria.

Malcolm Fletcher kon onmogelijk zelf door die smalle ventilatieschacht zijn gekropen. Daarvoor was de man te groot en te breed.

*Ben je claustrofobisch*, had Fletcher haar gevraagd.

Wachtte Fletcher haar aan de andere kant op? Of had hij haar hiernaartoe geleid om iets te vinden?

Darby controleerde haar mobieltje. Geen signaal. Ze kon teruggaan totdat ze weer ontvangst had en Bryson bellen, of ze kon nu door de ventilatieschacht kruipen.

In het licht van haar lamp zag ze het droevige gezicht van de Heilige Moeder. Darby haalde het *tactical light* van haar SIG en stak het pistool in haar schouderholster. Ze haalde het rooster weg en schoof haar lamp in de schacht. Toen ging ze op haar buik liggen en kroop naar binnen.

Op het westelijke deel van Sinclairs campus waadde Malcolm Fletcher door de kniehoge sneeuw naar zijn Jaguar die hij strategisch, veilig uit het zicht – voorlopig tenminste – achter een groepje vuilcontainers had geparkeerd. Gedurende de jaren dat hij op de vlucht was, had hij geleerd alleen het meest noodzakelijke met zich mee te nemen. Hij had een kleine koffer met kleren en in zijn tas zaten de meer belangrijke zaken als observatie- en afluisterapparatuur en gps-ontvangers. De valse paspoorten waren, sinds Interpol na 11 september de controle op luchthavens had verscherpt, vrijwel onbruikbaar geworden.

Fletcher opende de kofferbak en stopte zijn FBI-badge en bijbehorende legitimatiepapieren in de zak van zijn colbertjasje. Een nieuw handwapen had hij al – een Glock 9mm, afkomstig van een groepsverkrachter uit Roxbury die, nadat zijn neus en pols waren gebroken, opeens spontaan bereid was zijn illegale vuurwapen af te staan. Fletcher pakte nog wat andere zaken die hij nodig had en sloot toen het kofferdeksel.

Met de schelp van een koptelefoon tegen een oor gedrukt, activeerde hij op de laptop die naast hem op de passagiersstoel lag de zendmicrofoons die hij in de kelderverdieping op strategische punten had geplaatst. Hij hoorde de zwoegende ademhaling van een jonge vrouw en holklinkende, metalige geluiden. Darby McCormick kroop door de ventilatieschacht.

*Bijna,* dacht hij grijnzend.

Malcolm Fletcher startte de auto. Terwijl hij wegreed, klonk uit de geluidsinstallatie zacht de gedreven pianomuziek van Cecil Lythe.

Tim Bryson zat in de krappe passagiersstoel van een Honda Civic, geparkeerd bij een Mobil-tankstation langs Route One. Cliff Watts, zijn partner, stond buiten te roken.

Bryson had voor deze locatie gekozen voor het geval hij naar Sinclair moest. Als zich daar een probleem voordeed, kon hij binnen drie minuten bij de hoofdingang zijn.

Het afgelopen uur had hij voortdurend met Bill Jordan in contact gestaan. Zijn mannen hadden hem gemeld dat Fletcher in een van de patiëntenkamers een mobieltje had achtergelaten. Hij had Darby met deze telefoon gebeld, zodat het gesprek onmogelijk kon worden afgeluisterd.

De twee undercoveragenten hadden Darby de trappen zien afdalen. Ze waren enkele minuten later gevolgd en hadden op de vloer het doorgezaagde hangslot gevonden. Achter de deur had zich een doolhof van gangen bevonden. Het laatste rapport was dat ze haar nog niet hadden gevonden.

Nog een onrustbarend punt was dat de paniekknop met de gps-zender niet meer functioneerde – Jordan was het signaal kwijtgeraakt.

Volgens Jordan zat ze te diep onder de grond. Hij had haar met een sms'je gevraagd om zich te melden, maar daarop had ze nog steeds niet gereageerd. Gezien haar locatie was het mogelijk dat ze de boodschap niet had ontvangen. Ook Jordan kon geen van zijn mannen bereiken.

Brysons telefoon ging.

'Nog steeds niets van Darby,' zei Jordan.

'Gun haar nog wat tijd.'

'Het bevalt me niets dat ze, zonder dat ik weet wat er gaande is, daar beneden in haar eentje rondzwerft. We zouden meer mensen naar binnen moeten sturen.'

'Als Fletcher de zaak in de gaten houdt en hen ziet, dan smeert hij hem.'

'Of hij is daar beneden bij haar,' zei Jordan. 'Het terrein hebben we al in kaart gebracht, maar de bouwtekeningen zijn waardeloos. De helft van de gangen is afgesloten of ligt vol met puin. Het is een godvergeten doolhof, maar we hebben een doorgang naar de kelder weten te vinden. Ik kan ze hier met een halfuur hebben – wacht, een ogenblikje.'

Bryson hoorde gedempte stemmen. Jordan kwam weer aan de lijn. 'Zonet is op het westelijk gedeelte van de campus een zwarte Jaguar weggereden en hij rijdt snel. Hij stond geparkeerd achter een stelletje afvalcontainers. De auto zal binnen een minuut bij je langskomen.'

'En dat weet je nú pas?'

'Dit moest allemaal snel, Tim. Het is hier gigantisch groot. Vanuit onze positie konden we dat gedeelte van de campus niet zien. Denk je dat het onze man is?'

'De laatste keer dat hij hier was, reed hij in een Jaguar. Wie zou het anders moeten zijn?' Bryson boog zich voorover in zijn stoel en dacht snel na. 'In mijn eentje kan ik de hoofdweg niet afsluiten. Hoe snel kun je iemand hier hebben?'

'Lang is onderweg. Hij kan daar binnen – '

'Shit, daar is hij al.' Bryson zag de zwarte Jaguar in de richting van de snelweg rijden. Bonzend op het raam wist hij Watts aandacht te trekken, waarna hij hem gebaarde in te stappen.

'Ik ga hem volgen. Hoeveel man kun je missen?'

'Het tweede busje is al onderweg. Bel Lang en coördineer alles via hem. Hij heeft je op zijn gps, dus hij kan je niet kwijtraken.'

Watts startte de auto.

'Ga het ziekenhuis in,' zei Bryson tegen Jordan. 'En haal Darby daar weg.'

# 51

De ventilatieschacht was smal en rook naar roest en verval. Kruipend op haar buik schoof Darby haar lamp steeds een stukje voor zich uit. Ze voelde zich net John McClane, de door Bruce Willis gespeelde held in zijn eerste *Die Hard*-film.

Toen ze bij het beeldje was gekomen, deed ze het in een bewijszak, stak het in haar zak en pakte toen haar lamp.

De ventilatieschacht maakte een bocht naar links. Het volgende gedeelte was maar drie meter lang en kwam uit op een met stof en puin bedekte vloer.

Gedraaid op haar zij, met haar laarzen bonkend tegen het metaal, wrong Darby zich door de bocht heen – en kwam toen klem te zitten. Even raakte ze in paniek bij de gedachte daar vast te blijven zitten. *Waarom doe ik dit in godsnaam?*

Darby haalde een paar keer diep adem en dwong zich te ontspannen. Ze kreeg weer houvast en terwijl ze haar jas hoorde scheuren, duwde ze zichzelf het volgende stuk schacht in. Ze draaide zich weer op haar buik en kroop verder tot ze op de met puin bedekte vloer was gekomen.

In het plafond zat een gat. Daarboven rezen muren omhoog tot in het duister. Hele gedeelten van verdiepingen boven haar waren verdwenen. Darby vroeg zich af wat een dergelijke schade had kunnen veroorzaken.

De deur van de kamer was dicht. Toen ze het licht van haar lamp over de houten legplanken langs de muren liet gaan, waarvan de meeste nog intact waren, zag ze transparante plastic flessen, gevuld met water, kartonnen dozen vol rozenkransen en stapels boeken. Darby veegde het stof van de ruggen; het bleken bijbels en gezangboeken.

Tot haar verbazing kreeg ze de deur zonder moeite open.

Ze wist niet wat ze verwacht had te vinden, maar dit zeker niet

– een oude kapel met een tiental met stof en puin overdekte houten kerkbanken. Sommige banken waren verpletterd onder het gedeeltelijk ingestorte plafond, en een stalen balk had zich geboord in wat ooit een biechthokje moest zijn geweest.

Op het middenpad links van haar voerden tientallen schoenafdrukken naar een nis aan het einde van het pad. In die nis bevond zich een levensgrote afbeelding van Maria, zittend op een bank, met het lichaam van Jezus op haar schoot. De Heilige Moeder, gekleed in geplooide witte en blauwe gewaden, keek met een uitdrukking van eeuwige droefheid op het gelaat neer op haar dode zoon, naar de bloedige gaten van de spijkers die zijn handen en voeten hadden doorboord toen hij aan het kruis werd genageld.

De Maagd Maria was schoon – geen vuil of stof te bekennen.

Toen Darby met haar lamp de plek rond het beeld bescheen, zag ze poetslappen en een emmer met water waarin een spons dreef.

Voorzichtig, goed uitkijkend de schoenafdrukken niet te verstoren, liep ze naar het middenpad. De afdrukken leken vers en afkomstig van laarzen of sneakers.

Toen ze bij het pad was gekomen, zag ze enkele schoenafdrukken die duidelijk anders waren. Deze leken sterk op de afdrukken die ze op de vloer van Emma Hales logeerkamer had gezien.

Achter haar riep een vrouw om hulp.

Darby's hart bonkte in haar keel. Ze draaide zich met een ruk om en zag in het licht van haar lantaarn een met puin overdekt altaar. De houten preekstoel was verbrijzeld en een groot beeld van Jezus, hangend aan het kruis, lag in stukken op de vloer.

Er was daar niemand. Toch wist ze zeker dat ze zich het geluid niet had verbeeld.

Darby liep behoedzaam naar het zijpad aan de rechterkant. Daar geen afdrukken. Lopend over het pad hoorde ze opnieuw een vrouw schreeuwen. Het geluid klonk zwak en kwam uit de richting van het altaar.

Darby bukte zich onder de balk door. Het hoofd van Jezus, gekroond met een bloederige doornenkroon, lag op de vloer. Zijn ogen staarden haar treurig aan toen ze de treden van het altaar betrad. De smartelijke kreten van de vrouw klonken steeds luider.

Achter het altaar bevond zich een kapotte deur. Net toen Darby de ruimte daarachter binnenging, hoorde ze het gesteun van een man, een geluid dat zich vermengde met dat van de vrouw, die smeekte om de pijn te doen ophouden.

Het vertrek was niet groter dan de onderhoudsruimte. Op stoffige planken lagen stapels van dezelfde bijbels en gezangboeken. Het plafond was intact.

Op de vloer stond een kartonnen doos vol met Mariabeeldjes – dezelfde beeldjes die in de zakken van Emma Hale en Judith Chen waren aangetroffen. Hetzelfde beeldje dat Malcolm Fletcher in de ventilatieschacht en op het raamkozijn in het vertrek had achtergelaten.

De schoenafdrukken stopten voor een stenen muur. Onderaan zat een groot, breed gat. Het stof en het vuil op de vloer waren verstoord, alsof iemand hier pasgeleden had gestaan.

Er lachte een man. De schoenafdrukken vermijdend, knielde Darby neer op de vloer en bescheen met haar lamp de andere ruimte. Tussen brokken puin lagen de resten van een menselijk skelet.

# 52

Starend naar de foto's van zijn dochter, probeerde Jonathan Hale elk detail van Emma's gezicht in zijn geheugen te branden, om zo te voorkomen dat de tijd de herinnering aan haar zou doen vervagen.

Maar ze zóú vervagen. De geest, zo wist hij, was een onbarmhartige gevangenis. Een hardvochtige cipier. Net als bij Susan zou hij de herinneringen aan Emma geleidelijk doen vervagen en hem confronteren met het martelende besef dat hij elk van deze momenten als iets vanzelfsprekends had beschouwd.

Zijn meisjes, de twee belangrijkste mensen in zijn, naar hij was gaan inzien, totaal lege, betekenisloze bestaan, lachten hem toe. Echtgenoot en vader. Nu weduwnaar, en vader van een dood kind.

*Pappa.*

Hale, dronken en verdwaasd, keek op en zag Emma in de leren leunstoel zitten. Haar haar was niet langer nat en verstrikt in takjes; het was keurig gekamd, dik en glanzend. Haar gezicht was levendig en vol kleur.

'Hallo, kindje, hoe gaat het met je?'

*Met mamma en mij gaat alles nu goed.*

'Wat doe je hier?'

*We maken ons zorgen over je.*

Hales ogen werden warm en vochtig. 'Ik mis jullie zo erg.'

*Wij missen jou ook.*

'O, kindje, het spijt me zo, het spijt me zo vreselijk.'

*Het is jouw schuld niet, pappa.*

Hale begroef zijn gezicht in zijn handen. 'Ik weet niet wat ik moet doen,' zei hij snikkend.

*Je weet al wat je moet doen.*

'Ik kan het niet.'

*God heeft je gebeden verhoord. Hij heeft iemand gestuurd om je te helpen.*

Het was waar, hij had God om de waarheid gesmeekt, en de boodschapper leek een wezen uit de catechismusboekjes uit zijn jeugd – een man met vreemde, zwarte ogen waarachter vreselijke geheimen schuilgingen, een man die twee politieagenten had gedood en God wist wie nog meer, de man die hem de naam en het gezicht van de moordenaar van zijn dochter had gegeven.

Maar nu hij de waarheid kende, wenste hij dat God hem die weer zou ontnemen. Hij wilde het niet weten. Hij wilde het gewoon niet weten.

*Het gaat niet meer alleen om mij, pappa. Je weet wat er met de anderen is gebeurd.*

Hale keek op zijn horloge. Hij kon nog steeds bellen. Er was nog tijd.

*Zij kunnen niet voor zichzelf opkomen. Dat moet jij voor hen doen.*

Hale stommelde door de kamer en pakte de telefoon van zijn bureau.

*Je kunt ze niet in stilte laten lijden.*

Hij toetste het nummer in.

*Kijk me aan, pappa.*

Verdoofd hoorde hij Malcolm Fletcher opnemen.

'Ja, meneer Hale?'

*Pappa, kijk me aan.*

Hale keek naar de leunstoel waarin Emma zat, met haar benen over elkaar geslagen en haar handen gevouwen in haar schoot.

*Denk aan de ouders van al deze jonge vrouwen. Hebben zij niet het recht de waarheid te weten? Verdienen zij geen gerechtigheid?*

'Bent u van mening veranderd, meneer Hale?'

*Je hebt een groot geschenk gekregen, pappa. God heeft naar je gebeden geluisterd en ze verhoord. Ga je Hem afwijzen?*

Hale wreef met zijn hand over zijn gezicht. 'Doe het.'

'U weet welke risico's dat inhoudt.'

'Daarvoor heb ik de beste advocaten van de staat in dienst,' antwoordde Hale. 'Ik wil dat die klootzak de prijs betaalt voor wat hij heeft gedaan. Ik wil dat hij lijdt.'

# 53

Tim Bryson vermaalde een Rolaids tussen zijn tanden terwijl het verkeer langs de tolhuisjes van de Tobin Bridge kroop. Cliff Watts had het raampje omlaaggedraaid zodat hij kon roken.

Naast hen, op de linkerweghelft, wachtte een gedeukt busje van een loodgietersbedrijf, compleet met ladder op het dak, op twee autolengtes achter de Jaguar.

Brysons telefoon ging. Het was Lang, de bestuurder van het busje.

'Ik heb het kenteken laten controleren. De auto staat op naam van een zekere Samuel Dingle uit Saurus. Ik heb een adres.'

Bryson kreeg een wee gevoel in zijn maag. 'Is hij gestolen?'

'Als dat zo is, dan heeft niemand dat gemeld,' antwoordde Lang.

'Laat iemand naar dat adres gaan. En bel me terug als je wat weet.'

De Jaguar reed met hoge snelheid over de nieuwe Zakim Bridge in de richting van de zuidoostelijke snelweg van Boston. *Zo dichtbij,* dacht Bryson. *Te dichtbij.*

Fletcher voegde in op het baanvak Storrow Drive in westelijke richting en nam een paar minuten later de afslag Kenmore.

De problemen om iemand in een stad ongezien te volgen waren legio – verkeerslichten, de doolhof van eenrichtingsstraten en, in het geval van Boston, de eeuwige verkeersopstoppingen in de 'Grote Kuil', een gigantisch bruggen- en tunnelproject. Als je niet dicht genoeg bij je doelwit in de buurt bleef dan kon je het kwijtraken.

Malcolm Fletcher gedroeg zich niet als iemand die wist dat hij werd gevolgd. Hij sloeg niet plotseling een nauw straatje in of veranderde van rijrichting. Hij ondernam geen van de gebruikelijke acties om een achtervolger af te schudden. De man bleef gewoon in het tempo van het overige verkeer de hoofdwegen volgen.

Fenway Park lag er donker en verlaten bij. Als de Red Socks niet speelden, viel er niets te beleven. Er was weinig verkeer. Watts bleef op een ruime, veilige afstand.

Fletcher deed zijn knipperlicht aan en sloeg linksaf bij een parkeerterrein. Terwijl Watts voorbijreed, draaide Bryson zich om in zijn stoel om te zien of Fletcher hen had opgemerkt.

Er ging een slagboom omhoog en Fletcher reed het parkeerterrein op.

Watts maakte bij de verkeerslichten razendsnel een U-bocht en vond voor een brandkraan bij het trottoir een lege plek. Hij doofde de lichten, maar liet de motor lopen. Bryson had al een verrekijker in zijn handen.

Gelukkig was het parkeerterrein goed verlicht. Het zicht werd niet belemmerd door bomen en het terrein was alleen omheind met harmonicagaas. Daar... De Jaguar stond geparkeerd in de uiterste hoek rechts.

Bryson keek voorbij de Jaguar naar Lansdowne Street – de uitgaansbuurt. Bakstenen gebouwen, als paardenstallen gebouwd rond de vorige eeuwwisseling en later omgebouwd tot pakhuizen, boden nu onderdak aan een aantal populaire bars en dancings. Rijen jongelui stonden in de vrieskou achter fluwelen koorden te wachten tot ze door de uitsmijters werden toegelaten.

'Wat moet hij hier, verdomme?' vroeg Watts.

*Goeie vraag*, dacht Bryson. Het portier van de Jaguar ging open.

Met zijn donkere, wollen overjas en de zonnebril die zijn ogen bedekte, leek Malcolm Fletcher op een personage uit de film *The Matrix*. Zonder om zich heen te kijken sloot hij het portier en stak op een holletje over.

Het in de rij wachtende publiek staarde hem aan, zich afvragend of hij een bekende persoonlijkheid was. Hij liep naar een uitsmijter met een groot, rond hoofd. De man boog zich naar hem voorover om te luisteren.

'Instant Karma', las Bryson boven de deur van de gelegenheid.

'Niet te geloven,' zei Watts. 'Die klootzak gaat een dansje maken.'

Bryson keek toe hoe de uitsmijter het koord weghaalde om Fletcher door te laten, toen zijn telefoon ging.

'Denk je dat hij ons in de gaten heeft?' vroeg Lang.

'In dat geval zou hij wel hebben geprobeerd ons af te schudden en ons niet naar een dancing hebben geleid,' antwoordde Bryson. 'Ben je ooit binnen geweest in Instant Karma?'

'In dat soort gelegenheden kom ik niet meer. Daar ben ik veel te oud voor.'

'Twee jaar geleden hebben we een ecstasynetwerk opgerold. De parterre geeft toegang tot meerdere clubs. Watts en ik gaan naar binnen. Jij neemt de coördinatie van de surveillance over. Wie heb je daar nog meer bij je?'

'Martinez en Washington,' antwoordde Lang. 'Tim, die vent heeft drie FBI-agenten aangevallen.'

'Dat was bij hem thuis, waar hij er alle tijd voor kon nemen. Laat je mannen naar de voorkant gaan. Parkeer in de steeg aan de achterkant, vlak bij de branduitgangen. Daar kom ik samen met Fletcher naar buiten.'

Uit het handschoenenvakje pakte Bryson een surveillanceset – een oortelefoontje en een reversmicrofoon met encryptie – waarmee hij constant met zijn team in contact kon staan zonder het risico te worden afgeluisterd.

'Ik neem contact met je op als ik binnen ben,' zei Bryson.

# 54

Op de vloer stond een kleine, bolvormige, draagbare Sony-cassetteradio. Het bandje speelde; de spoeltjes draaiden terwijl de vrouw haar pijn uitschreeuwde.

Om eventuele vingerafdrukken niet te verstoren, gebruikte Darby de punt van haar balpen om de stopknop in te drukken. Het enige geluid wat ze daarna nog hoorde, was het huilen van de wind boven haar.

Van de stoffelijke resten tussen het puin was alleen het geraamte nog overgebleven. Huid en pezen waren vergaan. Het enige wat restte, waren botten omhuld door kleding – een spijkerbroek, een zwarte blouse en een met stof overdekte lange winterjas. De spijkerbroek was omlaaggetrokken tot op haar enkels. Op het witte slipje zag Darby zwarte vlekken opgedroogd bloed.

Om de hals van de vrouw zat een grijze wintersjaal gewikkeld. Haar polsen en enkels waren omwikkeld met isolatietape.

Rond de schedel lag een wirwar van met stof overdekt lang, blond haar. De schedel, met zijn scherpgerande oogholtes, spits toelopende kin en gladde schedeldak, was die van een vrouw. De recht staande tanden wezen erop dat het een blanke vrouw betrof.

De schedel vertoonde geen breuken die op een hoofdverwonding wezen. Hopelijk zou Carter, de forensisch antropoloog van de staat, in staat zijn een doodsoorzaak vast te stellen; iets wat bij stoffelijke resten die alleen uit botten bestonden lang niet altijd het geval was.

Darby trof in de resten vliegenlarven aan. Entomologie zou deze larven gebruiken om het tijdstip van overlijden vast te stellen. Ze vroeg zich af hoe lang de overblijfselen hier al lagen.

Naast het lichaam lag een rode tas. Darby keek erin. De tas was leeg. Ze voelde in de zakken van de spijkerbroek. Ook leeg.

Darby liet de lichtbundel van haar *tactical light* door het vertrek schijnen. Het was onmogelijk te zeggen waar deze ruimte voor had gediend. Grote hopen puin bedekten ingestorte gangen en verbrijzelde deuren. Er was geen plafond. Toen ze voorbij de ontbrekende vloeren helemaal tot aan het dak keek, zag ze donkere avondhemel.

*Malcolm Fletcher was niet door de ventilatieschacht gekropen. Hij moet door een van deze deuren zijn binnengekomen. En om dat te doen moest hij het bouwplan van de kelder kennen.*

Darby pakte haar mobieltje en zag tot haar opluchting dat ze een signaal had.

Ze nam eerst contact op met Tim Bryson. Toen die niet opnam, liet ze een boodschap achter en belde Coop.

'Ik ben in het Sinclair,' zei Darby tegen hem. 'Ik leg alles wel uit als je hier bent. Heb je die twee nieuwe jongens van ID al ontmoet?'

'Mackenzie en Phillips,' antwoordde Coop.

'Wie van hen is klein en slank?'

'Dat zal Phillips zijn. Hij is erg slank omdat hij zijn meisjesachtige figuur koestert.'

'Zeg hem dat hij zich warm aankleedt en oude kleren aantrekt. Het is hier stinkend smerig en ik heb mijn jas opengehaald. Ik zal de veiligheidsmensen laten weten dat ze je kunnen verwachten.'

Darby richtte haar blik weer op de stoffelijke resten. Haar angst was weg, verdreven door de opwinding over deze diep onder de grond verborgen, nieuwe ontdekking.

De uitsmijter die Fletcher bij de wachtende rij had laten voorgaan, had een jong gezicht – Bryson schatte hem niet ouder dan vijfentwintig. Te oordelen naar zijn zware onderkinnen, waren de meeste spieren veranderd in vet.

Bryson toonde hem zijn badge en nam de jonge man apart van de andere uitsmijters.

'Niets om je zorgen over te maken,' zei Bryson. 'Ik wil je alleen even wat vragen. Wat is je naam?'

'Stan Dalton.'

'De man met de zonnebril die je net binnenliet, wat zei die tegen je?'

'Hij zei niets, hij liet me alleen maar zijn ledenkaart zien en toen heb ik hem binnengelaten.'

'Ledenkaart?'

'Als je bereid bent duizend dollar per jaar te dokken, dan kun je een lidmaatschapskaart aanvragen, wat betekent dat je niet in de rij hoeft te wachten. Ook krijg je dan gratis parkeerservice en toegang tot de viproom met je eigen serveerster en rekening.'

'Ik neem aan dat zich achter die voordeuren een veiligheidscontrole bevindt.'

'Elke gelegenheid heeft er een.'

'Oké, Stanley, jij brengt me langs de veiligheidscontrole en dan ga je weer naar buiten om je werk te doen. Je vertelt niemand iets over ons gesprekje. En als ik binnen ben, dan pak je niet de telefoon om je baas te waarschuwen. Ik wil de man die ik volg niet afschrikken. Alles moet rustig en onopvallend gebeuren. En als ik binnen merk dat hij van alle kanten wordt bewaakt, dan kun je voortdurende problemen met de belastingdienst verwachten.'

De voordeuren gaven toegang tot een snikhete ruimte. Vanachter zwarte wanden bonkte oorverdovend technomuziek. Tegenover de garderobe bevond zich de veiligheidscontrole, waar twee streng kijkende mannen met een metaaldetector in hun hand klaarstonden om de bezoekers te controleren.

Stan Dalton sprak even kort met de mannen van de bewakingsdienst. Ze knikten, waarna hij zonder de ergernis van het te worden gefouilleerd, kon doorlopen.

De dancing had veel weg van een feestje in de hel. Bonkende technomuziek dreunde *bonk-bonk-bonk* uit luidsprekers en op de stampvolle dansvloer pronkten aantrekkelijke jonge vrouwen in onthullende tanktopjes en korte hemdjes met hun platte buiken en chirurgisch gecorrigeerde borsten. Strakke broeken spanden om hun welgevormde billen als ze, *bonk-bonk-bonk,* hun armen omhoogwerpend in de verstikkend warme, van zweet, parfum en seks doortrokken lucht, extatisch dansten en ronddraaiden onder spiegelende discoballen. Met een glas in de hand wreven lichamen zich tegen elkaar, mannen met vrouwen, vrouwen met vrouwen, mannen met mannen, *bonk-bonk-bonk,* iedereen uitgelaten, lachend, dronken en high.

In kooien in de hoeken dansten onder fel laserlicht meisjes in bikini. In een kooi dansten twee jonge mannen in zwarte slipjes, hun gebruinde, volmaakt gestileerde lichamen glinsterend van olie en glitters om het licht van lasers en kleurenspots te reflecteren. Bryson wendde vol afkeer zijn hoofd af en richtte zijn blik op het plafond waar op plasma-tv's muziekvideo's werden vertoond.

Rechts van hem was een bar. Het plexiglazen barblad lichtte fel op door de lampen eronder. Serveersters in zwartleren hotpants en bijbehorende bikinitopjes zetten drankjes op hun blad, om dan snel weer te verdwijnen in een met koord afgeschermde ruimte achter de bar die vol stond met zwartleren banken en fauteuils – de viproom. Malcolm Fletcher, nog steeds met zonnebril, zat naast een adembenemend mooie, jonge vrouw in een nauwsluitend, zwart jurkje. Ze was lang en ze had lang donkerrood haar. Ze leek op Darby McCormick.

De vrouw fluisterde iets in Fletchers oor en liep toen weg.

Even later stond ook Fletcher op en verdween tussen het gedrang van rondwervelende lichamen en tastende handen.

*Jezus, waar is hij heen?* Brysons ogen zochten de club af. De technomuziek was oorverdovend. Het ene nummer ging naadloos over in het andere, *bonk-bonk-bonk,* met hetzelfde afschuwelijke ritmische gedreun dat zijn borstkas deed vibreren.

Dáár, daar stond hij, aan de andere kant van de dansvloer. De roodharige was bij hem. Ze sprak met een van de bewakers, een onguur ogend heerschap met een geitensik en onderarmen vol tatoeages.

De bewaker knikte en stapte opzij. De vrouw opende een deur met het opschrift PRIVÉ. Fletcher volgde haar.

# 55

*Dus daarom was hij hier,* dacht Bryson. Fletcher ging naar beneden om een wip te maken. Perfect.

Bryson deed zijn oorschelpje in. De reversmicrofoon zat al op zijn plaats.

'Lang, kun je me horen?'

'Ik hoor je.'

'Hou je gereed,' zei Bryson, zich een weg over de dansvloer banend.

De uitsmijter die de deur met het opschrift PRIVÉ bewaakte, stak zijn hand op en vroeg om een wachtwoord. Bryson liet hem zijn badge zien en moest boven het lawaai van de muziek uit schreeuwen om de man met de geitensik duidelijk te maken dat hij daar verder niemand anders naar beneden mocht laten gaan.

Bryson daalde af in het vaag verlichte, zwart geschilderde trappenhuis. Hoewel de dikke stalen deur de afschuwelijke muziek had buitengesloten, bleef hetzelfde ritmische *bonk-bonk-bonk* in zijn hoofd doordreunen – het was Watts, die achter hem de trap af stommelde. Nergens een deur. Steeds verder voerden de trappen. Jezus, hoe diep zat die ruimte wel niet verscholen?

Zes trappen lager voerde een galerij naar een vertrek met een marmeren vloer. In aquariums, ingebouwd in de wanden, zwommen kleurrijke vissen tussen spierwit koraal. Achter een desk, van het soort waar je in restaurants een tafel bestelt, stond een lange man met een kaalgeschoren hoofd. Hij droeg een zwart pak met een zilverkleurige stropdas.

'Goedenavond, heren.'

Rechts van hem zag Bryson een verkleedruimte met opbergkastjes. Op planken lagen keurig opgevouwen witte badstoffen badjassen.

'U moet hier nieuw zijn,' zei de man met het kale hoofd glimlachend. 'Welkom. Ik ben Noah. U kunt zich hier omkleden, maar, als u dat liever hebt, dan kunt u ook direct naar een privékamer gaan. Laat me eens zien wat er vrij is.' Hij keek op de desk. 'Kamer tweeënzestig is beschikbaar. Zal ik u nu een sleutel geven, of gaat u eerst liever naar het badhuis?'

Bryson toonde hem zijn badge. Noah schraapte zijn keel.

'Heren, dit is een privéclub. Onze leden betalen voor hun – '

'Ik ben maar in één lid geïnteresseerd,' onderbrak Bryson hem. 'Een lange man met een donkere zonnebril op. Hij was hier een paar minuten geleden met een roodharig meisje. Waar zijn ze heen gegaan?'

'Ze vroegen om een privékamer – kamer drieëndertig.'

'Is die op slot?'

'Ik neem aan van wel.'

'Hebt u een reservesleutel?'

'In het kantoortje hierachter. Momentje, alstublieft.' Noah verdween achter een zwart gordijn, met Watts in zijn kielzog.

Ondertussen vroeg Bryson zich af hoe hij Fletcher hier het beste vandaan kon krijgen. Hem afvoeren via de trappen en de overvolle dansvloer was geen haalbare kaart. Er kon te veel misgaan.

Noah kwam terug met Watts en gaf hem de sleutel.

'Is hier een aparte uitgang, waar jullie leden een beetje onopvallend kunnen vertrekken?' vroeg Bryson.

'Ik wilde u onze privélift voorstellen. Die bevindt zich direct naast kamer drieëndertig. Hij gaat naar de begane grond, daar is een deur die uitkomt op de achterkant van de club.'

'U hebt het over de steeg.'

'Ja. Zoals u ongetwijfeld zult begrijpen, stellen onze leden hun privacy zeer op prijs.'

'Ik beloof u dat we uiterst discreet te werk zullen gaan. Die kamer waar u ons heen brengt, heeft die nog andere deuren?'

'Nee, meneer, alleen de deur die uitkomt op de gang.'

'En camera's? Wordt deze verdieping door iemand bewaakt?'

'Absoluut níét,' antwoordde Noah nadrukkelijk. 'Beveiligingscamera's zouden een inbreuk zijn op de privacy van onze leden.'

Bryson praatte door zijn microfoon tegen Lang, maar die gaf geen antwoord. *Waarschijnlijk zit ik te diep onder de grond,* dacht Bryson. *De muren blokkeren het signaal.*

Met zijn mobiele telefoon had hij meer succes. Het signaal was zwak, maar het ging net. Hij vertelde Lang waar hij was.

'Kun je dat herhalen?' vroeg Lang.

'We gaan Fletcher in de steeg naar buiten brengen. Laat iedereen zijn positie innemen. Mocht je na twintig minuten nog niets van me hebben gehoord, bestorm dan de club.'

En de kale man? Wat moesten ze daarmee? Bryson wilde hem hier niet alleen laten. Hij zou misschien zijn baas kunnen bellen of de bewaking alarmeren. Hij zou van alles kunnen doen om zijn baantje te houden. Bryson wilde dat dit zo rustig en onopvallend mogelijk verliep.

'Breng ons maar.'

Noah ging hen voor naar een witbetegelde gang, vaag verlicht, bedoeld om gezichten te verbergen. Vanuit de badruimte kwam de reuk van stoom en chloor en vanachter elk van de gesloten deuren klonken gekreun en gedempte conversatie. In een kamer verderop in de gang, schreeuwde een man het uit van pijn of extase, of misschien ook wel van allebei.

Noah hield stil voor kamer drieëndertig. Uit de tegenoverliggende kamer klonk gekreun. In de deur zat een metalen sierrooster. Hoewel het binnen donker was, kon Bryson het silhouet van een man onderscheiden. Hij lag vastgebonden op een tafel en droeg een leren masker.

'Harder,' schreeuwde de man. '*Harder.*'

Een vrouw lachte.

Bryson trok zijn pistool en luisterend aan de deur van kamer drieëndertig hoorde hij water stromen. Hij gebaarde Noah een stap dichterbij te komen.

'Is er een douche in die kamer?' vroeg hij fluisterend.

'Elke kamer heeft een eigen badkamer.'

'Waar bevindt zich die?'

'Als u binnenkomt, meteen links.'

'Sloten?'

'Ja. Elke badkamerdeur kan worden afgesloten. Daar heb ik geen sleutels van, maar als u hulp wenst kan ik de bewaking bellen.'

'Niet nodig. En nu achteruit, alsjeblieft. En blijf waar je bent.'

Kijkend alsof hij elk moment in zwijm kon vallen, verplaatste Noah zich naar de tegenoverliggende muur.

'Ik ga als eerste naar binnen en jij dekt me,' zei Bryson tegen Watts. 'En als hij ook maar iets onderneemt, dan schakel je hem uit.'

Watts knikte. Het zweet droop van zijn gezicht. Door de stoom hing er in de gang een benauwend vochtige warmte.

Behoedzaam stak Bryson de sleutel in het slot. Voordat hij hem omdraaide, hield hij even zijn adem in. Niet de deur opengooien. Als die tegen de muur sloeg, dan zou het geluid Fletcher alarmeren en hem misschien de tijd geven zijn wapen te grijpen. Oké… *nu.*

# 56

Een kamer verlicht door kaarslicht – in de hoek een massagetafel, hoopjes kleren op een met stof beklede bank, diverse soorten seksspeeltjes, handboeien, op een plank flessen lotion naast een stapeltje opgevouwen handdoeken.

Niemand.

Bryson keek naar de badkamer. Er brandde licht. Tot zijn opluchting zag hij dat de deur op een kier stond. Met zijn schouder gooide hij de deur open en stormde de dichte stoom in. Niemand. Watts liep langs hem heen en rukte het douchegordijn open.

Er stroomde kokendheet water uit de douchekop, overal was stoom, maar niemand stond eronder.

Op de vloer lag een cilindrische metalen bus ter grootte van een colablikje, met dat verschil dat de handel en de pen het meer op een granaat deden lijken. Boven het stromende water uit, hoorde Bryson een sissend geluid.

Vanuit de deuropening van de badkamer flitste mondingsvuur. Watts werd in zijn rug getroffen en viel half de douchecabine in toen Bryson zich omdraaide om te vuren. Een tweede flits... Bryson had het gevoel alsof een gloeiendhete, stalen vuist in zijn maag werd geramd.

Bryson, die snakkend naar adem tegen de badkamermuur viel, zag vanuit de deuropening een derde flits en de vuist trof hem ditmaal in de borst. Struikelend over Watts, viel hij zijdelings de doucheruimte in.

Brysons hart bonkte maar hij kreeg geen adem. Het was alsof zijn longen waren dichtgeklapt. Hij had het pistool nog steeds in zijn hand. Snakkend naar adem bracht hij het omhoog, klaar om in de stoomwolken te vuren, toen een hand in een zwarte handschoen zijn pols greep en met een ruk omdraaide. *Krak*... Bryson wilde schreeuwen, maar er kwam geen geluid. De Beretta viel uit zijn hand. Toen hij hem opnieuw probeerde te pakken, streek de stof van een zwarte broekspijp langs zijn gezicht en een voet schopte hem in zijn maag.

Hij braakte zijn koffie en een gedeelte van een bagel uit. Een laars drukte zijn gezicht tegen de douchevloer. Zijn armen werden met een ruk achter zijn rug getrokken en zijn polsen werden samengebonden met iets dat aanvoelde als nylon boeien. Met zijn ogen gericht op de sissende cilinder die op de vloer voor hem lag, voelde Bryson het scherpe nylon in zijn huid snijden.

Daarna werden zijn enkels geboeid en toen rukte de gehandschoende hand de microfoon van zijn jas. De handen grepen zijn haren vast en in zijn nek voelde Bryson de steek van een injectienaald. Hij probeerde zich los te rukken, maar toen was daar dat lange, brandende gevoel en hij werd uit de douchecel getrokken en op de badkamervloer gegooid.

Bryson lag op zijn zij. Hevige krampen teisterden zijn lichaam terwijl hij kokhalsde. Er was iets goed mis. Zijn ogen brandden als vuur en een volgende hevige golf van misselijkheid deed zijn maag samentrekken.

Fletcher sleepte hem uit de badkamer naar de aangrenzende kamer. Watts, aan handen en voeten gebonden met plastic boeien, lag op de vloer van de douchecabine. Water sproeide over zijn bebloede gezicht terwijl hij op de vloer overgaf.

Een brandalarm ging af. Fletcher sloot de badkamerdeur en sleepte een nog steeds kokhalzende Bryson over de vloer, waarbij hij zijn wang brandde aan het tapijt. Toen stopte het brandende gevoel en zijn gezicht lag op de koele tegels in de gang, waar het vol stond met in handdoeken en badjassen gehulde mannen en vrouwen die waren komen kijken wat er aan de hand was. Een klein buisvormig voorwerp rolde door de gang, een spoor van dikke rookwolken achterlatend. Achter zich hoorde Bryson een sissend geluid. Op het moment dat hij in de lift werd gesleept, zag hij over de vloer van de gang precies zo'n metalen bus rollen als hij in de badkamer had gezien.

Met een jankende elektromotor en ratelende tandwielen kwam de lift in beweging. Timothy Bryson lag op zijn buik op de smerige, stoffige liftvloer. Kokhalzend draaide hij zich op zijn zij en keek naar zijn maag. Geen bloed.

Dat klopte niet. Hij had het mondingsvuur gezien, en gevoeld hoe de kogels eerst zijn maag en toen zijn borst hadden getroffen. Hij zou moeten bloeden.

Malcolm Fletcher stond over hem heen gebogen.

'Weet u wie ik ben, rechercheur?' Zijn stem werd gedempt door een klein masker dat zijn mond en neus bedekte.

Bryson knikte, opnieuw kokhalzend.

'Dan weet u ook waarom ik hier ben.'

Bryson gaf geen antwoord. Fletcher deed het masker af en stopte het in de binnenzak van zijn colbertjasje.

De lift stopte en de schuifdeuren openden zich in een donkere gang.

Malcolm Fletcher drukte op de noodknop. In zijn gehandschoende hand hield hij een jachtmes.

Even voelde Bryson een vlaag van paniek, een gevoel dat, hoe onnatuurlijk ook, snel plaatsmaakte voor een vreemd soort kalmte. Hij wist dat hij bang zou moeten zijn, maar zijn lichaam leek zich totaal onbewust te zijn van het gevaar.

'Timmy, als je een brave jongen bent en de waarheid spreekt, dan laat ik je gaan. Maar als je jokt, of ik krijg het gevoel dat je niet oprecht spijt hebt van je zonden, nou, dan moet je het zelf maar weten.'

Het mes gleed door de boeien om zijn enkels.

Fletcher hielp hem overeind. Bryson hoestte en probeerde zijn adem in te houden. Het was moeilijk om te blijven staan.

Met zijn handen geboeid achter zijn rug pakte Fletcher hem bij zijn arm en voerde hem door de gang. Terwijl Bryson als een dronken man de trap op klauterde, veranderde het vreemde gevoel van kalmte in iets anders, een allesoverheersend gevoel van gelukzaligheid dat al zijn angst en pijn deed verdwijnen.

Een deur ging open en Bryson zag een plat dak dat zich oneindig leek uit te strekken. Na drie wankele stappen duwde Fletcher hem met zijn rug tegen een stenen muur en drukte het mes tegen zijn keel.

'Zeg hallo, Timmy, en vergeet onze afspraak niet,' zei Fletcher, een mobieltje tegen Brysons oor duwend.

'Hallo?'

'Rechercheur Bryson? Met Tina Sanders – Jennifers moeder. We hebben elkaar ontmoet op het politiebureau.'

Bryson hoorde vaag een stem tegen hem schreeuwen. 'Maak dat je wegkomt, zo snel als je kunt.'

'Ik heb begrepen dat u informatie hebt over de man die mijn dochter heeft vermoord.'

Waar moest hij heen? Hij zou niet ver komen. Niet met dat mes op zijn keel, niet in deze droomtoestand van gelukzaligheid die hem het gevoel gaf dat hij zweefde als een engel.

'Alstublieft – ik – ' Tina Sanders' stem stokte. Ze schraapte haar keel en wist zichzelf weer onder controle te krijgen. 'Ik móét weten wat er gebeurd is. Ik leef al zo lang in deze onwetendheid. Ik kan het niet langer verdragen. Alstublieft, vertel het me.'

'Ik weet niet wat er met uw dochter is gebeurd.'

'Mij werd verteld dat een man die Sam Dingle heet Jenny heeft vermoord.'

'Daar weet ik niets van.'

'Deze man... zit die in de gevangenis?'

Bryson rilde onder zijn natte kleren. Met klapperende tanden probeerde hij wanhopig het web van leugens op te roepen dat hij in de loop der jaren, voor het geval een ogenblik als dit ooit mocht komen, zorgvuldig had geconstrueerd.

Fletcher drukte de punt van het mes in zijn keel. 'Maak een keus, Timmy.'

'Mijn dochter ging dood,' zei Bryson. 'Emily leed aan een zeldzame vorm van leukemie. Mijn vrouw en ik hadden alles geprobeerd. De artsen wilden haar met experimentele medicijnen behandelen, maar mijn zorgverzekering wilde het niet betalen.'

'Wat heeft dit met Jenny te maken?'

De waarheid zocht zich een weg naar de oppervlakte. Bryson sloot zijn ogen, verwonderd hoe gemakkelijk de woorden kwamen.

'Sam Dingle gebruikte zijn riem om een van de vrouwen te wurgen. We vonden een vingerafdruk. Het was ons enige bewijs. Getuigen waren er niet en Dingles moeder had verklaard dat haar zoon de avonden dat de vrouwen verdwenen bij haar thuis was geweest. Toen we bezig waren de zaak tegen hem af te ronden, heb ik Dingles vader benaderd met het voorstel dat ik de riem tegen de juiste prijs zou kunnen laten verdwijnen.'

In de verte klonk het geluid van brandweersirenes. *Blijf praten. Lang weet dat je hier bent, dus blijf praten tot hij je vindt.*

'Ik had het geld nodig voor de behandeling van mijn dochter,' zei Bryson. 'Maar omdat we al op het maximum zaten, kon ik nergens meer een lening krijgen. Niemand wilde ons nog geld lenen. Ik was wanhopig. Mijn dochtertje hoopte dat ik haar leven zou kunnen redden en toen Dingles vader bereid was te betalen, liet ik hem beloven dat hij zijn zoon zou laten behandelen in een psychiatrische inrichting. Hij ging naar het Sinclair.'

'Klootzak die je bent,' zei Tina Sanders. 'Godvergeten klootzak.'

'Emily was pas acht jaar oud. Die behandeling had haar leven kunnen redden. Chemotherapie kon ze niet meer verdragen, haar lichaam – '

Fletcher haalde het telefoontje weg en drukte het tegen zijn eigen oor. 'Hallo, mevrouw Sanders... ja, ik ben het. Wat rechercheur Bryson betreft, hebt u nog nagedacht over ons laatste gesprek? ... Juist, ja. De keuze is uiteraard aan u. Ik bel u binnenkort terug.'

Malcolm Fletcher klapte het telefoontje dicht. Bryson probeerde te vluchten.

# 57

Al bij de eerste stap zakte hij door zijn benen.

Liggend op het dak, met zijn handen gebonden achter zijn rug en het gehuil van sirenes in de koude avondlucht, staarde hij omhoog naar de donkere hemel. De stralende sterren herinnerden hem aan de zwoele zomeravonden toen Emily nog een baby was. Dan gaf hij haar de fles en wiegde haar in zijn armen tot ze uiteindelijk in slaap viel.

Malcolm Fletcher verscheen boven hem, zijn ogen waren zo donker als de avondhemel.

'Ik heb haar dochter niet vermoord,' zei Bryson. Zijn stem leek van heel ver weg te komen.

'O, maar dat deed je wél,' zei Fletcher. 'Die riem zou Dingle in de gevangenis hebben doen belanden, of hij zou, afhankelijk van zijn advocaat, levenslang zijn opgesloten in een psychiatrische inrichting als Sinclair. Als je toen je werk goed had gedaan, dan zou Jennifer Sanders nu nog leven.'

'Het spijt me.'

'Het berouw in je stem is werkelijk overweldigend.'

'Ik had geen keus.' Opnieuw zag Bryson zijn dochtertje liggen in het ziekenhuisbed – haar kale hoofd, haar huid grauw van de chemotherapie, de bloeduitstortingen op haar armen van de infusen. Opnieuw zag hij Emily zuigen op ijsblokjes, overgeven in een emmer, roepen om haar moeder en gillen als de zuster haar een injectie met morfine gaf om de pijn weg te nemen.

'Ik had geen keus,' zei hij weer.

'Op wat voor dag werd Sammy uit Sinclair ontslagen?'

'Ik weet het niet.'

'Ben je Sammy na zijn ontslag nog blijven volgen?'

'Nee.'

'Heb je nog naar hem gezocht?'

'Nee.'

'Dat dacht ik al.' Fletcher trok hem omhoog aan zijn armen. 'Je weet dat Sammy deze vrouwen heeft vermoord. En aangezien Sammy zich onder het mom van een zenuwinstorting *vrijwillig* onder behandeling heeft gesteld, wist je dat hij zichzelf wanneer hij dat maar wilde kon laten ontslaan, of in elk geval wanneer zijn ouders stopten met het betalen van de ziekenhuisrekening, wat ze overigens zes maanden later ook deden.'

'Ik heb gedaan wat je gevraagd hebt. Ik heb de waarheid verteld.'

'Dat heb je, en ik ben erg trots op je. Zie je die brandtrap daar aan het eind van het dak?'

'Nauwelijks,' zei Bryson. Alles was erg wazig.

'Ik breng je daar nu naartoe.' Fletcher hielp hem over het dak te lopen. 'Goed zo, let op waar je loopt. Ik zou niet willen dat je struikelt en jezelf bezeert.'

Bryson wilde weg uit de snijdend koude lucht. Hij kon niet ophouden met rillen.

'Mocht het je interesseren, Sammy zwierf door het land en werkte her en der als losse bouwvakker of landarbeider,' zei Fletcher. 'Maar op een gegeven moment slaagde hij erin naar het oosten terug te keren om daar zijn deel van de nogal schamele erfenis van zijn ouders op te strijken. Tijdens zijn bezoek verkrachtte en martelde hij gedurende een aantal dagen Jennifer Sanders, om haar vervolgens te wurgen en voor oud vuil te laten liggen.'

Bryson wilde zijn ogen dichtdoen en gaan slapen.

'Evenals jij, rechercheur, wist ik dat Sammy die vrouwen had vermoord en langs de weg gedumpt. Maar in tegenstelling tot jou ben ik hem altijd blijven zoeken. Het kostte me jaren voordat ik hem wist te vinden, maar ik heb nooit de hoop opgegeven. Uiteindelijk vond ik hem vorig jaar in Miami, waar hij zijn nachtelijke activiteiten weer had hervat. Sammy kon zich niet herinneren waar hij hun lichamen had gedumpt, maar wat hij nog wél wist, waren de namen van zijn slachtoffers en hij was in staat tot in het kleinste detail te beschrijven hoe hij hen had omgebracht. Volgens mij werd zijn geheugen geholpen door de geluidsopnamen die ik bij hem thuis vond. Sammy nam zijn... ervaringen met elk van zijn slachtoffers op band op. Ik zal je de gruwelijke details besparen. Ik zou je geweten niet graag nog meer willen belasten.'

Bryson sloot zijn ogen en zag

*zichzelf als tienjarige jongen in de grote eikenboom in de achtertuin klimmen. Hij wil helemaal naar de top, om vandaar de huizen op Foster Avenue te kunnen zien; grote huizen met bakstenen gevels, garages voor wel drie auto's en grote achtertuinen met mooie gazons met schommels en speelhuisjes waar kinderen in mooie kleren onder het wakend oog van hun gouvernantes en kindermeisjes spelen – dan voelt hij zich net zoals God zich moet voelen als Hij op hen neerkijkt en hun geheimen leert kennen. Hij is bijna bij de bovenste tak als hij weggglijdt en zijn evenwicht verliest. Takken striemen zijn gezicht als hij, rondmaaiend met zijn armen, door de bladeren omlaagtuimelt. Dikke takken beuken op hem in tot zijn val met een harde bons eindigt. Hij ligt op de grond en krijgt geen adem. Zijn ribben zijn gebroken en hij kan niet om hulp roepen. Zijn moeder staat bij het keukenraam en wast haar handen in de gootsteen. Snakkend naar adem spert hij zijn mond open om te schreeuwen, hij kan geen lucht krijgen. Ze ziet hem niet, wast alleen maar haar handen, haar schort zit onder het meel.*

'Timmy, wakker worden.'

Bryson stond bij de brandtrap aan de rand van het dak. Vanaf deze hoogte leken de geparkeerde auto's en brandweerwagens net speelgoed. Mensen stroomden de straat op toen brandweerlieden de club binnengingen.

Bryson wilde zwaaiend met zijn handen hun aandacht trekken, maar zijn armen zaten geboeid op zijn rug.

Recht onder hem stond het surveillancebusje, maar Bryson kon Lang of een van zijn mannen nergens ontwaren. *Ze moeten nu in de club zijn en naar me zoeken.*

'Voordat ik je handen losmaak, wil ik dat je belooft dat je dit aan Darby McCormick zult geven,' zei Fletcher terwijl hij iets in Brysons jaszak stopte. 'Zorg ervoor dat ze het krijgt.'

'Komt in orde.'

'Beloof je dat?'

'Ja.'

'Dank je,' zei Fletcher, Bryson van het dak duwend.

Vallend door de koude lucht, met zijn handen geboeid op zijn rug, schreeuwde Bryson het uit toen hij het dak van het surveillancebusje groter zag worden, steeds groter, te groot... Zijn hoofd sloeg op het dak en zijn nek brak toen de rest van zijn lichaam met een misselijkmakende klap in een wolk van verbrijzeld glas en verbuigend staal op het busje te pletter sloeg.

Bryson staarde omhoog naar het dak van het gebouw, waar Malcolm Fletcher ten afscheid zwaaide en toen verdween.

Vage gezichten groepten om hem samen. Een gezicht kwam dichterbij.

'Er is hulp onderweg.' Een vrouwenstem. Ze pakte zijn hand en kneep er zacht in. 'Ik blijf hier bij je. Hoe heet je?'

De zachte, troostende stem van de vrouw leek op die van zijn moeder. De dag dat hij uit de boom was gevallen en op de grond lag en hij dacht dat hij zou doodgaan, was zijn moeder, zo snel ze kon op haar hoge hakken en in haar met meel en poedersuiker bestoven schort de achterdeur uit komen rennen.

'De ziekenwagen is onderweg,' had ze gezegd, hem op zijn voorhoofd kussend. Bryson had gekeken naar de kleurrijke bladeren die in de wind over het grasveld buitelden. 'Rustig maar, Timmy, blijf gewoon liggen en ontspan je. Alles komt in orde. Je zult het zien.'

# 58

Darby hoorde het nieuws van Bill Jordan, de man die de leiding had over haar surveillance. Hij wachtte haar op bij de trap voor het ziekenhuis.

Jordan praatte haar snel bij over de Jaguar en Tim Brysons laatste gesprek met Mark Lang – undercoveragent van de Narcoticabrigade en bestuurder van het tweede surveillancebusje. Lang was Bryson tot in Boston gevolgd. Bryson was de club binnengegaan samen met zijn partner Cliff Watts, die naderhand wist te vertellen wat zich in de kelder van de privéclub had afgespeeld, maar niet kon uitleggen waarom Bryson was geboeid en weggesleept of hoe Bryson op het dak van het tweede busje terecht was gekomen. Jordan was met zijn mannen naar de stad gekomen.

Darby stond alleen in het donker. Met haar handen diep in haar zakken gestoken, starend naar de bossen, stond ze zichzelf toe het nieuws tot zich door te laten dringen. Ze moest eraan te pas komen. Nu.

Ze liet het onderzoek van de plaats delict aan Coop over en reed naar Boston.

Terwijl ze de Mustang met één hand aan het stuur met brullende motor over de snelweg joeg, toetste ze het privénummer van de commissaris in.

Chadzynski had al via diverse bronnen over de gebeurtenissen in Boston vernomen, maar de precieze details kende ze nog niet. Darby vertelde de commissaris wat ze in de kapel van het ziekenhuis had ontdekt.

'Die Mariabeeldjes die je daar in die doos hebt gevonden, zijn dat dezelfde als die op Hale en Chen zijn gevonden?'

'Ze lijken hetzelfde, maar momenteel ben ik meer geïnteresseerd in het Mariabeeld dat naast het altaar staat.' Darby vertelde

Chadzynski over de poetslappen die ze op de vloer had gevonden en de spons in de emmer met water. 'Het beeld was brandschoon. Hij is daar recentelijk geweest. Als we klaar zijn met de stoffelijke resten, wil ik daarbinnen een paar man die de kapel in de gaten houden, zodat we de volgende keer als hij komt zijn voorbereid.'

'Denk je écht dat hij zal terugkomen?'

'Wel als hij denkt dat het veilig is.'

'Oké, ik ga iemand zoeken die de observatie regelt.'

'We kunnen de politie van Danvers hier beter niet bij betrekken.'

'Die zijn er toch al bij betrokken?'

'Ze weten niet van het stoffelijk overschot, en dat zou ik het liefst zo willen houden.'

'Darby, we kunnen toch niet zomaar – '

'Ik besef dat we in hun achtertuin spelen, maar hoe meer mensen hiervan af weten, des te groter wordt het risico dat er iets uitlekt. En als de pers er lucht van krijgt dat in de kapel stoffelijke resten zijn gevonden en met het nieuws aan de haal gaat, dan zal de moordenaar van Hale en Chen daar niet meer terugkomen. En als deze man dezelfde is als die Hannah Givens heeft ontvoerd, dan zal hij haar ombrengen en op de vlucht slaan.'

'En Reed en zijn mensen? Hoe denk je die stil te houden?'

'Dat kunnen we niet. Bill Jordan en een paar van zijn mensen werken al met Reeds personeel samen, dus proberen we de situatie zo goed mogelijk onder controle te houden. De ontdekking van deze kapel kan de doorbraak zijn die we nodig hebben, een kans die ik niet graag zou verspelen.'

'Ik zal met Jordan praten. Bel me zodra je meer weet over Bryson. Ik wil van elke ontwikkeling op de hoogte worden gehouden.'

Darby parkeerde bij de eerste lege plek in de straat die ze vond en rende het laatste stuk, daarbij de rode, blauwe en witte lichten volgend die als waarschuwingsbakens boven de daken van Lansdown Street knipperden.

De straten waren versperd met dranghekken en politieauto's. Het leek wel alsof elk in de stad beschikbaar dienstvoertuig naar dit gebied was gedirigeerd.

Overal waren politieagenten bezig de menigte onder controle te houden.

Darby wrong zich tussen verslaggevers door, toonde haar identiteitsbewijs aan een van de agenten en baande zich daarna tussen politieagenten, brandweerlieden en ambulancepersoneel een weg tot ze bij het lichaam van Tim Bryson was gekomen.

# 59

Tin Bryson lag wijdbeens in een poel van bloed op het ingedeukte dak van het surveillancebusje. Langs de zijkanten en de achterkant van het busje liepen bevroren bloedsporen. Zijn benen hingen verwrongen over de versplinterde, met bloed besmeurde voorruit, een ervan bungelde bij het dashboard. Met zijn hoofd tegen zijn schouder, alsof hij zich ergens over verbaasde, staarde hij naar de hemel. Zijn nek was gebroken.

Twee mannen van Identificatie waren bezig het lichaam te fotograferen. Pas als ze daarmee klaar waren, konden ze Bryson gaan onderzoeken.

Darby staarde omhoog langs het gebouw vol donkere ramen. *Kantoren,* dacht ze. Het gebouw was minstens tien verdiepingen hoog. *Waarom heeft Fletcher jou naar het dak gebracht, Tim? Als hij je wilde doden, waarom heeft hij dat dan niet beneden gedaan?*

Ze vond Cliff Watts. Hij zat achter in een ambulance en hield een zuurstofmasker tegen zijn gezicht gedrukt terwijl een ziekenbroeder een diepe wond op zijn voorhoofd hechtte.

Zijn overhemd en jasje waren aan de voorkant bevlekt met bloed en braaksel.

Toen hij Darby zag nam hij zijn masker af en deed haar gedetailleerd verslag van de aanval in de kelder.

'Hij had in de douche een gasgranaat achtergelaten,' vertelde Watts. 'Mensen van de brandweer zeiden dat er een chemische stof in zit waarvan je moet overgeven. Net toen ik die zag liggen, werd ik geraakt. Het was alsof ik door een kogel werd getroffen, het voelde absoluut zo. Ik viel en sloeg met mijn hoofd tegen de douchekraan.' Weer even door het zuurstofmasker ademend, tastte hij in zijn binnenzak.

'Hier heeft hij ons mee beschoten,' zei Watts. In zijn hand hield hij een blauw balletje met een doorsnede van een paar millimeter.

'Het is een kinetisch wapen,' zei hij. 'Het leek op een geweer. Het is me een raadsel hoe hij het langs de controle heeft gekregen. Het ligt daar beneden bezaaid met dit kaliber geweerhulzen en deze rubber balletjes.'

Darby wreef het balletje tussen haar vingers. Het voelde hard aan.

Kinetische wapens waren bedoeld om een tegenstander uit te schakelen, niet te doden. Ze werden door de politie gebruikt bij onlusten. De politie van Boston had ze een paar jaar geleden ingezet bij het onderdrukken van relletjes na een wedstrijd van de Red Sox, waarbij een student door een schot uit een zogenaamd beanbag-wapen dodelijk in zijn hoofd werd getroffen. De ouders hadden tegen de stad een proces aangespannen en een grote schadevergoeding gekregen.

Het door Watts beschreven wapen had een grotere vuurkracht dan het gebruikelijke beanbag-wapen. Een normale kogel was bedoeld om het doel met optimale kracht binnen te dringen, maar dit projectiel spatte bij inslag uiteen.

'Ik kon gewoon niet ophouden met overgeven,' zei Watts. 'Fletcher boeide me aan handen en voeten, sleepte Tim naar de andere kamer en sloot mij toen op in de badkamer. De brandweer moest de deur openbreken.'

*Waarom had Fletcher Watts niet gedood?* Darby liet de vraag rusten.

'Heeft hij nog iets tegen je gezegd, Cliff?'

'Geen woord.'

'Heb je hem misschien iets tegen Bryson horen zeggen?'

Watts schudde zijn hoofd en bracht het zuurstofmasker naar zijn gezicht.

'Hoe was de bewaking geregeld?'

'Er waren daar twee knapen die met van die detectors controleerden of je een mes of een vuurwapen bij je droeg. Ze zeiden dat Fletcher zijn badge liet zien en dat ze hem toen hebben doorgelaten. Bewakingscamera's heb ik niet gezien, maar ik heb er ook niet echt op gelet.'

'Wie heeft de leiding over de plaats delict?'

'Neil Joseph.'

Prima. Darby kende Neil. Het was een prima vent.

'Fletcher ging naar beneden met een roodharige vrouw,' zei Watts. 'We dachten dat hij daarheen ging om een nummertje te maken. Het is een van die seksclubs met een sauna en allemaal kamers vol met van die speeltjes die een net katholiek meisje als jij zouden doen blozen.'

Met een vermoeide grijns zette hij het masker weer op en ademde een paar keer diep in.

'Je kunt daar niet naar beneden, tenzij je een gasmasker hebt,' zei hij. 'Afgezien van die rookgranaat, heeft Fletcher nog een extra gasgranaat gegooid. Er is daar beneden nauwelijks ventilatie, dus er hangt daar, ook vanwege de stoom van de sauna, nog steeds van die chemische troep.'

Darby ging op zoek naar Neil Joseph. Een agent wees op een club met een bakstenen gevel die de naam Instant Karma droeg.

Alle lichten in de club waren aan. Op een volle dansvloer werden getuigen ondervraagd door agenten en rechercheurs. Tegen het plafond hingen lege stalen kooien, tafeltjes en barbladen stonden vol bierflesjes en glazen, waarvan veel nog gevuld met drank. Darby vond Neil Joseph in een met koorden afgezet gedeelte achter de bar. Er stonden luxe fauteuils en banken. Hij praatte daar met een groepje breedgeschouderde jonge mannen. Ze waren allemaal in het zwart gekleed en op de rugzijde van hun bijpassende shirts stond in grote letters SECURITY.

Toen Neil haar zag, klapte hij zijn notitieblok dicht en hinkte naar haar toe. Wat er nog van zijn zwarte haar over was, kleefde vochtig tegen zijn schedel. Afgezien van het feit dat hij mank liep vanwege zijn slechte knie, was hij sinds de dag dat ze in dienst was gekomen geen haar veranderd – een agent van de oude stempel met een no-nonsensehouding die schuilging achter lagen van bijtend sarcasme, gevormd door vele dienstjaren en zijn strenge opvoeding als een van twaalf broers in een Iers katholiek gezin.

'Is de vrouw al gevonden die met onze verdachte naar beneden is gegaan?' vroeg Darby.

'Nog niet. Toen het brandalarm afging, zijn ze er allemaal vandoor gegaan. Ken je een vrouw die Tina Sanders heet?'

Darby knikte. 'Haar dochter verdween ruim twintig jaar geleden spoorloos. Er was een vermoeden dat er een mogelijk verband bestond met een huidige zaak.' Ze dacht aan het door een labjas van Sinclair omhulde skelet. De beenderen waren absoluut die van een vrouw. 'De kans is groot dat we haar hebben gevonden.'

'Wanneer heb je het haar verteld?'

'Dat heb ik niet.'

'Dus Tina Sanders weet niet dat jullie haar dochter hebben gevonden?'

'We hebben de overblijfselen nog niet geïdentificeerd. Waarom vraag je dat?'

'Ze is hier. Een taxi heeft de vrouw hier vlakbij afgezet, waarna ze, godbetert, raaskallend over de moordenaar van haar dochter en Brysons zweefduik van het dak, zich met haar looprek een weg door de menigte probeerde te banen.'

'Hoe kan ze dat weten? Heeft iemand het haar verteld?'

'Dat is alles wat ik weet,' zei Neil. 'De vrouw weigert iets te zeggen. Ze wil alleen maar met jou praten.'

# 60

Onder het lopen gaf Neil Joseph haar instructies.

'Wees geduldig,' zei hij. 'Als de vrouw je vraag niet direct beantwoordt, wacht dan even rustig af. Stilte kan je grootste bondgenoot zijn. De meeste mensen willen graag praten, hun gemoed luchten. Het is belangrijk dat er naar hen wordt geluisterd. En wanneer ze praat, voel dan met haar mee. Knik op de juiste momenten. Je wilt dat ze zich voor je openstelt en haar hart bij je uitstort. Maak geen notities, luister alleen maar. Je wilt dat ze je vertrouwt.'

Tina Sanders zat achter in een politieauto die in een steeg stond geparkeerd, weg van de beroering. Ze droeg dezelfde versleten winterjas die Darby die ochtend op het lab had gezien.

Neil klopte op het raampje bij de bestuurder. De politieman liet de motor lopen en liep met Neil de steeg in om een sigaret te roken.

Darby opende het achterportier. De binnenverlichting ging aan. Tina Sanders keek niet op of om. Over haar gezicht liepen strepen uitgelopen mascara en haar grijze haar zat door de war. Het was alsof ze zo uit haar bed in haar kleren was gestapt. De knokige vingers van haar reumatische handen hielden het sigarettendoosje met het onder het cellofaan geschoven crucifix omklemd.

Darby ging naast haar zitten en trok het portier dicht. Het was onaangenaam warm in de auto en het rook naar verschaald bier en sigaretten.

'Ik heb begrepen dat u me wilt spreken.'

Tina Sanders gaf geen antwoord. In het blauwachtige schijnsel van de dashboardverlichting zag Darby de donkere kringen onder de ogen van de vrouw. Haar diep doorgroefde wangen glansden vochtig, maar toen ze sprak klonk haar stem helder.

'Hij zei dat ik u kon vertrouwen,' zei Tina Sanders.

'Wie zei dat?'

'Malcolm Fletcher. Hij zei dat hij Malcolm Fletcher heette. Hij is een FBI-agent, of zoiets. Hij belde me vandaag op. Twee keer...' De vrouw onderbrak haar woordenstroom om even adem te halen. 'Hij was dezelfde man die me opbelde en tegen me zei dat ik in mijn brievenbus moest gaan kijken en dat ik naar het forensisch lab moest gaan om met u over Jenny te praten.'

'U zei dat hij twee keer heeft gebeld.'

Tina Sanders knikte. Haar tong gleed over haar lippen.

'Wanneer belde hij voor het eerst?'

'Vanmiddag. Hij vertelde me dat u Jenny's lichaam had gevonden.'

Darby kreeg een ongemakkelijk gevoel.

'Hebt u Jenny gevonden?'

'We hebben een stoffelijk overschot gevonden,' antwoordde Darby. 'Maar ik kan niet met zekerheid zeggen dat het uw dochter is. We moeten eerst de gebitsgegevens vergelijken.'

'Hoe is ze gestorven?'

'Ik weet het niet.'

Jennifers moeder staarde omlaag naar de rozenkrans, dat nu om haar vingers zat gewikkeld. Tranen stroomden over haar wangen.

'Hij zei dat u het me zou vertellen. Hij zei me dat ik hierheen moest gaan, dat ik u hier zou vinden en dat u me zou vertellen wat er met mijn dochter is gebeurd.'

'Momenteel weet ik nog niets,' zei Darby. 'Ik heb het gebeente nog niet onderzocht.'

'Hij zei dat u me de waarheid zou vertellen.'

'Ik vertel u de waarheid. Als de stoffelijke resten die we gevonden hebben die van uw dochter blijken te zijn, dan zal ik u alles vertellen. Dat beloof ik.'

'Hebt u Sam Dingle gevonden?'

'Wie?'

Tina Sanders wendde haar hoofd af en staarde uit het raam.

'Wie is Sam Dingle?' vroeg Darby.

De vrouw gaf geen antwoord. De onbewogen uitdrukking op haar gezicht deed Darby aan haar moeder denken – Sheila, starend naar de doodskist van Big Red, niet gelovend dat hij daarin lag, dood en wachtend tot ze hem in de grond zouden laten zakken terwijl de priester preekte over Gods ondoorgrondelijke wegen; Sheila voor de garderobekast, bang om Reds kleren aan te raken; Sheila, in de maanden na zijn begrafenis verdwaasd rondzwervend door het huis, zich afvragend wat er fout was gegaan, hoe ze hier terecht was gekomen.

'Hij gaf me rechercheur Bryson aan de telefoon.'

'U hebt met rechercheur Bryson gesproken?' vroeg Darby verbaasd.

Jennifers moeder knikte.

'Wanneer was dat?'

'Vanavond,' antwoordde Sanders. 'Hij heeft alles bekend.'

'Hoe weet u dat u met rechercheur Bryson hebt gesproken?'

'Ik herkende zijn stem,' antwoordde de vrouw. Haar stem klonk beangstigend kalm. Ze omklemde het crucifix in haar hand en sloot haar ogen.

Het duizelde Darby. Ze wilde het raampje omlaagdraaien om frisse lucht binnen te laten. 'Wat heeft rechercheur Bryson u verteld?'

'Al deze jaren… al deze jaren heb ik God gesmeekt om me te laten weten wat er met Jenny is gebeurd. Want als ik de waarheid wist, dan zou ik tenminste kunnen rouwen en verder met mijn leven gaan, misschien verhuizen naar een plek waar de herinnering aan Jenny niet zoveel pijn zou doen. De tijd doet de behoefte om de waarheid te kennen niet minder worden, hij maakt hem alleen maar groter.'

Darby moest denken aan Fletchers waarschuwing. Wat had hij ook weer gezegd? *Juist iemand als u zou ik niet hoeven te vertellen dat de waarheid, vaker wel dan niet, een ondraaglijke last kan zijn. Daar zou u eens over kunnen nadenken.*

'Nadat ik het politiebureau had verlaten, was ik boos,' zei Tina Sanders. 'Ik wilde niet opnieuw hoop koesteren, hoop dat ik ooit nog eens de waarheid zou weten. Dat was in al die jaren al te vaak gebeurd. Ik ben naar de kerk gegaan en ik heb God gevraagd de hoop weg te nemen. Maar pater Murphy zei dat ik moest blijven vertrouwen. "God zal zijn engelen sturen, Tina," zei hij.

En toen belde die Malcolm Fletcher op. Hij gaf me rechercheur Bryson aan de telefoon, die me vertelde hoe Sam Dingle deze vrouwen had vermoord. Rechercheur Bryson *wist* dat Dingle schuldig was en toch ging hij naar zijn vader om te zeggen dat hij de riem zou laten verdwijnen omdat hij het geld nodig had om de dokters te kunnen betalen die zijn dochter behandelden. Hij liet Dingle gaan en Dingle kwam terug en vermoordde Jenny. De man verkrachtte mijn dochter *dagenlang* in die kelder, om haar daarna te wurgen en te laten wegrotten.'

'Heeft rechercheur Bryson u dit vertéld?'

Tina Sanders staarde weer naar haar rozenkrans. 'Pater Murphy zei dat als ik ooit de man zou ontmoeten die Jenny heeft vermoord, ik hem dan moest vergeven. Het was de enige manier om de woede weg te nemen. Ik moest hem vergeven.

Malcolm Fletcher vroeg me hoe rechercheur Bryson gestraft moest worden. Ik heb hem gezegd dat het aan God was om dat te beslissen. Dat is precies wat ik toen heb geantwoord.' Haar vingers klemden zich om het crucifix in haar hand en ze sloot haar ogen. 'Is hij dood?'

'Ja.'

'Heeft hij geleden?'

'Ja, dat heeft hij,' antwoordde Darby, de vrouw de waarheid vertellend.

Jennifers moeder zuchtte diep. Ze opende haar ogen, slikte haar tranen weg en staarde weer uit het raam.

Ze weigerde verder nog iets te zeggen.

# 61

Darby kreeg de verantwoordelijkheid over de plaats delict. De overige labmedewerkers werden naar de nachtclub geroepen. Er ging veel tijd overheen voordat de benodigde gasmaskers waren gevonden.

Om zes uur 's morgens verscheen ze, vermoeid en met rooddoorlopen ogen, op het laboratorium. Ze was net begonnen met het beschrijven van het verzamelde bewijsmateriaal toen Neil Joseph belde. Hij vroeg haar naar het mortuarium te komen.

De deur van haar kantoor stond open. Licht van binnen viel op de gang. '... weten nog geen verdere details,' hoorde Darby een verslaggever zeggen. 'Rechercheur Timothy Bryson had bij de politie van Boston de leiding over de pas geformeerde Criminal Services Unit, waar werd gewerkt aan de moorden op Emma Hale en Judith Chen. Beide vrouwen werden ontvoerd en bleven weken spoorloos voordat hun lichamen werden gevonden. Beide vrouwen bleken als bij een executie met een schot in het achterhoofd te zijn omgebracht. Terwijl de politie over de moord op deze twee studentes ongebruikelijk onmededeelzaam is geweest, heeft Channel Seven dankzij een nauw bij het onderzoek betrokken bron onthuld dat Hannah Givens, een eerstejaarsstudente bij de Northeastern University, wordt vermist en mogelijk het volgende slachtoffer is van deze in Boston opererende seriemoordenaar. Verwacht wordt dat commissaris van politie Christina Chadzynski in de loop van deze middag een persconferentie zal geven. We houden u op de hoogte.'

Darby liep haar kantoor binnen, waar Coop en Woodbury naar het laatste nieuws op internet zaten te kijken.

'Zeiden ze nog iets over Malcolm Fletcher?' vroeg Darby.

'Ik heb niets gehoord,' zei Coop, haar vraag beantwoordend.

'En ik heb nog geen gelegenheid gehad om een krant in te kijken. We zijn net terug van Sinclair.'

'Hebben ze op het nieuws nog iets over het stoffelijk overschot gezegd?'

Coop schudde zijn hoofd. Zijn ogen waren dik en bloeddoorlopen.

'Het stoffelijk overschot is in Carters kantoor,' zei hij. 'Keith en ik beginnen met het isolatietape en de kleding.'

'Oké, prima.'

'Die draagbare Sony die je hebt gevonden is een nieuw model, een gecombineerd apparaat, met een radio, cassette- en cd-speler. Je kunt er zelfs een MP3-speler op aansluiten. Is je er niets vreemds aan opgevallen?'

'Het was het enige voorwerp in die ruimte dat niet bedekt was met stof.'

'Precies,' zei Coop. 'Dus of Malcolm Fletcher heeft de radio daar neergezet, of de moordenaar.'

'De moordenaar?'

'We hebben de doos met beeldjes van de Maagd Maria gevonden en het beeld van haar in de kapel was schoon. We weten dat deze knaap daar komt om, naar het schijnt, met de Maagd Maria te praten, of zoiets. Maar misschien gaat hij ook wel naar de andere kamer om daar het bandje te beluisteren en zo opnieuw te beleven wat hij Sanders heeft aangedaan. Dat is toch wat dit soort psychopaten doet?'

'Soms wel,' zei Darby.

'Maar jij gelooft dat dus niet.'

'Je hebt het stoffelijke overschot gezien. De spijkerbroek was omlaaggetrokken. De vrouw, wie ze ook was, is verkracht en misschien zelfs gemarteld.' Darby dacht terug aan gedeelten van de opnamen – de man kreunend van extase, de vrouw, huilend van angst en pijn, smekend om het te doen ophouden. 'Als het dezelfde moordenaar is, dan snap ik niet dat deze man die eerst alleen vrouwen verkracht, ze daarna gaat ontvoeren en wekenlang vasthoudt om ze uiteindelijk dood te schieten en met een Mariabeeldje in hun zak genaaid in het water te dumpen.'

'Hale en Chen zijn wekenlang ergens vastgehouden. We weten niet wat die knaap hun heeft aangedaan.'

'Je hebt gelijk,' zei Darby. 'Dat weten we niet. En als de moordenaar dat cassettebandje niet heeft meegebracht, dan blijft er nog maar één persoon over – Malcolm Fletcher. Vraag me niet waarom, ik heb geen idee.'

'Het is een oude cassette. In het plastic staat het merk PCL geperst. Ik herinner me niet meer waar dat voor stond, maar wel dat ik ze zelf in de jaren tachtig in platenzaken kocht. Ze waren de goedkoopste die er te krijgen waren. Volgens mij worden ze niet meer gemaakt, maar dat kunnen we nagaan.

En wat het analyseren van de opname betreft. Aangezien we niet over de apparatuur beschikken waarmee bepaalde geluiden zoals achtergrondlawaai kunnen worden uitgefilterd of versterkt, moeten we dat door een particulier bedrijf laten doen, of we kunnen de FBI bellen, die het op haar beurt weer uitbesteedt aan een van die geluidsfreaks bij de geheime dienst.'

'Persoonlijk zou ik voor de Aerospace Corporation in Los Angeles kiezen,' stelde Woodbury voor. 'Zij hebben indertijd aan die 911-oproep bij de zaak-JonBenét Ramsey gewerkt. Aerospace had meer succes dan de geheime dienst.'

'Bel ze maar,' zei Darby. 'Kun je een kopie van dat bandje voor me maken?'

'Waarschijnlijk kan ik er een MP3-bestand van maken en het op een cd branden.'

'Prima. Hoe staat het met het onbekende make-upmonster?'

'Daar werk ik nog aan, samen met mijn vriend bij het MIT,' antwoordde Woodbury. 'Ik was van plan er vandaag heen te gaan, maar gezien wat er nu gaande is, komen we krap in onze tijd en capaciteit te zitten.'

'En dat is waarschijnlijk precies wat Fletcher wil,' zei Coop. 'Hij begraaft ons onder bewijsmateriaal. Het kost ons waarschijnlijk de rest van de week plus overwerk om te onderzoeken wat we in het ziekenhuis hebben gevonden.'

'Ik wil dat we ons op Hannah Givens concentreren,' zei Darby. 'Zij is onze topprioriteit. Neil Joseph werkt aan Brysons zaak. Fletcher is nu zijn verantwoordelijkheid.'

'Keith en ik hebben de gedeeltelijke vingerafdruk op Chens zak afgenomen,' zei Coop. 'Hij wordt vergeleken in AFIS.'

'En de duimafdruk op haar voorhoofd?'

'Ik heb geen match gevonden. Wel is het resultaat van het ballistisch onderzoek binnen. De in het hoofd van Chen aangetroffen kogel is afgevuurd met hetzelfde wapen als waarmee Hale werd vermoord. En jij? Wat heb jij allemaal voor nieuws?'

Darby vertelde hem over de kelderverdieping van Instant Karma, een chic badhuis uitsluitend voor leden, waar aan elke seksuele wens kon worden voldaan. Noah Eckart, de bedrijfsleider, verkoos het etablissement een 'privéclub voor heren' te noemen. Het lidmaatschap kostte vijfduizend dollar per jaar. Malcolm Fletcher had zich twee dagen geleden laten inschrijven als Samuel Dingle en contant betaald. De administratie vermeldde een adres in Saurus. Darby vroeg zich af of Fletcher al tijdens die gelegenheid het door Watts beschreven 'niet-dodelijke' geweer daar binnen had gebracht. Had Fletcher dit allemaal van tevoren gepland om Bryson zijn dood tegemoet te lokken?

De privéclub had geen bewakingscamera's. Leden toonden hun identiteitsbewijs, en schreven zich in. De naam Sam Dingle stond op de lijst.

Fletcher had speciaal verzocht om kamer drieëndertig, die zich gemakkelijk direct naast de lift bevond. Hij was in gezelschap geweest van een nog onbekende jonge vrouw met lang, rood haar.

Eckart had Bryson en Watts naar de kamer gebracht. Na het horen van de schoten had hij de benen genomen en in plaats van de politie de bewaking gewaarschuwd. 'Zoals u ongetwijfeld kunt begrijpen,' had hij tegen Neil Joseph gezegd, 'wilde ik de zaak zo geruisloos mogelijk afhandelen.' Maar toen dikke, grijze rookwolken de kamers begonnen te vullen, had Eckart, in de veronderstelling dat er brand was, geen andere optie gehad dan het brandalarm te laten afgaan.

Het was moeilijk geweest getuigen te vinden. Neil had twee mannen weten te vinden, die pas na lang aandringen verklaarden dat ze – net voordat de gangen zich vulden met rook en misselijkmakende, chemische dampen uit een rook- en een gasgranaat – hadden gezien hoe een man, die voldeed aan het signalement van Bryson, in de privélift werd gesleept.

'De gas- en rookgranaten worden door SWAT-teams gebruikt bij gijzelingen,' zei Darby. 'Beide granaten hebben een serienummer, zodat de fabrikant kan zien aan welke politie-eenheid die zijn geleverd.'

Darby was er vrijwel zeker van dat Fletcher deze granaten óf via de illegale handel had gekocht, óf ergens op een wapenbeurs in een staat waar de wet niet zo strikt werd gehanteerd en alles voor geld te koop was.

De drie hulzen, die de blauwe balletjes hadden bevat die de badkamervloer bedekten, droegen ook serienummers. Aan Neil Young de ondankbare taak deze aanwijzingen, die vrijwel zeker waardeloos zouden blijken te zijn, ten koste van veel mankracht na te trekken.

'Denk je dat Fletcher nog steeds in Boston zit?' vroeg Coop.

'Als hij hier nog is, dan toch niet lang meer,' antwoordde Darby. 'Hij heeft net een politieman vermoord. Iedereen in de staat gaat naar hem op zoek.' Darby wierp een blik op haar horloge. 'Ik moet naar het mortuarium,' zei ze.

Terwijl ze op de lift stond te wachten, vroeg Darby zich af waarom Fletcher ervoor had gekozen om van Brysons dood zo'n publiek spektakel te maken. Door dit te doen, had hij de volle aandacht van de pers weten te trekken, misschien met de bedoeling om zo Brysons zonden nationale bekendheid te geven. Chadzynski was waarschijnlijk al met haar media-adviseur in overleg om de juiste tactiek te bepalen.

Darby kon het haar niet kwalijk nemen. Als dat wat Tina Sanders had gezegd waar was – dat Tim Bryson in ruil voor geld een belangrijk bewijsstuk had laten verdwijnen – hoeveel andere zaken had hij dan nog meer gecorrumpeerd? Had hij misschien ook bij de zaak van Emma Hale bewijsmateriaal vernietigd of laten verdwijnen?

# 62

Op een roestvrijstalen tafel, onder een met bloed bevlekt, blauw laken, lag het lichaam van Tom Bryson. Darby liep naar het achterste gedeelte van de autopsieruimte. Cliff Watts, met zijn armen over elkaar geslagen en een opgezet gezicht van de gehechte snee op zijn voorhoofd, keek mee over de schouder van Neil Joseph, die gebogen over een van de werktafels een met bloed besmeurd plastic bewijszakje bestudeerde. Naast het zakje lag een mobiel telefoontje met een gebarsten schermpje.

'Dit zat in zijn jaszak,' zei Neil tegen haar, met zijn balpen tegen het zakje tikkend. Het bevatte het rijbewijs van Jennifer Sanders, haar identiteitskaart van het ziekenhuis en wat creditcards. 'Ik heb begrepen dat je naast het stoffelijke overschot een tas hebt aangetroffen.'

Darby knikte. 'Daar zat niets in,' zei ze.

'Heeft Bryson dit afgelopen weekend het ziekenhuis niet doorzocht?'

'We hebben ons opgesplitst in teams. Het keldergedeelte is een doolhof.'

'Was Bryson samen met jou?'

'Nee.'

'Hoe was de zoekactie georganiseerd?' vroeg Neil, zich tot Watts richtend.

'Elk team bestond uit drie man – twee agenten en iemand van de bewakingsdienst,' antwoordde Watts. 'De politie van Danvers heeft enkele van hun mensen aan ons uitgeleend.'

'Ik heb met Bill Jordan gesproken. Hij vertelde me dat je op verschillende manieren het ziekenhuis kunt binnenkomen. Bryson wist precies welke.'

'Wat wil je daarmee zeggen?'

'Dat je partner misschien is teruggegaan om dit bewijsmateriaal te gaan halen, maar niet de tijd heeft gehad om er zich van te ontdoen.'

'Klets niet, Neil. Je weet even goed als ik dat Fletcher dit zakje in Brysons zak heeft gestopt voordat hij hem van het dak gooide.'

'Dat weet ik helemaal niet. Het enige wat ik weet is dat dit zakje in Brysons jasje is gevonden. Misschien is er wel iets waar van wat Bryson Tina Sanders over dat zoekgeraakte bewijsstuk vertelde – wat was het ook weer, een riem?'

'Neem je het soms op voor een psychopaat?'

'Nee, Cliff, dat doe ik niet. Ik vraag me alleen af waarom Fletcher Bryson van het dak heeft gegooid – het dak van een openbare gelegenheid, nota bene. Ik probeer erachter te komen of je partner vuile handen had.' Neil ging rechtop staan en keek Watts strak aan. 'Hebben jullie niet samen aan die zaak in Saurus gewerkt?'

'Deze aantijgingen hoef ik niet te pikken.' Watts beende razend het vertrek uit.

'Blijf in de buurt,' riep Neil hem na. Hij keek Darby aan. 'Heb jij er misschien nog iets aan toe te voegen?' vroeg hij toen hij de uitdrukking op haar gezicht zag.

'Ik moest denken aan iets dat Fletcher tegen me zei, een citaat van Bernard Shaw: "Als je het lijk in de kast niet kwijt kunt raken, dan kun je het maar beter laten dansen."'

'Nou, het begint erop te lijken dat die klootzak zijn zin krijgt. Bryson is het nieuws van de dag. Hoe lang denk je dat het nog duurt voordat dat gesprek met Tina Sanders bekend raakt? Volgens mij niet langer dan tot het eind van de week.'

'Toen ik het stoffelijk overschot vond, draaide er een cassettebandje,' zei Darby. 'Als Bryson was teruggegaan om haar tas leeg te maken, waarom zou hij dan de cassette hebben achtergelaten?'

'Dat is een goede vraag. Heb je ook een antwoord voor me?'

'Nog niet, maar als ik jou was, dan zou ik mijn toon maar wat matigen.'

Darby liet hem alleen om haar operatiekleren te gaan aantrekken. Ze liet koud water over haar gezicht stromen tot haar huid verdoofd aanvoelde.

Toen ze met haar gereedschap in het vertrek terugkeerde, was Identificatie foto's aan het nemen. Tim Brysons verminkte, gebroken lichaam, nog steeds gekleed in zijn met bloed doordrenkte kleren, lag onder het felle licht van de autopsielampen. Om zijn handen waren zakken gebonden.

Neil liep naar haar toe en kwam naast haar staan. 'Tina Sanders wil nog steeds niet met ons praten,' zei hij, leunend tegen de werktafel. 'Denk je dat Fletcher haar heeft bedreigd?'

'Ik weet het niet, maar volgens mij is ze in shock. Jaren gaan voorbij, en dan, binnen twee dagen, ontdekt ze niet alleen dat de stoffelijke resten van haar dochter zijn gevonden, ze krijgt ook nog eens de naam te horen van de man die haar heeft vermoord.'

'Heb je recentelijk nog met Jonathan Hale gesproken?'

'Bryson en ik zijn zaterdag bij hem geweest om te praten.'

'Heb je hem daarna nog gesproken?'

'Nee. Hoezo?'

'Ik heb de belhistorie van Brysons mobieltje eens doorgekeken. Hales naam komt daar twee keer in voor. Hale heeft afgelopen nacht twee keer gebeld. Bryson heeft een voicemail, maar ik heb geen wachtwoord, dus kan ik die niet openen. Enig bezwaar als ik met Hale praat?'

'Ga je gang.'

Toen Identificatie klaar was met de eerste serie opnamen nam Darby monsters van het vuil onder Brysons vingernagels. De binnenkant van zijn handen was onbeschadigd – hij had zich niet tegen Fletcher verzet. Zijn rechterpols was gebroken.

Bij het verzamelen van vezels en stukjes glas van de kleding vond Darby een kleine bloeduitstorting in Brysons nek.

'Het lijkt wel een injectieplek,' zei ze tegen Neil. 'We zullen moet wachten tot we het toxologisch rapport hebben.'

Darby begon de kleren open te snijden. Terugdenkend aan het gesprek met Tina Sanders, herinnerde ze zich de ingelijste foto van het jonge meisje op Brysons bureau.

*Ik had een dochtertje, Emily,* had Bryson haar die ochtend na hun bezoek aan Jonathan Hale verteld. *Ze leed aan een zeldzame vorm van leukemie. We hebben alle mogelijke specialisten met haar afgelopen. Na te hebben gezien wat ze allemaal heeft moeten doormaken, zou ik mijn ziel en zaligheid hebben verkocht om haar leven te kunnen redden. Ik weet dat het nogal melodramatisch klinkt, maar ik zweer je dat het de waarheid is. Voor je kinderen doe je alles. Wat dat ook is.*

Was Bryson zo wanhopig geweest, dat hij gedreven door angst

en liefde voor zijn dochter een plan had beraamd om het belangrijkste bewijsstuk bij een moordzaak te laten verdwijnen in ruil voor geld dat hij nodig had voor een ultieme poging om het leven van zijn dochter te redden?

Darby gleed weg naar een plek in haar ziel waar ze haar ware gevoelens over mensen bewaarde. Een plek waar elk menselijk handelen met een verbeten, bijna kinderlijke eerlijkheid werd getoetst, waar voortdurend strijd werd gevoerd om alles en iedereen volgens duidelijke categorieën in te delen; eerlijk of oneerlijk, goed of slecht. In welke categorie viel Bryson? Darby overwoog de vraag en was verbaasd, zelfs een beetje geschokt, toen ze een kil soort voldoening voelde.

Om het gevoel te verdrijven dacht ze aan de ingelijste foto van het jonge meisje. Ze concentreerde zich op Emily Brysons glimlach om een zekere mate van begrip op te kunnen brengen, maar het lukte haar niet.

# 63

De Eenheid Forensische Antropologie van Boston was ondergebracht in enkele raamloze kantoortjes, volgestouwd met grijze stalen standaard-boekenkasten en bijpassende archiefkasten. Afgezien van een anatomische kaart waren de witte muren achter Carters bureau kaal.

'Sorry dat ik je heb laten wachten,' zei Darby.

'Geeft niet. Zo hebben de studenten meer tijd gekregen om de beenderen te bekijken. Het gebeurt maar zelden dat we hier een volledig skelet krijgen.' Carter, klein en gezet, met een grijze stoppelbaard en een bril met dikke glazen die ergens uit de vorige eeuw leek te komen, stond kreunend op. 'Je ziet er uitgeput uit,' zei hij.

'Ik heb nog niet geslapen.'

'Ik kan nog niet zeggen of de stoffelijke resten van Jennifer Sanders zijn. Ik moet nog steeds de gebitsgegevens krijgen.'

Carter bracht haar naar de kleedkamer, waar Darby operatiekleding aantrok, waarna ze hem door de gang volgde naar de bottenkamer.

Ze kwam langs de kleine ruimte waarin zich een gootsteen en een fornuis bevonden. Beenderen die hiernaartoe werden gestuurd om te worden onderzocht, waren vaker wel dan niet bedekt met resten in ontbinding verkerende, weke delen. In zulke gevallen werden de botten in kookpannen en ketels gedaan en geleidelijk aan de kook gebracht, zodat de botten zich aan de warmte konden aanpassen. Dit proces, dat thermische maceratie heet, doet het resterende weefsel van het bot loskomen.

De overblijfselen lagen uitgestald op een verstelbare stalen brancard, van hetzelfde type als ook in het mortuarium werd gebruikt. Zoals gewoonlijk was het erg koud in het vertrek.

'De stoffelijke resten zijn met zekerheid vrouwelijk,' zei Carter, op het bekken wijzend. 'We zien hier een hoogliggend bekken met een brede sciatische notch. Gezien het blonde haar en de schedelkarakteristieken, hebben we hier duidelijk met een blanke vrouw te maken.'

'Leeftijd?'

'Aangezien de uiteinden van de botten niet volledig zijn vergroeid met de botschachten, moet ze in ieder geval vijfentwintig zijn geweest. Het bekken is glad en compact. De botstructuur is er nog niet sponsachtig en mede gezien het feit dat de naden in het tussenkraakbeen van de bovenkaak nog niet gesloten zijn, zal ze niet ouder dan vijfendertig zijn geweest.'

'Doodsoorzaak?'

'Kijk eens naar het tongbeen.'

Darby bekeek het hoefijzervormige botje in de nek. Het was gebroken.

'Ze is gewurgd.'

'Klopt. En kijk nu hier eens naar,' zei Carter, naar het schouderblad wijzend, waar Darby een grote breuk zag.

'Dat is door een harde slag veroorzaakt,' zei Carter. 'Of hij heeft haar geschopt, of met iets als een knuppel of een lang stuk hout geslagen.'

'Of met een steen?'

'Dat zou ook kunnen. Ze heeft nog meer breuken. Het arme kind is in elkaar gebeukt.' Carter schudde zuchtend zijn hoofd. 'De lengte van het bovenbeen is bijna achtenveertig centimeter. Ons onbekende slachtoffer moet tussen de een meter vijfenzestig en de een meter zeventig lang zijn geweest.'

De telefoon rinkelde.

'Een ogenblikje, alsjeblieft,' zei Carter, opnemend. Hij luisterde even en legde toen zonder iets te zeggen de hoorn weer neer.

'De gebitsgegevens van Jennifer Sanders zijn binnen. Ik ben zo terug.'

Terwijl Carter bezig was de gebitsgegevens te vergelijken, staarde Darby naar de stoffelijke resten. Hoe lang hadden die daar in de kamer tussen het puin gelegen, vroeg ze zich af. Was ze, voordat ze werd gewurgd, dagenlang geslagen en mogelijk verkracht? Hoe lang had ze om hulp geroepen?

Carter schoof zijn bril omhoog over zijn grote haakneus.

'Het is Jennifer Sanders,' zei hij.

# 64

Walter zette het dienblad zacht op het aanrecht. Hannah had het meeste van haar avondeten opgegeten. Hoewel ze nu al vijf dagen bij hem was, had ze nog geen woord tegen hem gesproken.

Emma Hale was de eerste twee weken als een viswijf tekeergegaan. Ze had hem uitgemaakt voor alles wat mooi en lelijk was en geëist dat ze hem onmiddellijk zou laten gaan. In het begin van de tweede maand had ze geprobeerd hem met een van de keukenstoelen in haar kamer aan te vallen. Om te voorkomen dat het nog eens zou gebeuren, had hij de stoelen met kettingen, sloten en klampen aan de poten van de keukentafel vastgemaakt. Als straf had hij de elektriciteit naar haar kamer afgesloten en Emma een paar dagen zonder eten in het donker laten zitten. Om haar een lesje te leren.

Het had geholpen. De drie daaropvolgende maanden had Emma zich fatsoenlijk gedragen. Ze was vriendelijk en aardig geweest en leek geïnteresseerd in wat hij te zeggen had. Ze had zich meer opengesteld en dingen over haar leven verteld – persoonlijke dingen, zoals de dood van haar moeder. Ze hadden veel lange, prettige gesprekken gevoerd en zelfs samen naar films als *When Harry Met Sally* en *Pretty Woman* gekeken. Als blijk van waardering had hij haar voor een sfeervol etentje meegenomen naar de eetkamer boven en alles opgediend in schitterend porselein. Als dank had Emma een bord op zijn hoofd stukgeslagen. Het was haar bijna gelukt de voordeur te bereiken.

In het begin was hij zo betoverd geweest door Emma's schoonheid, dat hij wel alles had willen doen om haar voor zich te winnen. Hij was zelfs zover gegaan dat hij haar huis was binnengedrongen om een speciale halsketting voor haar te gaan halen, om Emma ermee te verrassen. Toen ze hem daarna nog steeds haar liefde weigerde, had Maria gezegd dat het tijd werd om Emma weg te sturen.

Judith Chen had de eerste week niet geschreeuwd of gescholden; dat kwam pas later. Toen hij had aangeboden kleren voor haar te kopen, welke kleren ze ook wilde, had ze dankbaar ja gezegd. Ze had de kleren voor hem aangetrokken, gezegd dat ze ze mooi vond en hem bedankt. Hij had alle boeken, dvd's en bladen die ze wilde hebben voor haar gekocht. Hij had al haar favoriete maaltijden voor haar klaargemaakt en altijd had ze hem bedankt.

Met haar zachte stem en ontwapenende maniertjes had Judith hem zover weten te krijgen dat hij haar mee naar buiten nam, voor een wandelingetje in de frisse lucht. Hij deed het altijd 's avonds laat, als iedereen sliep. Met haar geblinddoekt naast zich in de auto reed hij dan een paar kilometer, naar een stille plek in het bos, waar hij met haar wandelde. Ze beklaagde zich nooit over de knevel of de handboeien, en als hij Judith weer terugbracht naar haar kamer, dan bedankte ze hem, steeds weer.

De avond dat ze had geprobeerd te ontsnappen, was tijdens een van hun aangename wandelingen in het bos. Ze was deze keer niet gekneveld, maar haar polsen waren geboeid. Op de terugweg naar de auto had ze hem gevraagd of ze hem mocht kussen. Met een glimlach had ze zich naar hem voorovergebogen en toen haar knie in zijn kruis geramd.

Een withete pijn was door zijn lichaam getrokken en als een supernova achter zijn ogen ontploft. Het volgende dat hij wist, was dat hij op de grond tussen verdroogde dennennaalden naar adem lag te snakken. Ze had hem in zijn maag geschopt en wel twee, drie keer tegen zijn hoofd. Toen was ze op de grond gaan zitten, waarna ze als een acrobaat haar geboeide armen langs de achterkant van haar benen en toen over haar voeten had getrokken. Ze had de autosleutels uit zijn jaszak gepakt en was toen het bos in gerend.

Bloedend en duizelig had hij kans gezien overeind te komen en achter haar aan te gaan. Ontspan je, had Maria tegen hem gezegd – alles zal goed komen. En Maria had gelijk; ze had altijd gelijk.

Walter wist Judith in te halen net toen ze de auto had bereikt. Hij rukte haar weg bij het portier en sloeg haar met haar gezicht tegen de motorkap. Toen ze bleef schreeuwen, bleef hij haar hoofd op de motorkap en tegen de voorruit slaan tot Maria zei dat het genoeg was.

Vanaf dat ogenblik zei Judith niets meer. Toen ze daarna ziek werd, was de tijd gekomen dat ze moest gaan...

Waarom wilde Hannah niets tegen hem zeggen?

Toen hij haar deze morgen het ontbijt bracht, had hij haar gevraagd of er iets was wat ze graag zou willen hebben: een bepaald boek, of een dvd, of een cd van haar favoriete band – alles, maakte niet uit wat. Hannah had niet geantwoord.

Walter was een uur daarna teruggekomen en had op de deur geklopt. Ze had niet opengedaan. Hij had de borden van de serveerboy gepakt en ze naar boven gedragen. Daarna had hij extra lang met zijn halters getraind en langdurig gedoucht.

Hij had haar lunch gebracht en aangeklopt. Toen Hannah niet opendeed, liet hij zichzelf binnen. Ze zat weer in de leren stoel.

Niet in staat de stilte nog langer te verdragen, had Walter besloten Hannah over het ongeluk te vertellen, over hoe hij in bed wakker werd terwijl zijn haren en huid in brand stonden en zijn moeder al dood op het brandende bed lag. Hij had het mamma niet kwalijk genomen dat ze hem pijn had gedaan, verzekerde hij haar. Mamma was boos geweest omdat pappa haar in de steek had gelaten toen Walter nog in haar buik zat en ze twee baantjes had moeten nemen om voor een dak boven hun hoofd en eten op tafel te zorgen. Mamma had gezegd hoe boos ze was op God omdat Hij haar haar dromen had ontnomen en met een slecht kind had opgescheept – en slecht was hij geweest, nou en of. Hij had slechte dingen gedaan om mamma's aandacht te krijgen. Hij vertelde Hannah niet over die keer dat ze hem betrapt had toen hij bezig was dat kleine meisje te verstikken. Het was niet zijn bedoeling geweest, hij had haar alleen maar willen omhelzen. Ze was zo mooi geweest en ze rook zo lekker.

Walter had Hannah verteld hoe hij, met veel geduld en bidden, heel veel bidden, had geleerd mamma te vergeven, ondanks alle verschrikkelijke dingen die ze hem had aangedaan, zoals die ene keer dat ze zijn hand in een pan met kokend water had geduwd. Hij hield nog steeds van haar, zelfs nu mamma weg was en in de hemel.

Nu was het tijd voor Hannah om hem te vergeven. Tijd om verder te gaan. Tijd voor Hannah om dankbaar te zijn voor al die zegeningen in haar leven.

Als gebaar van goede wil gaf Walter haar een presentje – een prachtig vel Crane-schrijfpapier met een bijpassende envelop. Hij gaf haar een pen en vroeg haar een brief naar haar ouders te schrijven, met de belofte dat hij die op de post zou doen. Opnieuw zei hij dat het hem speet dat hij haar pijn had gedaan. Dat het per ongeluk was gedaan. Vergeef me Hannah. Alsjeblieft.

Hannah gaf geen antwoord.

Walter klemde zijn handen om de rand van het aanrecht. Hij had zich opengesteld voor Hannah, haar zijn diepste geheimen verteld, maar ze had daar maar in die vervloekte stoel gezeten, zonder een woord te zeggen, wachtend tot hij zou vertrekken. Haar zwijgen voelde als een vernedering. Hij kon haar wel slaan, maar hij deed het niet. Walter was trots op zijn zelfbeheersing. Hij waste de borden af en deed het licht in de keuken uit.

De twee daaropvolgende uren werkte hij aan de website van een klant. Daarna beulde hij zich af met zijn halters tot zijn spieren het opgaven.

Walter voelde zich nu een stuk beter, minder gespannen. Hij ging zitten en sloeg het trouwalbum open.

De eerste opname was een prachtige zwart-witfoto van Hannah in een wondermooie bruidsjurk van Vera Wang. Walter was gekleed in een klassieke zwarte smoking. Ze hielden elkaars hand vast. De mensen in de kerkbanken glimlachten en klapten vol bewondering. Hier nog een foto van hen tijdens hun huwelijksreis op Aruba. Hannah staande op een spierwit strand, in een adembenemende zwarte bikini die haar gebruinde lichaam nauwelijks bedekte.

Met natte haren, die naar de oceaan roken, keek ze gelukkig glimlachend omlaag, naar haar man, liggend op een handdoek onder een stralende, warme zon. Zijn gespierde, egaal gebruinde lichaam is ongeschonden, nergens is een misvorming of litteken te zien.

Walter was erg goed met computers. Met behulp van Photoshop had hij, van de digitale foto's die hij van haar had genomen terwijl ze naar haar bijbaantje of naar school liep, haar gezicht overgebracht naar foto's die hij op internet had gevonden. De resultaten waren spectaculair geweest.

Zijn favoriete foto was de laatste – Hannah, die hun pasgeboren zoon in haar armen hield.

# 65

De volgende drie dagen speurde Darby rond in Hannah Givens' krappe slaapkamertje, dat nauwelijks plaats bood aan een goedkoop, met stapels boeken en schriften afgeladen bureautje. Ze spitte Hannahs rekeningen door, bekeek foto's, volgekrabbelde papiertjes en 'nog te doen'-lijstjes. Ze trok haar dagplanner na en ondervroeg haar twee kamergenotes, vrienden, klasgenoten, professoren en haar ouders die naar Boston waren gevlogen en die nu in Hannahs kamer verbleven.

Drie lange dagen, en Darby wist niet meer dan dat Hannah Givens voor het laatst was gezien toen ze op de dag van de sneeuwstorm na afloop van haar werk vertrok bij Downtown Crossing's Kingston Deli. De buschauffeur op die route had verklaard dat Hannah Givens nooit de bus had genomen en zowel het buurtonderzoek bij de lokale winkeliers als de uitgebreide mediacampagne had geen enkele getuige opgeleverd.

Door de intensieve mediacampagne, de smeekbedes van de ouders op televisie en het door commissaris Chadzynski geopende gratis telefoonnummer dat regelmatig bij elke nieuwsuitzending meerdere malen werd getoond, hoopten sommige mensen dat de ontvoerder haar zou laten gaan. De politie van Boston had op alle lijnen taps geplaatst. Tot vanmorgen waren er achtendertig meldingen binnengekomen, allemaal even geschift.

Nancy Grace van CNN, aanvoerder van het dolle mediacircus, had de sensatiepers opgehitst zich met volle overgave op de zaak van de studente te storten. Hannahs foto, gemaakt tijdens de uitreiking van haar middelbareschooldiploma, schreeuwde van de voorpagina's van de sensatieblaadjes in de supermarkten, en haar verhaal was hoofdonderwerp bij talkshows als *Inside Edition*. Darby vroeg zich af of dit landelijke mediageweld haar ontvoerder niet zó in paniek zou brengen dat hij zou besluiten haar te doden.

Het zesentwintig jaar oude mysterie van wat er met Jennifer Sanders was gebeurd, was tot nu toe beperkt gebleven tot slechts enkele lokale kranten in New England. Tina Sanders weigerde met de politie te praten. Haar advocaat, een zekere Marshall Grant, een ambulanceachtervolger met een slecht toupetje, die overdag tijdens soaps in amusante tv-commercials de uitgebreide juridische diensten van zijn firma aanprees, was plotseling opgedoken en had Sanders op een of andere manier zover weten te krijgen dat ze haar zaak door hem liet behartigen.

En Grant had er geen enkele moeite mee om met de pers te praten. Het nieuws leverde hem een interview bij Larry King op.

'De politie heeft officieel de stoffelijke resten van Jennifer Sanders geïdentificeerd, maar weigert om ons onbekende redenen te vertellen waar ze is gevonden,' zo had Grant verklaard. 'Niettemin hebben we redenen om aan te nemen dat Jennifers moordenaar mogelijk in verband kan worden gebracht met een zekere Samuel Dingle, die in 1982 werd verdacht van het wurgen van twee vrouwen uit Saurus. Het probleem is alleen, Larry, dat rechercheur Bryson, de man die ons meer zou kunnen vertellen, is vermoord door Malcolm Fletcher, een voormalig profielschetser bij de FBI.'

Tim Brysons veronderstelde betrokkenheid bij het verdwijnen van de riem werd in geen enkel krantenartikel of televisieprogramma ter sprake gebracht. Darby vroeg zich af of Chadzynski misschien met de advocaat van Tina Sanders had geregeld dat de zaak werd stilgehouden. Hoe dan ook, Chadzynski en haar prmachine hadden tot nu toe weten te voorkomen dat informatie over Sinclair naar de pers was uitgelekt.

De morgen na Brysons dood had Chadzynski een persconferentie gehouden, waarbij ze Fletchers naam tegenover de media had genoemd. De voormalige profiler, had Chadzynski gezegd, werd gezocht in verband met de moord op rechercheur Timothy Bryson, die van het dak van een bekende nachtclub in Boston was gegooid. De foto van de voormalige profiler stond op de voorpagina van bijna elke belangrijke krant, vergezeld van de foto van de FBI-website. Chadzynski had meerdere malen benadrukt dat de federale overheid een beloning van een miljoen dollar in het vooruitzicht stelde voor informatie die zou leiden tot aanhouding of inhechtenisneming van de voormalig profiler.

Chadzynski had niets gezegd over Fletchers bezoek aan het appartement van Emma Hale. Evenmin over zijn telefoongesprekken met Tina Sanders, of de dvd die hij naar Jonathan Hale had gestuurd.

Darby had de envelop onderzocht. De enige vingerafdruk die werd gevonden, kwam overeen met die van Malcolm Fletcher – de afdruk was woensdagavond door AFIS geïdentificeerd. Darby verwachtte dat de FBI nu elk moment in Boston kon arriveren.

Ze had niet meer met Jonathan Hale gesproken. Volgens zijn advocaat was Hale voor zaken buiten de stad en niet voor commentaar beschikbaar.

De verblijfplaats van Sam Dingle was nog steeds niet bekend, maar volgens een artikel in de *Boston Globe* had zijn zus Lorna, die van haar derde man was gescheiden en nu in Baton Rouge, Louisiana, woonde, verklaard: 'Ik heb mijn broer voor het laatst gezien toen hij in 1984 naar huis kwam om zijn deel van de erfenis van mijn ouders op te eisen. Hij zei dat hij ergens in Texas woonde. Dat was de laatste keer dat ik hem heb gesproken. Ik heb geen idee waar hij is of wat hij uitvoert. Ik heb al die tijd niets meer van hem vernomen. Hij kan wel dood zijn.'

Darby ging op Hannah Givens' doorgezakte matras zitten. Ze wreef de vermoeidheid uit haar ogen, haalde een keer diep adem en richtte toen haar aandacht op de slaapkamer van de studente.

Hannah had de scheuren in de roze muur bedekt met ingelijste foto's van haar ouders, de hond en haar vrienden thuis in Iowa. Op hun kant opgestapelde melkkratjes fungeerden als opbergplaats voor cd's en paperbacks zonder omslag. Op een oude denim zitzak lag een oude radio/cassette-walkman. De klerenkast puilde uit met kleren van Old Navy en American Eagle Outfitters.

Hannah Givens werd nu een week vermist. Was haar ontvoerder in paniek geraakt en had hij haar vermoord? Gleed Hannahs lichaam ergens over de bodem van de Charles? De gedachte bezorgde Darby een hol gevoel in haar maag.

Drie slachtoffers. Twee ervan waren dood. De derde, Hannah Givens, leefde misschien nog. Wat hadden deze jonge vrouwen met elkaar gemeen? Ze studeerden alle drie aan universiteiten in Boston, dát hadden deze vrouwen met elkaar gemeen.

Tim Bryson had een mogelijk verband met de universiteiten onderzocht. Darby had samen met een team die mogelijkheid opnieuw bekeken, waarbij was nagegaan of de drie vrouwen zich misschien op een gegeven moment bij dezelfde universiteit hadden aangemeld. Toen dat onderzoek niets had opgeleverd, was ze gaan zoeken naar plaatsen die de drie vrouwen konden hebben bezocht – een bar, een studentenclub, wat dan ook. Maar ook dat had tot dusver niets opgeleverd.

Het eerste slachtoffer, Emma Hale, rijk, blank en bijzonder aantrekkelijk, was opgegroeid in Weston en in Harvard gaan studeren. Het tweede slachtoffer, Judith Chen, Aziatisch en afkomstig uit een middenstandsgezin, was gewoontjes en onaantrekkelijk, een kleine, bijna tengere jonge vrouw, geboren en opgegroeid in Pittsburgh, Pennsylvania. Ze had voor Bostons Suffolk University gekozen vanwege de aantrekkelijke studiefinanciering.

En dan Hannah Givens, weer een collegestudente, enig kind uit een eenvoudig boerengezin in Iowa, een zwaargebouwd, alledaags meisje dat zich fanatiek op haar studie had gestort en de weinige vrije tijd die ze had benutte om te werken op een afdeling fijne vleeswaren of om te studeren in de campusbibliotheek van Northeastern.

Waarom had de moordenaar het juist op universiteiten in *Boston* gemunt? Was hij een student, of deed hij zich als zodanig voor?

Darby opende haar rugzak en pakte de dossiers. Ze bekeek de foto's van de drie studentes, daarbij proberend hen met de ogen van hun moordenaar te bekijken – om te zien wat hij in hen had gezocht. *Als je van plan was hen te vermoorden, waarom hield je hen dan zo lang vast?*

Drie studentes, en ten minste één van hen, Emma Hale, leek in verband te kunnen worden gebracht met Malcolm Fletcher, een voormalige FBI-profiler, die na vijfentwintig jaar voortvluchtig te zijn geweest opdook in Boston – in het appartement van Emma Hale.

Werd Fletcher door Jonathan Hale gebruikt om de moordenaar van zijn dochter te vinden?

Net als Tim Bryson was Jonathan Hale een vader die werd verteerd door smart. Maar in tegenstelling tot Bryson had Hale macht en was hij rijk. Als Hale door Fletcher was benaderd met informatie over de man die zijn dochter had vermoord of met een plan om hem te vinden, zou Hale die kans dan niet hebben aangegrepen? En waarom zou Fletcher zich blootgeven om een treurende vader te helpen de moordenaar van zijn dochter te vinden?

Misschien had Fletcher Hale niet benaderd en was het alleen maar zijn bedoeling geweest om Brysons zonden te onthullen. Fletcher had van Brysons dood een publiek spektakel gemaakt door hem van het dak van een stampvolle nachtclub te gooien, met in zijn zak een plastic zak met het rijbewijs en creditcards van Jennifer Sanders. Hij had Tim Bryson door de telefoon laten bekennen dat hij het bewijsstuk had laten verdwijnen dat Samuel Dingles schuld zou hebben aangetoond voor het verkrachten en vermoorden van twee vrouwen uit Saugus.

En waar was Sam Dingle? Was hij naar het oosten teruggekomen? Was hij verantwoordelijk voor de dood van Emma Hale en Judith Chen? En had hij nu Hannah? Zijn naam werd in alle nieuwsmedia genoemd. Had hij Givens vermoord, haar lichaam in de rivier gedumpt, om daarna weer te verdwijnen?

Alles wees in de richting van Sam Dingle. Het leek te aannemelijk, te simpel.

Bryson had ooit gezegd dat Fletcher probeerde hen aan het lijntje te houden – misschien met de bedoeling om zichzelf in te dekken. Misschien was het ook gewoon waar geweest.

Stel dat het inderdaad Fletchers bedoeling was geweest de aandacht van de politie weg te leiden van de werkelijke moordenaar, zodat hij hem het eerst kon vinden? Volgens Chadzynski's contact bij de FBI was Fletcher rechter, jury en beul tegelijk. Als Sam Dingle inderdaad degene was die Hale en Chen had vermoord, dan betwijfelde Darby dat Fletcher de stad zou verlaten zonder hem te hebben gevonden.

Darby's mobieltje trilde. Het was Christina Chadzynski.

# 66

'Het lijkt erop dat Malcolm Fletcher aan elke reporter in de stad een cd heeft gestuurd met daarop een opname van Tim Brysons gesprek met Tina Sanders,' zei Chadzynski. 'Ik weet zeker dat ze het vanavond op het nieuws laten horen.'

'Hebt u de opname al gehoord?' vroeg Darby.

'Nog niet. En ik heb nog meer slecht nieuws, vrees ik. Een reporter van de *Herald* weet dat Sanders' stoffelijke resten in Sinclair zijn gevonden. Hij is bereid publicatie uit te stellen in ruil voor een exclusief interview met je als je de zaak hebt opgelost.'

Darby liet zich met haar rug tegen de muur zakken. Rond de kussens en op het goedkope dekbed lagen pluchen beesten uit Hannahs kindertijd uitgestald.

'Waarmee ik niet wil zeggen dat je het moet doen,' zei Chadzynski. 'Het is slechts een kwestie van tijd voordat andere reporters het ook weten. Ik zal proberen hem zo lang mogelijk aan het lijntje te houden.'

'Ik heb Bill Jordan gesproken. Hij heeft een paar mannen van het bijstandsteam laten komen. Mocht onze man in de kapel opduiken, dan wordt hij door Jordan en zijn mensen ingerekend.'

'Denk je écht dat deze persoon zich daar nog laat zien?'

'Ja. Op een gegeven moment zál hij terugkomen. Het standbeeld van de Maagd Maria dat ik daar heb gevonden was schoon – herinnert u zich nog de emmer met water en de handdoeken die ik daar vond? De kapel en het beeld moeten voor deze persoon een bijzondere betekenis hebben. Hij zou naar elke willekeurige kerk kunnen gaan, maar hij gaat bewust naar deze ondergrondse kapel, die niet makkelijk te vinden is. Hij moet een speciale route hebben gevonden.'

'Darby, ik heb telefonisch contact gehad met de coördinator van het FBI-team dat is belast met de opsporing van Malcolm

Fletcher. De man heet Mike Abrams. Hij heeft Fletcher ontmoet toen hij aan de zaak-Sandman werkte. Abrams was destijds profiler bij het FBI-kantoor in Boston. Hoewel hij denkt dat Fletcher al lang en breed is verdwenen, is hij nog steeds bereid met ons te praten. Hij verwacht morgen in de loop van de middag met zijn team in Boston te arriveren. Zijn mensen willen de dvd bekijken die Fletcher naar Hale heeft gestuurd en tevens het door jou gevonden cassettebandje beluisteren.'

'Misschien zou u hem als hij hier is met Jonathan Hale kunnen laten praten.'

'Ik weet zeker dat ze hem zullen willen spreken. Heb je Brysons toxicologisch rapport gelezen?'

'Ik wist niet dat het al binnen was.'

'Ik heb deze morgen een kopie ontvangen. Tim had een injectie gekregen met GHB en ketamine. Als hij nog leefde, zou zijn door drugs ontlokte bekentenis bij een proces zeker zijn verworpen.'

*Misschien heeft Fletcher hem daarom wel van het dak gegooid,* dacht Darby.

'Ben je nog verdergekomen met Sam Dingle?' vroeg Chadzynski.

'Zowel het adres dat Fletcher op het inschrijvingsformulier van de club heeft vermeld als het kenteken van zijn Jaguar – die nog steeds niet is gevonden – wijst in de richting van het huis waar Sam Dingle is opgegroeid. Het is alsof Fletcher het ons op een presenteerblaadje aanreikt.'

'Mee eens. Waar denk je dat hij is?'

'Wie zal het zeggen? Als u hem werkelijk wilt vinden, dan zult u mensen op Hale moeten zetten.'

'Malcolm Fletcher is een solitair. Hij werkt niet voor anderen.'

'De sloten van Emma Hales deur vertonen geen sporen van inbraak. Hij is binnengekomen zonder iets te forceren.'

'Darby – '

'Laat Hale dan tenminste observeren.'

'Dat ben ik niet van plan.'

'Waarom niet? Omdat hij rijk is?'

'Omdat er geen énkel bewijs is dat erop wijst dat Fletcher werkt voor of samenspant met Jonathan Hale,' antwoordde Chadzynski. 'We hebben nota bene een beveiligingsband waarop we de man de parkeergarage zien binnenglippen.'

'Fletcher heeft niet in Emma Hales appartement ingebroken. Hij had een sleutel.'

'Heb je aan de mogelijkheid gedacht dat Fletcher misschien voor Tina Sanders werkt? Hij heeft haar diverse keren gesproken. Misschien dat ik haar moet laten observeren.'

'Mee eens.'

'Leg je suggesties maar voor aan het FBI-team,' zei Chadzynski. 'Heb je iets kunnen vinden dat erop wijst dat Bryson heeft geknoeid met bewijsmateriaal van de zaken Hale en Chen?'

'Neil en ik hebben alle onderzoeksfasen van het bewijsmateriaal gecontroleerd en het lijkt er niet op dat Bryson met een van onze twee zaken heeft geknoeid. Over wat er in Saugus is gebeurd kan ik niets zeggen.

Ik heb hier de bevindingen van het staatslab over de vrouwen in Saugus. Beide vrouwen waren gewurgd. Er zijn geen sporen van sperma gevonden en onder de vingernagels zat geen bloed. Wel hebben ze een glijmiddel gevonden dat bij sommige condooms wordt gebruikt. Coop is nu bezig het dossier van het bewijsmateriaal opnieuw door te spitten.

In het NCIC-bestand komt de naam Samuel Dingle niet voor. Ook CODIS kent geen DNA-profiel onder die naam. Hetzelfde geldt voor AFIS. Dingle kan een schuilnaam hebben gebruikt.'

'Ik heb begrepen dat er een vingerafdruk is gevonden op de isolatietape waarmee Sanders' polsen waren geboeid.'

'Het was de handpalm. Hebt u dr. Karim nog gesproken?'

'Vanmorgen. Hij was erg coöperatief, maar had verder niets toe te voegen.'

'Misschien moeten we wat dieper graven.'

'Hoe staat het met Hannah Givens? Heb je daar nog wat nieuws over te melden?'

'Momenteel niet. Neil vertelde me dat Bryson inderdaad heeft betaald voor een experimentele stamcelbehandeling voor zijn dochter.'

'Ik wil dat je je aandacht volledig op Givens concentreert.'

'Ik ben op dit moment bij haar thuis.'

'Mooi. Ik moet nu gaan ophangen. Er wacht weer een nieuwe persconferentie. Na Brysons dodenwake kunnen we verder praten.'

'Ik blijf hier nog even rondneuzen.'

'Blijf volhouden,' zei Chadzynski. 'Volgens mij heb je hier echt talent voor.'

Darby verbrak de verbinding. Door de gesloten slaapkamerdeur hoorde ze in de gang het geluid van de televisie en de gedempte stemmen van Hannahs ouders. Ze zaten in de woonkamer, hopend op een telefoontje van de ontvoerder van hun dochter.

Het volgende uur bracht Darby in de slaapkamer door met rondkijken en het doorzoeken van Hannahs spulletjes. Ze had het sterke gevoel dat ze iets belangrijks over het hoofd had gezien – een gevoel, wist ze, waaruit haar frustratie sprak. Ze zou daar niets vinden.

Darby trok haar jas aan. Ze opende de deur en liep door de gang naar de woonkamer, waar Hannahs ouders wachtten.

# 67

Hannahs ouders zaten op de bank naar een herhaling van de Nancy Grace-show van de vorige avond te kijken. De zogenaamde voorvechtster voor rechten van het slachtoffer weidde uit over de ontvoering van Hannah Givens, vermoedelijk het derde slachtoffer van een in Boston opererende seriemoordenaar, die studentes, na ze eerst ettelijke weken te hebben vastgehouden, met een schot in het achterhoofd ombracht en vervolgens hun lichamen dumpte.

Na het opsommen van de bloedige details van de moorden op Emma Hale en Judith Chen, richtte Nancy Grace zich tot een criminoloog en een voormalige profiler bij de FBI – beiden vrouw – waarbij ze hun de vraag stelde of de overweldigende mediabelangstelling Hannahs ontvoerder misschien zo in paniek zou kunnen brengen dat hij zou kunnen besluiten haar te doden. Er volgde een uitgebreide discussie over de mogelijkheid.

Tracey Givens wendde haar rode, dikbehuilde ogen af van de televisie en zag Darby staan.

'Mevrouw McCormick, hebt u iets in de slaapkamer van mijn dochter gevonden?'

'Nee, mevrouw, dat heb ik niet.'

Hannahs moeder leek verbaasd. Hannahs vader staarde naar de vlekken in de versleten vloerbedekking.

'U bent daar zo lang binnen geweest, dat ik dacht dat u...'

'Ik wilde uw dochter wat beter leren kennen,' antwoordde Darby.

Tracey Givens richtte haar blik weer op de televisie, waar Nancy Grace iets riep naar Paul Corsetti, de persvoorlichter van de Bostonse politie. Door het publiek de waarheid te onthouden, riep Nancy Grace naar de camera, had de politie van Boston Hannahs leven in gevaar gebracht.

*Nee, stomme trut, egocentrisch stuk vreten dat je bent, jij bent degene die Hannahs leven op het spel zet.*

Darby kon het niet langer verdragen. 'Dank u dat u me toestond Hannahs spullen te onderzoeken,' zei ze, de voordeur openend. Hannahs vader volgde haar naar buiten.

Michael Givens had het gezicht van een man die te veel jaren in de zon had doorgebracht. Zijn leerachtige huid was doorgroefd met diepe rimpels. In het late middaglicht maakte hij een broze indruk. Het was nu stil op straat. De media van Boston en de landelijke sensatiebladen waren naar Chadzynski's persconferentie getrokken.

'Die deskundigen op de televisie zeggen allemaal dat al deze aandacht deze man er misschien toe kan brengen om... aanmoedigt om... u weet wel, om iets te doen,' zei hij. 'Maar die televisiemensen, die zogenaamde specialisten, zien het alleen maar van de buitenkant. Maar u bent een insider, mevrouw McCormick. U kent alle feiten.'

Darby wachtte, niet zeker van wat de man haar wilde vragen.

'Op het nieuws zeiden ze dat u nog aan twee andere zaken werkt waarbij vrouwen zijn verdwenen.'

'Dat klopt, meneer Givens.'

'Deze twee meisjes, die waren lang vermist, is het niet?'

'Meneer Givens, ik beloof u dat ik dag en nacht aan het werk blijf om een manier te vinden om uw dochter terug te brengen.'

Hannahs vader knikte. Hij deed de deur open om terug naar binnen te gaan toen hij zich bedacht. Leunend tegen de deurpost sloeg hij zijn armen over elkaar en staarde naar de met lege bierblikjes gevulde recycletonnen in de hoek van de veranda.

'Hannah... ze wilde liever thuisblijven en op een plaatselijk college gaan studeren, ongeveer tien minuten bij ons vandaan,' zei Michael Givens. 'Maar de opleidingen in het noordoosten zijn echt goed en Hannah kreeg een erg aantrekkelijke studiefinanciering van Northeastern, dus heb ik er bij haar op aangedrongen. Soms moet je je kinderen een duwtje in de goede richting geven.

Ik heb Hannah gezegd dat ik haar studie op het plaatselijke college niet kon betalen, wat waar was. We verdienen niet veel. Een universitaire opleiding zou voor haar vele deuren openen. Hannah was minder enthousiast – ze miste haar vrienden, en het weer hier vond ze maar niets. Te koud, zei ze. Mijn vrouw, die met haar begaan was, stelde voor een extra baantje te nemen, zodat Hannah op het plaatselijke college kon studeren, maar ik zei nee en bleef Hannah onder druk zetten om hierheen te gaan. Mijn dochter is nogal verlegen, dat was ze als kleuter al. Mijn hoop was dat Hannah hier, tussen al die intelligente jonge mensen, wat zou opbloeien en een beetje uit haar schulp zou kruipen. Ze mag dan verlegen zijn, als het op studeren aankomt is het een doorzetster.

Hannah bleef maar zeggen hoe ongelukkig ze was en dat ze naar huis wilde en ik bleef weigeren. Elke keer als ik de telefoon had opgehangen voelde ik me bezwaard, maar steeds schudde ik het gevoel van me af. Misschien dat God me iets wilde vertellen.'

'Meneer Givens, ik weet dat het makkelijk voor me is om dit te zeggen, maar wat er is gebeurd, kunt u uzelf niet verwijten. Soms...'

'Wat?'

*Soms gebeuren die dingen nu eenmaal,* zei Darby tegen zichzelf. *Soms is God onverschillig.*

'We zijn hier allemaal druk mee bezig, meneer.'

Michael Givens stond met zijn handen in zijn zakken, onzeker over wat hij moest zeggen of waar hij moest kijken.

'Wat vindt u van haar?' vroeg hij ten slotte.

'Ik denk dat uw dochter – '

'Nee, ik bedoelde Nancy Grace. Ze wil dat we op de televisie komen om over Hannah te vertellen. Ze zegt dat het zal helpen haar te vinden. Mijn vrouw is ervoor, ze zegt dat we alles moeten doen om Hannah te helpen. Maar eerlijk gezegd heb ik mijn twijfels. Iets in het doen en laten van die vrouw geeft me een slecht gevoel. Als we op de televisie komen, denkt u dan dat de persoon die Hannah gevangen houdt zal besluiten om haar... kwaad te doen?'

'Ik weet het niet,' antwoordde Darby naar waarheid.

'Wat zou u doen, als u zich in mijn situatie bevond?'

'Ik denk dat u moet doen wat uw gevoel u ingeeft.'

'Wat is uw mening over die Nancy Grace?'

'Persoonlijk ben ik van mening dat voor haar alleen maar de kijkcijfers tellen.'

'U windt er geen doekjes om. Dat waardeer ik. U en Hannah zouden goed met elkaar kunnen opschieten. Dank u, mevrouw McCormick.'

Hannahs vader draaide zich om, maar deed de deur nog niet open.

'Ze is ons enige kind,' zei hij. 'We konden niet meer kinderen krijgen. Het was al een wonder dat we haar kregen. Ik weet niet wat we zouden moeten doen als ze... Breng mijn meisje alstublieft thuis, wilt u?'

Zijn handen zochten tastend de deurknop. Michael Givens stommelde terug naar binnen, vergetend de deur achter zich te sluiten. Hij ging weer naast zijn vrouw zitten en staarde naar de telefoon, wachtend tot die zou overgaan.

# 68

Keith Woodbury had van het cassettebandje een MP3-bestand gemaakt en dat op een cd gebrand.

De eerste keer dat Darby het had beluisterd was het haar te veel geworden. Ze was naar buiten gegaan en had diverse keren rond het gebouw gelopen tot de frisse lucht het onpasselijke, benauwende gevoel had doen verdwijnen.

De tweede keer was net zo moeilijk geweest, maar nu de eerste schok voorbij was, concentreerde Darby zich op de opname en dwong ze zichzelf het gegil van de vrouw te negeren en te letten op achtergrondgeluiden. Terwijl ze terugreed naar de stad, beluisterde Darby de cd nog een keer.

Jennifer Sanders gilde het uit van pijn. Ze schreeuwde om het te doen ophouden, smeekte om het te doen ophouden. De man op het bandje kreunde en steunde. Soms lachte hij. Spreken deed hij niet. Als hij iets gezegd had, dan had Sam Dingles zus misschien de stem van haar broer kunnen herkennen. Dan had Darby tenminste met zekerheid geweten dat de man op het bandje inderdaad Sam Dingle was.

Wegwerkzaamheden maakten van het verkeer naar de binnenstad van Boston een grote chaos. Geconcentreerd op de geluiden die uit haar autoluidsprekers kwamen, nam Darby de eerstvolgende afslag. Ze hoorde niets op de achtergrond. Het bandje moest worden geanalyseerd door een geluidstechnicus, iets dat maanden zou vergen.

Een halfuur later realiseerde Darby zich dat ze door de Back Bay reed. Trinity Church, een van de oudste kerken in Boston, stond in de schaduw van het Prudential Center. In het kerstseizoen had haar moeder, zolang Darby zich kon herinneren, haar meegenomen naar Copley Square, om hier te komen luisteren naar het kerstgezang. Soms zong het Trinity Chamber Choir.

Toen Darby een lege plek zag, bedacht ze zich geen moment en parkeerde in het tanende daglicht achter de Prudential Tower.

Een katholieke kerk is een beangstigende plek. Zonde en vergiffenis. Aan de muur achter het altaar hing een levensgroot beeld van Jezus aan het kruis. In het schemerlicht kon Darby het geschilderde bloed zien dat uit de wonden van de doornenkroon en die van de door zijn handen en voeten gedreven spijkers stroomde.

De oorspronkelijke kerk, gesticht in 1733, was bij de Grote Brand in Boston in 1872 afgebrand. De architect H.H. Richardson had de kerk herbouwd in een stijl die bij een aantal Europese landen navolging zou vinden – massieve stenen torens met daken van leisteen en gewelfde zuilengangen. Darby was altijd gefascineerd geweest door de gebrandschilderde glas-in-loodramen achter het altaar, waarop Davids opdracht aan Salomon werd uitgebeeld. Ze waren in 1882 ontworpen door Edward Burne-Jones en William Morris.

Zittend in een kerkbank vroeg Darby zich af hoeveel generaties hier op dezelfde plek vervuld van wanhoop en angst tot God hadden gebeden. Jezus, mijn zoon heeft kanker. Help hem, alsjeblieft. Heilige Maria, Moeder van God, bescherm mijn kinderen. Laat mijn familie niets overkomen. Help me, God. Jezus, help me, alsjeblieft.

Had God hun gebeden gehoord? Had Hij geluisterd? En áls Hij al had geluisterd, had het Hem dan uitgemaakt naar welk gebed dat was? Had het Hem überhaupt iets kunnen schelen?

*Hadden de slachtoffers een kerk bezocht?*

Darby zette haar rugzak naast zich op de kerkbank, haalde er de kopie uit van Emma Hales dossier en las met behulp van een zaklampje vluchtig de tekst door.

Emma Hale was katholiek gedoopt en opgevoed. Ze had elke zondag met haar vader de mis bijgewoond. En Judith Chen? Was zij ook katholiek grootgebracht? Haar kamergenoten hadden niet kunnen zeggen of ze een kerk bezocht.

Darby belde het nummer van Hannah Givens' appartement. Michael Givens nam op.

'Wat is de kerkelijke gezindheid van uw dochter?'

'We hebben haar katholiek opgevoed,' antwoordde Hannahs vader. 'Door toedoen van mijn vrouw. Zelf zag ik het nut er niet zo van in.'

'En Hannah?'

'Ze deed het voor haar moeder, maar volgens mij interesseerde het haar niet veel.'

'Weet u misschien of Hannah in of in de buurt van Boston ooit een kerkdienst heeft bezocht?'

'Ogenblikje, ik zal het even aan mijn vrouw vragen.'

Tracey mompelde iets terug naar haar man en kwam daarna zelf aan de telefoon.

'Hannah is al een poosje niet naar de kerk geweest. Ik was er niet zo gelukkig mee, maar Hannah kwam er recht voor uit. Ze had toch al niet zo'n sterk geloof en het beetje dat er nog restte, was in één klap verdwenen toen hier dat *vreselijke* seksschandaal aan het licht kwam – u weet wel, die priester die al die jongens had misbruikt, en die kardinaal – hoe heet hij ook weer – die alles stil had gehouden?'

'Kardinaal Law,' zei Darby. 'En plaatselijk vrijwilligerswerk?' Bryson had dat aspect niet onderzocht.

'Naast haar studie en twee baantjes had mijn dochter amper vrije tijd over. Hannah bleef zich er zowel tegen mij als haar vader over beklagen dat ze nauwelijks een sociaal leven had. Als ze al liefdadigheidswerk deed, dan zou ze me dat hebben verteld.'

'Had ze een vriend? Ging ze met iemand om?' vroeg Darby, wanhopig op zoek naar aanknopingspunten.

'Toen Hannah nog thuis was, had ze omgang met een leuke jongen, maar dat verwaterde toen ze hier ging studeren. Hier kende ze niemand. Ze had het er echt moeilijk mee.'

'Bedankt voor uw tijd, mevrouw Givens.'

Darby staarde naar de bedroefde uitdrukking op het gezicht van Jezus, en op de een of andere manier moest ze denken aan Timothy Bryson, wiens lichaam lag opgebaard in een rouwkamer in Quincy. Morgenochtend zou hij worden begraven. Ze vroeg zich af wie het had geregeld.

Darby dacht terug aan de ingelijste foto van zijn dochtertje, en hield het beeld vast terwijl ze haar gevoelens toetste.

*Het spijt me wat je dochtertje is overkomen,* zei het nuchtere, analytische deel. *Maar dat gevoel heb ik niet voor wat jou is overkomen, Tim. Ik weet dat ik dat zou moeten hebben, maar het is er niet.*

Darby dacht aan haar eigen moeder. Uit gewoonte, of misschien wel uit overtuiging, knielde ze neer, en met een kaarsrechte rug, precies zoals de nonnen van St.-Stephen haar hadden geleerd, sloeg ze een kruis en sloot haar ogen. Eerst bad ze voor Sheila, daarna voor Hannah.

Darby's mobieltje trilde tegen haar heup. ONBEKENDE BELLER vermeldde het schermpje. Ze liet het telefoontje drie keer overgaan voordat ze opnam.

# 69

'Bidt u om Gods hulp om Hannah te vinden?' vroeg Malcolm Fletcher.

Terwijl ze de kerk rondkeek, reikte Darby onder haar jas, waar ze het riempje van haar schouderholster losgespte. De kerkbanken waren leeg. De gebrandschilderde ramen in de muren, waarop de kruisweg werd afgebeeld, waren gehuld in schaduwen.

'Ik had niet verwacht nog iets van u te horen, special agent Fletcher.'

'Dat was lang geleden.'

'Jonathan Hale heeft ons alles verteld.'

'Een slim leugentje,' zei Fletcher.

'Ik weet wat u aan het doen bent en ook waarom u hier bent.'

'Gaat u me niets vragen over rechercheur Bryson?'

'Geeft u toe dat u hem hebt vermoord?'

'Ik heb u er een plezier mee gedaan. Wie weet wat hij nog allemaal meer van plan was. Misschien kunt u maar beter een keer uw kast met bewijsmateriaal inspecteren.'

'Waarom hebt u me het gewoon niet verteld?'

'Ik wilde Timmy een boodschap laten bezorgen en heb besloten die per luchtpost te verzenden.' Fletcher lachte, een hol, schraperig geluid dat haar de koude rillingen bezorgde. 'Bent u niet blij dat hij dood is?'

'Volgens mij verdiende hij het niet om te lijden.'

'Weer een leugen. Dat is gedeeltelijk de reden dat u nu in de kerk bent, is het niet? Uw wilde uw schuld voor het altaar leggen en de Almachtige bidden om vergeving. Ik was even vergeten hoezeer katholieken hun schuldgevoelens kunnen koesteren. Heeft Hij besloten zijn ondraaglijk stilzwijgen te verbreken en uw gebeden te verhoren?'

'Ik wacht nog steeds.'

'Weet u dan niet dat die god van u zich bepaalt tot zwijgen en as?'

'We hebben de stoffelijke resten geïdentificeerd.'

'Ik weet zeker dat het voor Tina Sanders een verlossing zal zijn. Ze heeft lang om dit ogenblik gebeden.'

'Ze weigert nog steeds met ons te praten.'

'Ik vraag me af hoe dat komt.'

'Laten we het over Sam Dingle hebben.'

'Ik vrees dat ik ons gesprek zal moeten beëindigen. Ik vertrouw de telefoon niet helemaal. Je weet maar nooit wie er meeluistert. En Darby...?'

'Ja?'

'Wat je allemaal over me gehoord of gelezen mocht hebben, ik ben niet van plan je nu of wanneer dan ook in de toekomst enig kwaad te berokkenen. Hannah bevindt zich in uitstekende handen. Ik hoop dat je haar snel zult vinden. Tot ziens, Darby.'

*Klik.*

Darby stond voor de kerk, bezig de straten af te speuren, toen opnieuw haar telefoontje ging. Het bleek een van de technici van het surveillanceteam.

'We hebben zijn gesprek niet kunnen traceren,' zei de technicus. 'Mocht hij weer bellen, hou hem dan aan de praat. Op een gegeven moment gaat hij in de fout en dan vinden we hem.'

'Reken er maar niet op,' zei Darby.

# 70

Hannah Givens dacht opnieuw na over de brief, zich afvragend of ze misschien een fout had gemaakt.

Drie dagen geleden had ze van Walter een mooi vel schrijfpapier en een bijpassende envelop met postzegel gekregen. Hij had haar een pen gegeven, gezegd dat ze een brief naar haar ouders moest schrijven en beloofd dat hij die zou versturen.

Hannah wist heel goed dat Walter die brief nooit zou versturen. Dat zou veel te riskant zijn. Met de huidige forensische technieken kon de politie zelfs nagaan bij welk postkantoor de postzegel was gekocht. Dat had ze zelf bij een televisieprogramma gezien.

Hannah besefte dat de brief bedoeld was als een soort zoenoffer om haar te laten praten. Hij had het *nodig* dat ze tegen hem sprak. Hij had geprobeerd haar aan de praat te krijgen met dat afgrijselijke verhaal over zijn moeder, die hem bijna levend had verbrand, daarna gevolgd door al dat religieuze gezever over hoe belangrijk het was om te vergeven.

Toen ze niets had gezegd en zwijgend voor zich uit was blijven staren, had ze gevoeld dat hij haar iets had willen aandoen. Maar Walter had zich weten te beheersen en dat pleitte voor hem. Maar dat betekende nog niet dat zijn geduld onuitputtelijk was. Hij had al eens geweld gebruikt, en Hannah was ervan overtuigd dat hij het weer zou doen.

Walter had de viltstift bij haar achtergelaten. Ze had een poosje met het idee gespeeld om, als ze de kans kreeg, de pen als wapen te gebruiken – hem ermee in zijn keel te steken, of in ieder geval een oog mee te doorboren. Bij het in haar hoofd naspelen van de diverse scenario's was het haar opgevallen dat ze geen enkele keer angst had gevoeld. Hoewel ze nog nooit eerder bewust een ander menselijk wezen had verwond, wist ze zeker dat ze, als de gelegenheid zich zou voordoen, ertoe in staat zou zijn.

Maar Walter was slim. Hij zou de pen niet vergeten en die op een gegeven moment terugvragen.

Toen kreeg ze een ander idee dat misschien nog meer mogelijkheden bood. Stel dat ze de brief gebruikte als een soort drukmiddel om de zaken een beetje naar haar hand te zetten? De vraag hield haar voortdurend bezig.

Hannah werkte een plan uit. Ze concentreerde zich op wat ze wilde gaan zeggen en overdacht diverse mogelijkheden voordat ze haar woorden aan het papier toevertrouwde.

> Walter,
> Afgelopen nacht is in een droom de Maagd Maria aan me verschenen. Ze liet me weten dat ik niet bang hoefde te zijn. Ze vertelde me hoe aardig en zorgzaam je bent en hoeveel je van me houdt en dat je mij of mijn familie nooit kwaad zou doen. De Heilige Moeder zei ook dat je me zou toestaan mijn ouders te bellen om hun te laten weten dat ze zich geen zorgen hoeven te maken.
>
> Nadat ik mijn ouders heb gesproken, dacht ik dat je misschien wel zin hebt om me tijdens het eten gezelschap te houden, zodat we samen wat kunnen praten en elkaar beter leren kennen

Hannah had de envelop en de pen samen met de vuile papieren borden van de lunch van die dag op de serveerboy gelegd. Nu moest ze afwachten wat Walter zou doen. Om de tijd door te komen las ze in het korte dagboek dat geschreven was door een vrouw die Emma heette. Hannah zocht de laatste pagina op en begon te lezen.

*Ik weet niet waarom ik nog moeite doe dit dagboek te blijven bijhouden. Misschien is het een manier om dit alles te verwerken – de behoefte om iets van mijzelf achter te laten. Misschien is het mijn angst. Ik kan niet ophouden met rillen en heb het koud en warm tegelijk. Walter denkt natuurlijk dat ik doe alsof. Ik heb hem gevraagd mijn temperatuur op te nemen, wat hij heeft gedaan. Hij zei dat ik een beetje verhoging had, maar dat het niets was om me zorgen over te maken en dat hij ervoor zou zorgen dat me niets overkwam. Toen mijn koorts bleef aanhouden, kwam Walter me twee witte pillen brengen – penicilline, zei hij. Bij de lunch bracht hij nog twee pillen, en daarna nog twee pillen bij het avondeten. Dit ging zo vier dagen door – zo lang leek het tenminste – tijd heeft hier beneden geen betekenis.*

*'Wil je soms dat ik doodga?' vroeg ik hem ten slotte.*

*'Je gaat niet dood, Emma.'*

*'Maar de pillen helpen niet. Er is iets met me aan de hand. Ik kan niets binnenhouden. Ik moet naar een dokter.'*

*'Je moet het medicijn de kans geven om zijn werk te doen. Blijf veel water drinken. Ik heb Pellegrino voor je meegenomen, je favoriete merk. Je mag niet uitdrogen.'*

*'Ik wil hier niet doodgaan.'*

*'Zeg dat niet meer,' zei Walter. Hij vertelde dat 'zijn' Heilige Moeder, die opnieuw aan hem was verschenen, tegen hem had gezegd dat alles goed met me zou komen.*

*'Luister naar me, Walter, alsjeblíéft. Wil je éven naar me luisteren?' Hij antwoordde niet, dus bleef ik praten. 'Ik heb hier lang over nagedacht. Ik weet niet waar je woont. Doe me een blinddoek om, zet me in je auto, breng me naar een ziekenhuis in een of andere stad, zet me daar gewoon af en rij dan weg. Ik beloof je met mijn hand op mijn hart dat ik niemand zal vertellen wie je bent.'*

*Zijn gelaatsuitdrukking veranderde. Hij staarde me vol afschuw aan, alsof alles wat ik mankeerde mijn eigen schuld was.*

*'Ik wil niet alleen doodgaan,' snikte ik. 'Ik wil mijn vader zien.' Ik huilde, ik smeekte – ik probeerde van alles.*

*Toen ik weer een beetje gekalmeerd was, pakte Walter mijn beide handen vast. 'Bid met me, Emma,' zei hij. 'Laten we samen tot Maria bidden. Mijn Heilige Moeder zal ons helpen. Dat beloof ik je.'*

*Walter heeft net de kamer verlaten. Ik probeer er niet aan te denken wat er met me zal gebeuren wanneer ik doodga.*

*Misschien dat God me een tweede kans geeft, dat Hij je laat terugkomen om iets van jezelf achter te laten. Maar misschien bestaat er ook wel helemaal niet zoiets als een ziel. Misschien ga je, net zoals alles wat op deze aarde leeft, na een korte tijd alleen dood, om dan te worden vergeten. Alstublieft, God, als U bestaat en U me kunt horen, laat dat niet waar zijn.*

Hannah las vluchtig het volgende hoofdstuk door, een lang, onsamenhangend verhaal over een steeds terugkerende koortsdroom, waarin Emma 's avonds rondzwierf door donkere straten, zich afvragend waarom de zon niet opkwam, waarom er geen licht in de huizen brandde en waarom de straten geen namen hadden.

En dan volgden nog de laatste woorden die de vrouw die Emma heette had geschreven:

*Ik moet steeds aan mijn moeder denken. Zij stierf toen ik acht was. Van de dag van haar begrafenis, toen mijn vader en ik ten slotte alleen waren, herinner ik me nog hoe hij me bleef verzekeren dat de dood van mijn moeder deel uitmaakte van Gods ondoorgrondelijke plan. Het beeld van die dag dat zich steeds weer aan me opdringt, is dat van het langs ons heen rijdende verkeer; auto's met mensen die hun dagelijks leven weer oppakten, weer aan het werk gingen, terug naar hun vrienden en familie. Het leven gaat nu eenmaal verder. Het blijft voor jou niet stilstaan, zelfs niet om zich even bij je te verontschuldigen. Wat me toen beangstigde – en ook nu weer beangstigt – is het besef hoe onbetekenend we eigenlijk zijn. In het grote geheel spelen we geen enkele rol. Heb je geluk, dan krijg je een mooie necrologie en een handvol mensen zullen bij je blijven stilstaan en een tijdje aan je blijven denken. Maar na verloop van tijd zullen ze verdergaan en zichzelf dwingen je te vergeten tot je zo vervaagd bent dat de herinnering aan je te verdragen is.*

*Mijn vader zal dat geluk niet gegund zijn. Hij zal mijn foto's laten staan en steeds als hij ernaar kijkt, zal hij zich vertwijfeld afvragen wat me is overkomen en hoe mijn laatste ogenblikken zijn geweest. Ik zou willen dat ik hem dit dagboek, of wat het ook is dat ik nu schrijf, zou kunnen geven, in de hoop dat hij uiteindelijk rust zal hebben. Ik wil dat mijn vader het weet.*

Hier eindigde het hoofdstuk.

*Ik wil dat mijn vader het weet.* Emma's laatste woorden.

Wat was er met haar gebeurd? Was ze hier gestorven, in deze

kamer? Op dit bed? En als ze hier was gestorven, wat had Walter dan met haar lichaam gedaan?

Had hij haar vermoord?

Walter klopte op de deur.

# 71

Hannah schoof het notitieboekje onder de lakens en wachtte tot de deur openging. Dat gebeurde niet. De kaartscanner piepte niet en het slot klikte niet open.

Walter klopte. Toen besefte ze dat hij wachtte tot ze zou praten.

*Zeg niets totdat hij je beloofd heeft dat je met je ouders mag bellen.*

Toen Hannah na nog twee keer kloppen niets had gezegd, deed hij de deur open.

Walter was gekleed in een kraakhelder wit overhemd en een grijze pantalon met een krijtstreepje. In zijn handen droeg hij een in cadeaupapier verpakte doos. Erop lag een opgevouwen, witte badjas. Hij zette beide op tafel.

'Ik dacht dat je misschien wel een schone badjas zou willen hebben,' zei hij. 'Je kunt hem dragen als je naar de badkamer gaat als je een douche wilt nemen, of als je dat liever hebt, een bad.'

Hannah antwoordde niet.

'Ik heb je brief gelezen,' zei Walter. 'Ik heb erg lang en diep gebeden, en ik heb besloten dat je je ouders kunt bellen.'

'Dank je.'

Walter glimlachte en zijn gezicht kreeg een bijna ontspannen uitdrukking.

'Het is goed om je stem te horen,' zei hij.

'Het spijt me. Ik ben niet al te spraakzaam geweest, maar ik dacht...'

'Dat ik je weer pijn zou gaan doen?'

Hannah had de vraag verwacht. Ze wist wat ze moest antwoorden.

'Ik weet dat wat in de auto gebeurde een ongelukje was. Ik vergeef het je.'

Walter zette zijn mooi verpakte cadeau op het bed.

'Dat had je niet hoeven te...'
'Ik wilde het,' zei hij. 'Maak het maar gauw open.'
Hannah scheurde het papier weg. In de doos, verpakt in vloeipapier, lag de zwarte cocktailjurk van Calvin Klein die ze op de avond van de sneeuwstorm in de etalage van Macy's had staan te bewonderen.
'Vind je hem mooi?' vroeg Walter.
'Hij is prachtig,' antwoordde Hannah, huiverend onder haar pyjama. Ze dwong zich tot een glimlach. 'Dank je.'
'Ik hoopte dat je hem vanavond tijdens het diner zou willen dragen. Ik maak kalfskoteletjes klaar, met als voorgerecht escalopes, gesmoord in een witte wijnsaus.'
'Het klinkt zalig,' zei Hannah. Ze haalde diep adem en vatte moed. 'Ik zou nu graag met mijn ouders willen praten. Ik wil niet drammerig lijken, maar ik zit nogal in over mijn vader, zie je. Hij is erg ziek. Hij heeft kanker.'
Dat was een leugen. Hannah had een aflevering van *Forensic Files* gezien, waarin een man prostituees verkrachtte en vermoordde. De moordenaar had een vrouw achter in zijn busje gesleurd en haar handboeien omgedaan. De vrouw was blijven praten over haar vader die kanker had, en dat er, als zij stierf, niemand meer was om voor hem te zorgen. Haar ontvoerder had haar verkracht en daarna laten gaan. Nadat hij was gepakt, had hij de politie verteld dat hij de vrouw niet had vermoord omdat zijn eigen moeder ook aan kanker was gestorven.
'Waarom ga je eerst niet even douchen?' vroeg Walter. 'Doe je badjas aan, dan breng ik je daarna naar de badkamer. Klop maar op de deur als je zover bent.'
Hannah vroeg zich af of Walter door het kijkgaatje gluurde. Ze stapte achter het gordijn dat haar toilet afschermde en kleedde zich snel om. Ze wikkelde de badjas strak om zich heen, knoopte de ceintuur om haar middel en klopte op de deur.
Walter kwam de kamer binnen. In zijn hand hield hij een paar handboeien.
'Om er zeker van te zijn dat je er niet vandoor gaat, of dat je iets anders van plan bent, begrijp je...'
Moest ze hiermee instemmen of moest ze protesteren. Als ze nu hierover problemen ging maken, dan zou hij haar misschien niet laten opbellen.

'Ze gaan zo weer af,' zei Walter.

Hannah moest haar angst van zich afzetten. Ze moest nu dapper zijn. Ze draaide zich om en Walter klikte de handboeien vast. Hannah vroeg zich af of hij dit deed vanwege Emma. Had zij tijdens haar eerste bezoek aan de badkamer geprobeerd te vluchten?

Walter ging naast de kaartscanner staan. Hij piepte en het slot klikte open. Het viel Hannah op dat de kaartscanner zich ter hoogte van zijn heup bevond. *De kaart moet in zijn zak zitten,* dacht ze. *Zo heeft hij altijd beide handen vrij.*

Hannah stapte de gang in van een half afgewerkte kelder. Links van haar stond een linnenkast. Toen hij haar omdraaide, zag ze aan het einde van de gang, rechts van de trap, een witbetegelde badkamer. Aan de deur hingen twee hangsloten.

Hannah liep langzaam, om alles wat ze zag in zich op te kunnen nemen. De cementen vloer voelde koud aan onder haar blote voeten.

'Kan ik een bad nemen?'

'Natuurlijk,' antwoordde Walter.

'Hoeveel tijd heb ik?'

'Neem zoveel tijd als je wilt.'

Mooi zo. Ze wilde zich niet alleen een poos in het warme water laten weken – sinds haar komst hier had ze niet meer gebaad – ze wilde ook rondsnuffelen om te zien of ze iets kon vinden. En mocht ze als door een godswonder iets vinden dat ze kon gebruiken, zou Walter dat dan merken en het missen? Daar moest ze over nadenken.

Terwijl ze langs de keldertrap liep, zag Hannah links van zich een wasmachine en een droger staan. De kleren die ze die dag op de delicatessenafdeling had gedragen lagen er netjes opgevouwen bovenop.

'Ik weet niet welke shampoo of zeep je graag hebt, maar als je me dat zegt, dat haal ik dat graag voor je,' zei Walter. 'Wat je ook nodig hebt of graag zou willen hebben, zeg het me en ik zal het met alle genoegen...'

Er werd aangebeld.

# 72

Walter duwde haar tegen de muur en drukte zijn misvormde hand tegen haar mond.

'Als je één kik geeft, dan sluit ik je zonder eten op in het donker. Is dát wat je wilt? *Nou?*'

Hannah schudde haar hoofd.

Er werd opnieuw aangebeld. Toen ze langs zijn door afschuwelijke littekens verminkte gezicht over de keldertrap omhoogkeek, zag ze door een geopende deur keukenkastjes en het plafond van een andere ruimte. Nog geen twaalf traptreden. Had ze maar geen handboeien om...

En als het nu eens de politie was?

*Bijt in zijn hand, trek die weg van je mond en gil. DOE HET.*

Walter trok haar weg bij de muur, draaide met een ruk haar rug naar zich toe, sloeg zijn arm om haar keel en knelde die dicht terwijl hij haar terug door de gang sleurde.

Ze kreeg geen adem en ze kon zich niet tegen hem verzetten. Hij was gewoon te sterk.

Hij ging naast de kaartscanner staan, die piepte. Hij toetste een 2 in, gevolgd door een 4 en een 6. Hij laatste cijfer kon ze niet zien.

De deur ging open. Walter duwde haar naar binnen. Ze struikelde en viel op de vloer. Even daarna werd het donker in de kamer. Hannah trok haar knieën tegen haar borst. Zacht heen en weer wiegend, probeerde ze haar tranen te onderdrukken.

Walter griste de Bulldog .22 uit het keukenkastje en hield het pistool achter zijn rug toen hij de woonkamer inliep en door het raam naar buiten keek.

Op de veranda bij zijn voordeur stond een forsgebouwde vrouw, dik ingepakt in een zware winterjas, een sjaal en een hoed.

In haar handen hield ze een schaal, afgedekt met aluminiumfolie. Walter herkende haar niet.

Hij keek de straat af en zag geen andere auto's. Zijn huis was het enige huis in deze straat. Hij keek weer naar de vrouw.

Moest hij opendoen of wachten tot ze wegging?

Ze belde opnieuw aan.

De vrouw glimlachte vriendelijk toen hij de deur opendeed, een glimlach die even verstarde toen ze zijn gezicht zag. Het kostte haar een ogenblik om zich te herstellen.

'Hallo, ik ben Gloria Lister, uw buurvrouw.'

Walter antwoordde niet. Hij staarde naar de smeltende sneeuw op haar laarzen, beseffend dat zijn gezicht haar had geschokt en dat ze zich nu een oordeel over hem vormde. Hij wilde de deur dichtdoen en zich verbergen.

Toen hij zichzelf niet voorstelde, was het de vrouw die de ongemakkelijke stilte verbrak.

'De lichten waren aan en toen ik uw auto op de oprit zag staan, dacht ik dat u thuis was,' zei de vrouw. 'Ik wilde deze taart niet buiten achterlaten, dus heb ik maar een paar keer aangebeld. Het is appeltaart. Ik ben bakker, dus...'

'Ik ben allergisch voor appels.' Een leugen. Hij wilde dat ze wegging. Nu.

'O, nou... in dat geval, dan neem ik hem maar weer mee terug.' Ze wachtte nog even, maar toen hij geen antwoord gaf, zei ze: 'Het was niet mijn bedoeling om u te storen. Nog een goede avond verder.'

Walter gooide de deur dicht. Hij deed de hangsloten erop en knipte alle lichten uit. Hij voelde zich verward.

Hij had hallo moeten zeggen en de taart moeten aannemen. Morgen, wanneer zijn nieuwe buurvrouw naar haar werk zou gaan, zou ze al haar collega's in de bakkerij vertellen over haar vreemde buurman, de man met het afzichtelijke verminkte gezicht. *Geloof me,* zou ze zeggen, *ik was blij dat ik kon gaan, hij zag eruit als een monster.* Waarna ze allemaal hartelijk zouden lachen. Mensen praten nu eenmaal. Het verhaal zou de ronde doen – zoals altijd in kleine stadjes – en vroeg of laat zou de politie het horen over Gloria Listers vreemde buurman, die haar, zonder haar uit te nodigen binnen te komen, met haar taart buiten in de kou had laten staan. Misschien zou de politie besluiten eens bij hem langs te gaan en binnen een kijkje te komen nemen. Je wist maar nooit.

Hij had haar ten minste kunnen begroeten.

Steunend tegen de muur wankelde hij terug naar de woonkamer, waar hij, opnieuw door het raam glurend, zijn buurvrouw zag lopen, behoedzaam schuifelend over de gladde plekken op straat. Walter vroeg zich af hoe het zou zijn om een vrouw in zijn huis uit te nodigen. Het zou de eerste keer zijn.

# 73

Darby was bezig opnieuw de dvd te bekijken die Malcolm Fletcher naar Jonathan Hale had gestuurd, toen ze op de deur hoorde kloppen.

'Ik weet wat meer over het onbekende make-upmonster,' zei Keith Woodbury. Hij droeg een winterjas en zijn gezicht was rood van de kou. 'Kom even mee naar mijn kantoor.'

Zittend achter zijn bureau haalde Woodbury uit een map een vel papier tevoorschijn. Hij gaf haar een FTIR-grafiek van een infraroodspectroscopie, waarop alle afzonderlijke chemische componenten en hun concentraties zichtbaar waren gemaakt.

'Gedurende de afgelopen week heb ik samen met mijn MIT-vriendje de chemische versie van Scrabble gespeeld door van de verschillende stoffen steeds andere combinaties te maken,' zei Woodbury. 'Wat ons opviel, waren de hoge concentraties titaniumdioxide. Het is een mineraal. In bijna alles – van voedsel tot cosmetica – tref je er sporen van aan. Je hoeft geen notities te maken. Het staat allemaal in mijn rapport.

Een van de producten die op het sweatshirt zijn aangetroffen heet Derma. Het is een soort foundation die wordt gebruikt om ernstige littekens op het gezicht te maskeren, bijvoorbeeld tengevolge van acne, brandwonden of een chirurgische ingreep. Het product is in een gamma van kleurnuances verkrijgbaar, zodat de patiënt de geschikte tint voor zijn huid kan vinden. Veel plastisch chirurgen en dermatologen bevelen het hun patiënten aan. Het is tegenwoordig zonder doktersrecept verkrijgbaar, wat overigens pas sinds het eind van de jaren negentig het geval is. Maar het is niet in een winkel te koop. Nóg niet, tenminste. De producent is momenteel bezig een nieuwe cosmeticalijn te ontwikkelen die vanaf volgend jaar landelijk door warenhuizen als Macy's zal worden gevoerd. Momenteel is Derma alleen te bestellen via de website van het bedrijf.'

Woodbury gaf haar nog een grafiek. 'Dit is het onbekende monster,' zei hij. 'Het is LYCD, een verkorte benaming voor afgeleid product van levende gistcellen. Het is een relatief nieuw product, wat de reden is dat de FTIR het niet kon identificeren. LYCD komt in niet één van de cosmetische databestanden voor.'

'Wat is het?'

'Eenvoudig gezegd, voorziet LYCD de huid van adem. Het laat de huid ademen. Het is een gezichtscrème, maar niet van het traditionele soort. LYCD wordt verondersteld het genezingsproces van de huid te bevorderen. Je gebruikt het bij een incisie of een ernstige brandwond. Ook zou het helpen littekenweefsel soepeler te maken. Had Judith Chen littekens op haar gezicht?'

'Nee.'

'En Emma Hale?'

'Haar gezicht was puntgaaf.'

'Had een van de vrouwen haar gezicht laten peelen?'

'Ik zou het niet weten. Judith Chen verdiende niet genoeg om zich zoiets te kunnen veroorloven, maar het zou me niets verbazen als Emma Hale het had laten doen.'

'Het van het sweatshirt afkomstige monster bevatte Derma én LYCD. En zoals ik al zei, wordt LYCD toegepast bij verse snijwonden, brandwonden of littekens. Je brengt de crème 's morgens op je gezicht aan en dan weer 's avonds voor het naar bed gaan. Je doet ongeveer dertig dagen met een pot. Derma wordt gebruikt voor het maskeren van littekens. Het is bestemd voor mensen met een gevoelige of problematische huid en bevat geen alcohol. De meeste vrij verkrijgbare foundations bevatten een kleine hoeveelheid conserveringsmiddel op alcoholbasis, dat bij sommige mensen irritatie van het gezicht kan veroorzaken.'

'Laat ik je het volgende vragen,' zei Darby. 'Zou iemand met een normale huid dit als schoonheidsmiddel gebruiken?'

'Binnen dertig dagen gegarandeerd een jongere, gezondere huid of je geld terug, bedoel je?'

'Dat bedoel ik.'

'Ik veronderstel dat je het daarvoor zou kunnen gebruiken, maar voor dat doel zijn er betere spullen op de markt, producten die je zo kunt kopen in de betere speciaalzaken. Hoe noemen jullie dames dat ook weer? Hoop in een potje?'

'Ik zou het niet weten.'

'Kijk je nooit naar *Oprah*?'

'Nee.'

'Ik dacht dat alle vrouwen naar *Oprah* keken, dat het bijna verplicht was,' grinnikte Woodbury, met zijn handen achter zijn hoofd gevouwen achteroverleunend in zijn stoel.

'Oké, stel dat jij LYCD zou willen gebruiken omdat je gelooft dat je huid er jonger van gaat uitzien. Dan zou je naar een dermatoloog of een brandwondencentrum moeten gaan. Ik betwijfel of ze je het product op grond van dat argument zouden willen leveren. Heb je bij een van de slachtoffers enig bewijs van recente verwondingen aan het gezicht aangetroffen?'

'Gezien de vergevorderde staat van ontbinding, was dat onmogelijk vast te stellen.'

'Als Chen en Hale geen littekens of sporen van eventuele brandwonden in hun gezicht hadden, dan bestond er ook geen reden om een van beide producten op het tijdstip van hun ontvoering in bijvoorbeeld hun tas of rugzak bij zich te dragen. En dan is er nog het probleem met Derma. De tint komt niet overeen met de huidskleur van zowel Judith Chen als Emma Hale. Zodat twee mogelijke scenario's overblijven. Het eerste is dat deze producten bij een ander slachtoffer horen. De tweede mogelijkheid is dat hun aanvaller deze beide producten gebruikt. Als Chens moordenaar zowel Derma als LYCD gebruikte, dan is het mogelijk dat hij, tijdens het oppakken van haar lichaam, per ongeluk iets van de producten op haar schouder heeft overgebracht.'

'Hoe kom ik erachter wie deze LYCD-crème verkoopt?'

'Hier zit het ons mee. Het wordt maar door één bedrijf gemaakt, en dat is Alcoa – even buiten Los Angeles. Het wordt geleverd onder de naam Lycoprime. Het is niet vrij bij de drogist of op internet verkrijgbaar. Je moet een dermatoloog of een brandwondenkliniek zien te vinden die het product verkoopt. Lycoprime is betrekkelijk nieuw. Alcoa is minder dan twee jaar geleden met de productie gestart.'

'Dus het verspreidingsgebied is beperkt.'

'Ik ben zo vrij geweest vanmiddag met een van hun verkoopmensen te bellen. Eli – zo heette de verkoper die ik heb gesproken, Eli Rothstein – heeft me een lijst gefaxt met namen van artsen en klinieken die het product verkopen. Ik veronderstelde dat je daar wilde beginnen.'

'Goed gezien.'

Woodbury gaf haar een vel papier. De lijst van artsen in New England was verrassend kort. Shriners Burn Center was een belangrijke klant, evenals de brandwondenafdelingen van Beth Israel en Mass General, twee grote ziekenhuizen in Boston. Verder werd het product voorgeschreven door een handvol plaatselijke dermatologen. In totaal waren er in New Hampshire en Rhode Island samen nog geen tien dermatologen die Lycoprime gebruikten.

De ziekenhuizen en artsenpraktijken in Boston zouden zonder een gerechtelijk bevel geen enkel patiëntendossier vrijgeven. Neil Joseph zou daarvoor kunnen zorgen, maar dat zou tijd gaan kosten. Darby keek op haar horloge. Bijna vier uur in de middag. Als ze Chadzynski persoonlijk om een gerechtelijk bevel zou vragen, dan zou het allemaal veel sneller gaan.

Darby stond op. 'Knap staaltje werk, Keith. Bedankt.'

'Sorry dat het zo lang heeft geduurd,' zei Woodbury. Zijn gezicht kreeg een ernstige uitdrukking. 'Hannah Givens... Denk je dat ze nog steeds leeft?'

'Ik hoop het.' Darby deed een schietgebedje toen ze de telefoon pakte en Chadzynski's nummer intoetste.

# 74

De rest van de dag werkte Walter aan de website van zijn klant. Zo nu en dan dwaalden zijn gedachten weg naar Hannah die alleen in het donker zat opgesloten.

Eindelijk had ze tegen hem gepraat. Toen was de deurbel gegaan, hij was in paniek geraakt, alles was in het honderd gelopen en nu dacht Hannah dat hij een monster was. Hij moest een manier zien te vinden om dit op te lossen en opnieuw te beginnen.

Walter liep de trap af en pakte in de keuken het telefoonboek. De dichtstbijzijnde bloemist bevond zich in Newburyport, het volgende stadje. Hij belde het nummer. De man die opnam, zei hem dat het te laat was om nog te kunnen bezorgen, maar dat de zaak tot vijf uur open was.

Hij bedankte de man en hing op.

Walter verliet niet graag het huis. En dankzij de wonderen van het internet was dat ook niet nodig. Kleding, medicijnen, dvd-films, boeken en zelfs levensmiddelen werden bij hem thuisbezorgd. De enkele keer dat hij het huis verliet was om Maria te gaan bezoeken.

Maria wist hoe eenzaam hij was. Ze had hem gezegd dat hij dapper moest zijn. Hij had maanden om kracht gebeden. Toen, op een dag, had Maria hem gezegd naar Harvard Square te rijden. Ze had hem niet verteld waarom. Het was een verrassing, had ze gezegd.

Zittend in zijn auto had Walter van achter het getinte glas naar de studenten gekeken. Het was een zonnige, warme lentedag. Hij had gewild dat hij had kunnen uitstappen en zich tussen hen mengen. Maar als hij dat deed, zouden de mensen zijn gezicht zien in het onbarmhartige licht. Ze zouden blijven staan en hem aanstaren. Sommigen zouden hem uitlachen.

De schrijnende eenzaamheid die Walter zolang als hij zich kon herinneren had gevoeld, kwam in alle hevigheid in hem op, om dan plaats te maken voor Maria's liefde. Zijn Heilige Moeder zei tegen hem dat hij mooi was en deed hem naar links kijken.

Een aantrekkelijke jonge vrouw stak de straat over en kwam zijn kant op lopen. Ze liep op hoge hakken en droeg een korte rok en een strak truitje. Ze had een volmaakt gezicht. Mannen keken naar haar en draaiden zich om om haar na te staren. En ze wist het. Ze was de mooiste vrouw die Walter ooit had gezien.

*Dit is mijn geschenk aan jou,* had Maria gezegd. Vervuld van de geest van de Heilige Moeder startte Walter de auto en begon de vrouw te volgen die hij als Emma Hale zou leren kennen. Maria had hem gezegd dat Emma een bijzondere vrouw was – dat Emma uiteindelijk van hem zou houden. Maria zou hem wel laten weten wat hij moest doen.

Hij had alles gedaan om Emma van hem te laten houden, maar toen dat niet lukte, had Maria hem gezegd terug te gaan naar Boston, waar ze hem Judith Chen had laten zien.

Nu had Walter Hannah, die weigerde met hem te praten. Hij moest zorgen dat alles weer goed kwam. Hij pakte zijn autosleutels en verliet het huis.

Een zwaargebouwde man, aan het werk achter de toonbank, en een jonge vrouw bezig met bloemschikken, staarden hem aan toen hij de winkel binnenkwam. Terwijl hij naar de koelvitrine liep om de rozen te inspecteren, voelde hij hun blikken op zijn rug branden.

Hij besloot een kleurrijk boeket van gemengde bloemen te nemen. Achter hem klingelde de deurbel toen de deur openging. Walter draaide zich met de bloemen in zijn hand om. Voor hem op het pad stond een jongetje van hoogstens vijf jaar oud.

'Bent u een aardig monster?' vroeg het kind.

Het gezicht van de jongen werd een grote, heldere witte vlek, als een ster die vanuit de hemel op hem neerscheen.

Walters hand ging naar zijn jaszak en omklemde het kleine beeldje. Zijn Heilige Moeder zou hem met haar liefde beschermen.

'Ik ben niet bang voor monsters,' zei het jochie. 'Mijn pappa leest me elke avond voor uit een boek over de monsters die in mijn kast leven. Ze zijn niet eng. Je moet gewoon aardig tegen ze zijn.'

Met een verontschuldiging trok de moeder hem weg. Terwijl de man achter de toonbank beleefd glimlachend de bloemen inpakte, dacht Walter aan Hannah, aan haar warme, zachte huid, gedrukt tegen zijn geschonden lichaam.

Toen Walter weer thuis was, ging hij direct naar beneden, waar hij allereerst de elektriciteit in Hannahs kamer inschakelde. Hij legde de bloemen op de serveerboy, duwde die naar de deur en keek door het kijkgaatje. Hannah lag op het bed, met haar rug naar de deur gekeerd.

'Ik heb een presentje voor je meegenomen,' zei Walter.

Hannah reageerde niet.

'Hannah, kun je me horen?'

'Ik had gehoopt dat we zouden kunnen praten.'

Geen antwoord.

'Hannah, alsjeblieft... zeg iets.'

Geen antwoord.

'Als je wilt eten, dan zul je met me moeten praten.'

Walter wachtte. Minuten verstreken. Hannah bleef zwijgen.

Walter stormde de trap op en ijsbeerde met trillende handen door de keuken. Toen hij enigszins was gekalmeerd, ging hij naar de kast om daar tot Maria te bidden om raad.

Maria klonk zo zwak dat hij haar nauwelijks kon verstaan. Haar stem klonk steeds ijler, alsof ze stervende was en ten slotte hield ze op met praten.

Hij moest naar Sinclair, om daar te bidden. Daar, voor de enige, ware Maria, degene die hem had gered, zou hij neerknielen. Met zijn hoofd tegen de vloer van de kapel gedrukt en zijn handen stijf gevouwen tegen zijn lichaam, zou hij bidden tot zijn Heilige Moeder hem antwoord zou geven en hem zou zeggen wat hij moest doen.

# 75

'Ik geloof niet dat Sam Dingle Hale en Chen heeft vermoord,' zei Darby ter begroeting.

Commissaris Chadzynski, gekleed in een modieus mantelpakje van Chanel, dronk koffie uit een sierlijk porseleinen kopje.

De lichten in haar kantoor waren gedimd en uit de radio op een boekenkast klonk zachte jazzmuziek.

Darby pakte de rugleuning van een stoel beet en leunde voorover terwijl ze sprak. 'Volgens Dingles zus is hij na zijn ontslag uit Sinclair naar New England vertrokken. Hij is daarna nog een keer terug geweest om zijn aandeel uit de verkoop van de nalatenschap van zijn ouders op te halen, en terwijl hij hier was, heeft hij Jennifer Sanders ontvoerd en haar meegenomen naar die kamer naast de kapel, waar hij haar verkrachtte en uiteindelijk heeft gewurgd.

Nu, vijfentwintig jaar later, wil Fletcher ons laten geloven dat Dingle weer is teruggekeerd naar zijn oorspronkelijke jachtterrein, met als enig verschil dat Dingle nu, in plaats van vrouwen te verkrachten en te wurgen, studentes ontvoert, ze wekenlang vasthoudt voordat hij ze in hun achterhoofd schiet en dan hun lichaam dumpt, met in hun zak een beeldje van de Maagd Maria genaaid. Daar trap ik niet in.'

'Vertel me eens waarom niet,' zei Chadzynski.

'Margaret Anderson en Paula Kelly waren gewurgd en als afval langs de kant van de weg gedumpt. Jennifer Sanders werd verkracht, gewurgd en als oud vuil achtergelaten. Emma Hale daarentegen werd zes *maanden* in leven gehouden. Judith Chen werd meerdere weken in leven gehouden. Ook weten we dat de moordenaar op een zeker moment naar het huis van Emma Hale is gegaan om daar haar halsketting te gaan halen. Nog afgezien van het risico dat hij daarmee nam – de kans was groot dat hij gepakt zou worden – spreekt daar een opmerkelijke mate van empathie uit, misschien zelfs wel liefde.'

'Voor zover ik weet, ondergaan seriemoordenaars een zeker evolutieproces. Is het niet mogelijk dat Dingle – '

'Iemand wurgen is een intieme, seksuele handeling,' onderbrak Darby. 'Hale en Chen werden niet gewurgd maar in hun achterhoofd geschoten. De eerste methode is confronterend, de tweede afstandelijk. Een psychopaat ontwikkelt zich niet tot een moordenaar die empathie voor zijn slachtoffers opvat. Dingle mag dan misschien Anderson en Kelly hebben vermoord, ik geloof niet dat hij Hale en Chen heeft omgebracht. Volgens mij hebben we te maken met een heel andere moordenaar.'

'Ik had net de rechercheur aan de lijn die indertijd in Saugus de leiding had over de zaken van Anderson en Kelly,' zei Chadzynski. 'Hoewel hij nu met pensioen is, herinnert hij zich nog goed dat zijn bazen de hulp van een profiler inriepen om te helpen de zaak tegen Dingle rond te krijgen – Malcolm Fletcher. Waarschijnlijk heeft hij Dingle in het Sinclair bezocht.'

'Bryson geloofde dat Fletcher probeerde ons zand in de ogen te strooien.'

'Tim heeft ook tegen ons gelogen. Ik heb een kopie van zijn bekentenis beluisterd. Misschien schuilt er enige waarheid in.'

'Fletcher heeft me opnieuw gebeld.' Darby vertelde de commissaris over het telefoongesprek. 'Volgens mij is Dingle een rookgordijn.'

'Denk je dat Fletcher achter je aan zal komen?' vroeg Chadzynski.

'Daar heeft hij alle kans toe gehad.'

'Verwacht je dat hij je kwaad zal doen?'

'Nee.'

'Heeft hij je ooit op enigerlei wijze bedreigd?'

'Nee.'

'Voorlopig hou je alleen nog je telefoontaps, maar op een gegeven moment zullen we je weer onder surveillance moeten plaatsen.'

'Misschien dat u beter Jonathan Hale kunt laten observeren.'

'Elke specialist die ik heb gesproken zegt dat Malcolm Fletcher alleen werkt.'

'Uw contact bij de FBI zei dat Fletcher de moordenaars naar

wie hij op jacht was ombracht,' zei Darby. 'Het zou me niet verbazen als Fletcher Dingle al te pakken heeft.'

Chadzynski staarde langdurig naar de knipperende lampjes op haar telefoon.

'Als u Fletcher wilt vinden,' zei Darby, 'dan moet u mensen op Jonathan Hale zetten.'

Er werd op de deur geklopt. Chadzynski's secretaris kwam binnen en legde het gerechtelijk bevel op de rand van het bureau.

De commissaris wachtte tot de deur weer dicht was.

'De verslaggever van de *Herald* heeft besloten het verhaal over de in het Sinclair gevonden stoffelijke resten te publiceren,' zei ze toen.

'Hebt u hem eraan herinnerd dat het misschien Hannahs ontvoerder in paniek kan brengen, zodat hij haar vermoord?'

'Ja, dat heb ik gedaan. Het verhaal staat morgenochtend op de voorpagina.'

Darby pakte de kopieën van het dwangbevel van het bureau. 'Als er verder niets is, dan zou ik graag hiermee aan het werk gaan.'

'Waar denk je te beginnen?'

'Bij het Shriners Burn Center,' antwoordde Darby. 'Coop en Woodbury gaan bij de dermatologen langs voordat ze voor vandaag hun praktijk sluiten.'

'Ik zal eens kijken of ik Jonathan Hale kan vinden,' zei Chadzynski, haar telefoon pakkend.

Malcolm Fletcher had zijn hotel verruild voor een schuiladres in Wellesley, een ongeveer twintig minuten buiten Boston gelegen voorstadje. Ali Karim had alles geregeld. Het verblijf was volledig ingericht. Fletcher zat aan een klein antiek bureau een computeruitdraai van het van Shriners afkomstige patiëntendossier van Walter Smith te lezen. Het was hem gelukt om de firewall van het ziekenhuis te omzeilen en in de patiëntenbestanden te komen. Nadat hij Walters dossier had geprint, had Fletcher het uit het gegevensbestand van het ziekenhuis gewist.

Walter had zijn laatste correctieve operatie ondergaan in 1987, toen hij achttien was. Het in het dossier vermelde adres betrof een appartementengebouw in Cambridge, Massachusetts.

Fletcher had het adres eerder die dag gecontroleerd. Walter was daar in 1992 vertrokken. Het volgende adres was een eenkamer-appartement in de Back Bay. De huisbaas had Karim een kopie van de huurovereenkomst gefaxt. Walter had geen volgend woonadres opgegeven, maar op het contract stond zijn sofinummer vermeld.

De snelste manier om Walters huidige verblijfplaats te achterhalen, was via de belastingdienst. Dat betekende inbreken in het computernetwerk van de IRS.

Op dit moment draaide er een UNIX-programma, voorzichtig op zoek naar een mogelijkheid om via een achterdeurtje langs de firewall van de IRS te komen. Het binnendringen en verlaten van het systeem zonder daarbij een digitale vingerafdruk achter te laten, of erger nog, een alarm te doen afgaan, vereiste een eindeloos geduld en vaardigheid. Eén verkeerde handeling en de FBI zou voor zijn deur staan.

Malcolm Fletcher pakte het Mariabeeldje dat hij uit de kartonnen doos in de kapel van het Sinclair had genomen en bewoog het tussen zijn vingers terwijl hij de telefoon pakte.

'Meneer Hale, bent u nog van gedachten veranderd wat betreft uw voornemen Walter te ontmoeten?'

'Nee.'

'Controleer of uw mobiele telefoon is opgeladen,' zei Fletcher, op het scherm kijkend. 'Ik verwacht vanavond Walters adres te hebben, uiterlijk morgen.'

# 76

Dr. Tobias, directeur van het Shriners Burn Center, staarde Darby vanachter zijn wanordelijke bureau over zijn leesbril aan. Hij had het dwangbevel zonder het zelf te lezen direct aan de juridisch adviseur van het ziekenhuis gegeven, die er nu alle tijd voor leek te nemen om het te bestuderen. *Jezus, schiet een beetje op.* Uiteindelijk gaf de advocaat Tobias het groene licht.

Tobias, gedrongen en krombenig, begeleidde Darby door de witglanzende gangen. Achter de gesloten deuren hoorde Darby het aanhoudende gepiep van apparaten en gedempte stemmen. In sommige deuren zaten smalle ramen. Van veel van de in bed liggende brandwondenpatiënten gingen de armen en het gezicht schuil onder dikke drukverbanden, waardoor onmogelijk was te zien of het een man of een vrouw was. Veel van hen waren kinderen.

Sommige patiënten bewogen zich over de gangen. Darby wendde haar blik af van hun verminkte gezichten en ledematen.

In het computersysteem van de ziekenhuisapotheek kon zowel op naam van de patiënt als op de naam van een specifiek geneesmiddel worden gezocht. Darby zocht onder 'Sam Dingle'. De naam kwam in het gegevensbestand niet voor.

De lijst van mannelijke patiënten die Lycoprime gebruikten, omvatte 146 namen.

De man die Hannah Givens gevangen hield, moest jong zijn – waarschijnlijk achter in de twintig, begin dertig – en blank. Lichamelijk moest hij een jeugdige indruk maken. Een studente zou niet gauw bereid zijn bij een oudere man in de auto te stappen. Tenzij ze geloofde dat hij ook student was en hij bovendien beweerde op dezelfde universiteit te studeren.

Darby geloofde dat de moordenaar hier bekend was. Hij zou niet te ver van het Sinclair willen wonen. Ze moest zich concentreren op degenen die een strafblad hadden.

Daarvoor had ze Neil Joseph nodig, die achter zijn bureau op haar telefoontje zat te wachten. Neil had toegang tot elk strafblad, vooropgesteld dat het geen jeugdmisdrijf was. Deze documenten waren verzegeld en mochten alleen met toestemming van de rechter worden geopend. Darby hoopte maar dat dit niet het geval was.

'Kunt u deze Lycoprime-lijst rangschikken op leeftijd van de patiënten?' vroeg ze aan Tobias. 'Ik zou graag met de jongere patiënten beginnen.'

'Het is niet mogelijk op volgorde van leeftijd een lijst te printen die alle gegevens bevat – om de volledige informatie te vinden zou u elk afzonderlijk dossier moeten doornemen. Maar we kunnen wel een lijst maken van alle mannelijke patiënten die Lycoprime gebruiken.'

'En van patiënten die Lycoprime in combinatie met Derma gebruiken?'

'Het probleem daarmee is, dat het u een onjuist beeld zou geven. We zijn namelijk met de verkoop van Derma gestopt. Dat moet nu toch al minstens vier jaar geleden zijn. Het is tegenwoordig vrij verkrijgbaar.'

'Als een patiënt indertijd Derma gebruikte, zou dat dan in zijn dossier zijn vermeld?'

'In de oudere dossiers wel, ja,' antwoordde Tobias. 'We adviseren Derma aan al onze patiënten. Het is een uitstekend product. We geven ze vaak monsters mee, om te kunnen bepalen welke kleur het beste bij hun huid past. Vervolgens kan de gewenste tint dan direct via de website van de producent worden besteld.'

*Wat betekent dat recente bestellingen voor Derma op geen enkele manier in het computerbestand van de apotheek zijn terug te vinden,* dacht Darby.

'Ik weet dat u de gegevens snel wilt hebben,' zei Tobias. 'Daarom heb ik, om tijd te besparen, onze apotheker Craig Henderson – de heer links van u – gevraagd of hij de bestanden van de Lycoprime-patiënten direct naar de printer in mijn kantoor zou willen sturen. De achternamen van de patiënten zullen in alfabetische volgorde gerangschikt staan. De huidige patiëntendossiers kunt u via de computer in mijn kantoor inzien, die zijn met de computer van de apotheek niet toegankelijk. Het is een afzonderlijk gegevensbestand.'

De laserprinter van Tobias was vreselijk traag. In elk apotheekdossier stonden zowel de naam, geboortedatum, gegevens over de ziektekostenverzekering, als de volledige medicatiegeschiedenis van de betreffende patiënt vermeld.

Het kostte een uur om alle Lycoprime-patiënten van A tot H uit te printen. De leeftijden varieerden van vijf tot vijftig.

Dr. Tobias hielp haar de patiënten in twee stapels te sorteren – een voor leeftijden tot en met vijftien, de andere voor zestien en ouder.

De meeste patiëntendossiers hadden betrekking op jongetjes of teenagers die waren verbrand bij een brand in huis, veroorzaakt door een ouder die met een brandende sigaret in slaap was gevallen. Sommigen hadden per ongeluk kokend water uit een ketel op de kachel over zich heen gekregen. Een jongetje, tien jaar oud, was op het onzalige idee gekomen om in de garage van zijn ouderlijk huis een paar rotjes af te steken naast een plastic jerrycan met benzine. De brand was zo hevig geweest, dat hij zonder de hulp van een ventilator niet kon ademen. Hij was niet lang daarna gestorven.

En dan waren er nog de andere dossiers – over ouders die hun krijsende kind of ongezeglijke peuter in een teil met kokendheet water hadden gezet; ouders die in een moment van uitzinnige woede of dronken razernij hun zoon in een brandende open haard of een houtkachel hadden geduwd. Lieve god, hier was zelfs een dossier over een vader die zijn elfjarige zoon de gevaren van vuur wilde bijbrengen door een lucifer bij zijn hand aan te strijken, waarbij de polyester pyjama van de jongen vlam had gevat. De smeltende stof had zich in zijn huid gebrand en hem overdekt met blijvende littekens.

Eén patiënt leek veelbelovend: Frank Hayden, negenentwintig jaar oud, blank. In 1996, toen hij zeventien was, was Hayden bezig een defecte autoaccu te slopen toen deze explodeerde. Het wegspattende accuzuur verminkte zijn gezicht. In zijn dossier stonden de tientallen correctieve operaties vermeld die Hayden de afgelopen tien jaar had ondergaan.

Hayden had ook een strafblad. In 2003 was hij gearresteerd wegens poging tot verkrachting. Hij zat twee jaar in Walpole. Na zijn vrijlating keerde hij terug naar Dorchester en ging weer bij zijn moeder wonen.

Darby was in een ander dossier verdiept toen Coop belde vanuit het kantoor van een dermatoloog in Cambridge, de op drie na grootste leverancier van Lycoprime.

'Niets over Sam Dingle,' zei hij. 'Wel heb ik zes mannelijke patiënten gevonden die Lycoprime gebruiken. De oudste is achtentwintig. Tien jaar geleden zat de vader van de jongen zo diep in de schulden, dat hij de verzekeringspolissen van zijn hele gezin afkocht. De schoft stak het huis in brand, waarbij hij probeerde het te doen lijken alsof ze het slachtoffer waren geworden van een pyromaan. Het hele huis stond in lichterlaaie. Toen de brandweer arriveerde, wisten ze dit kind nog te redden, maar zijn ouders en de vier andere kinderen kwamen om in de vlammen.' Hij zuchtte. 'Ik geloof dat ik maar een ander beroep ga zoeken,' besloot hij.

'Is er een strafblad?'

'Drugsmisdrijven. De knaap is zowel gebruiker als dealer. De andere vijf patiënten hebben niets op hun kerfstok. Geen strafblad.'

'Wie staat als volgende op je lijst?'

'Ik was van plan bij het brandwondencentrum van het Mass General langs te gaan.'

Het Massachusetts General Hospital was de op een na grootste leverancier van Lycoprime in New England.

'Wacht nog even,' zei Darby. 'Afhankelijk van wanneer ik hier klaar ben, zie ik je bij het Mass General of gaan we samen naar het Beth Israel.'

Een uur later werd ze opnieuw gebeld.

'Volgens mij kun je Frank Hayden wel van je lijst schrappen,' zei Neil Joseph. 'Ik heb net zijn moeder aan de telefoon gehad. Hayden woonde het afgelopen jaar in Montana. Hij is automonteur.'

'Momentje.' Darby zocht tussen haar papieren en vond Haydens apotheekgegevens. 'Hij heeft twee maanden geleden zijn voorraad Lycoprime nog aangevuld.'

'Dat weet ik. Zijn moeder zegt dat ze het voor het hem gaat halen en het dan naar hem opstuurt. Hij kan het daar nergens krijgen.'

'En Derma?'

'Daar heeft ze niets over gezegd. Voor de zekerheid laat ik

Hayden nog door een paar mensen natrekken. Heb je nog meer namen?'

'Nog niet.'

Het gezoem van de printer vulde de ruimte. Het was na achten en de ramen waren donker.

Darby pakte een nieuwe stapel dossiers en begon te lezen. *Alstublieft, God, geef me iets.*

# 77

Walter parkeerde zijn auto achter het Sleepy Time Motel aan Route One. Hij reed nooit naar het ziekenhuisterrein, waar dag en nacht werd gepatrouilleerd door auto's van de bewakingsdienst. De wandeling door de bossen achter het motel was lang en inspannend, zeker als het gesneeuwd had, maar hij had het altijd zo gedaan omdat hij niets wilde doen dat zijn Heilige Moeder in gevaar zou kunnen brengen.

De tunnelbuis bevond zich aan de zuidzijde van het Sinclair. Het was een oud waterafvoerkanaal, gebouwd ergens aan het begin van de twintigste eeuw. Walter bereikte het na een lange, moeizame beklimming van een steile, met sneeuw bedekte heuvel.

Na de officiële sluiting van het ziekenhuis in 1984 had de beveiligingsdienst, die belast was met de bewaking van het complex, de tunnelopening afgesloten met een ijzeren hek met hangslot. Walter was teruggekomen met een betonschaar en een identiek hangslot. Aangezien de beveiligingsdienst hier nooit kwam, hadden ze de verwisseling van het slot nooit ontdekt.

Walter schudde de sneeuw van zijn laarzen, knipte zijn zaklantaarn aan en maakte de poort open.

Gedurende zijn verblijf in het Sinclair had Walter het ziekenhuis goed leren kennen. In het archief van het gemeentehuis van Danvers lagen kopieën van de originele blauwdrukken. Voor slechts twintig dollar werden de gedetailleerde bouwtekeningen van elke afzonderlijke verdieping in kleur voor je uitgeprint.

Het probleem was echter de grote mate van verval en het risico van instorting. Veel gangen in de kelder waren ingestort en het had Walter meerdere weken gekost om de meest geschikte weg naar de kapel te vinden.

Terwijl hij door de gangen liep, gingen zijn gedachten terug naar zijn verblijf in het Sinclair – terug naar de nachten dat hij zwetend, dol van pijn op zijn bed heen en weer wiegde als het medicijn in zijn aderen brandde. Dan had hij gestaard naar zijn tekeningen van de Heilige Moeder in zijn hand en soms was de pijn draaglijk geworden. En soms had zuster Jenny hem meegenomen naar de kapel.

Het was tijdens zijn eerste bezoek aan de kapel geweest dat Maria zich aan hem had geopenbaard.

De bedroefde blik van Maria die neerkeek op het lichaam van haar dode zoon, Jezus de Verlosser, op haar schoot, had Walter door zijn ziel gesneden en hij had de last van haar ondraaglijke verlies op zich voelen drukken.

Neerknielend had hij zijn ogen gesloten en tot zijn moeder gebeden.

*Mamma, ik weet dat ik geen lieve jongen ben geweest. Ik weet dat u goed voor me was en dat u hebt gedaan wat u kon. Ik vergeef het u. Ik hou van u, mamma.*

*Je moeder is veilig,* had een vreemde stem tot hem gesproken. *Ze is nu bij mij in de hemel.*

Walter had zijn ogen geopend. Maria, de Heilige Moeder Gods, had hem recht aangestaard.

*Ik weet hoeveel je van je moeder houdt, Walter. Ze wil dat ik voor je zorg. Kom bij me.*

De Heilige Moeder was opgestaan. Jezus was van haar schoot gegleden en op de vloer getuimeld. Maria had daar gestaan, gekleed in vloeiende, blauwe en witte gewaden, haar armen gespreid om hem te verwelkomen, om hem dichter te brengen naar de geheime wereld binnen het felrood geschilderde hart dat op het midden van haar borst gloeide.

*Je hoeft nergens bang voor te zijn. Ik houd zoveel je. Kom naar me toe en laat me je omarmen.*

Walter had de Heilige Moeder gehoorzaamd. Hij was uit de kerkbank gestapt en naar Maria gegaan die hem in haar armen had gesloten.

*Je bent een lieve jongen. Ik ben erg trots op je.*

Walter, omgeven door Maria's liefde, had gehuild.

*Je zult nooit meer alleen zijn,* had Maria gezegd, hem op zijn hoofd kussend. *Ik zal altijd bij je zijn. Ik houd zoveel van je.*

Walter was vaak teruggegaan naar de kapel om Maria te bezoeken.

Telkens als ze alleen waren, had ze zich aan hem geopenbaard. De schrijnende eenzaamheid, de pijn, angst, het isolement en gemis – het verdween iedere keer als Maria hem in haar armen hield.

Uiteindelijk onthulde Maria al haar geheimen. Ze hadden samen veel prachtige gesprekken. Toen het ziekenhuis dichtging, wist Walter toch een weg naar zijn Heilige Moeder te vinden.

Walter liep door de verlaten gangen, tussen afbladderende muren. Hij hield niet van het donker, maar hij was niet bang. Maria was dichtbij en hoewel hij haar stem niet kon horen, voelde hij haar liefde in zijn hart.

Hij stak de zaklantaarn in zijn achterzak en beklom de roestige, met bouten aan de muur bevestigde ladder. Eenmaal boven gekomen, rende hij door de koude gangen. Toen hij via de laatste deur de allerlaatste gang had bereikt, huilde hij bijna.

Terwijl Maria's liefde bezit van hem nam, pakte Walter de houten ladder op, droeg die voorzichtig over het puin naar een gat in de vloer, liet hem erin zakken en klom omlaag. Toen hij de met steengruis bedekte vloer eronder had bereikt, duwde hij de deur open en ging de kapel binnen. Hij tastte naar zijn zaklamp.

Zijn Heilige Moeder stond aan het einde van het pad. Toen ze hem zag, maakte haar gelaatsuitdrukking van eeuwig verdriet plaats voor een glimlach.

*Walter, je bent gekomen.*

Een overweldigend gevoel van opluchting maakte zich van hem meester. Zijn knieën knikten en hij greep zich vast aan een kerkbank om niet te vallen.

*Ik ben zo blij dat je er bent. Ik heb je gemist.*

'Ik u ook.' Tranen brandden in zijn ogen.

*Kom bij me en vertel me over Hannah.*

Walter wankelde over het pad, niet langer in staat de liefde voor zijn Heilige Moeder te bedwingen. Het was te sterk, te overweldigend. Huilend liet hij zich op zijn knieën vallen en sloot zijn ogen.

*Wees gegroet, Maria, vol van genade, ik ben met u...*

Maria gilde. Knipperend met zijn ogen zag Walter door zijn tranen een verblindend licht dat op hem was gericht. Walter stak zijn hand op om het uit zijn ogen te houden.

'*Ga op je buik liggen, met je handen in je nek.*'

De stem kwam van de man met de zaklantaarn. Hij kwam snel over het pad dichterbij – een kleine, breedgebouwde man. Hij droeg een bivakmuts en was gewapend. Achter de schouder van de man zag Walter Maria staan. Haar gezicht was vertrokken van woede.

*Laat je niet door hem meenemen, Walter. De artsen zullen je volspuiten met die vreselijke chemicaliën, waardoor je me niet meer zult kunnen horen en ze zullen je meenemen, zodat je me nooit meer zult kunnen zien.*

'Brian, Paul hier, ik heb hier hulp nodig,' sprak de man in een op zijn jack bevestigde mobilofoon. En weer tegen Walter: 'Ga op je buik liggen en doe je handen in je nek.'

Walter voelde de liefde van zijn moeder uit hem wegvloeien. De man met het pistool zou hem meenemen naar een ziekenhuiskamer, waar dokters hem zouden volspuiten met het medicijn. Hij zou Maria nooit meer zien en zonder zijn Heilige Moeder zou hij voor eeuwig verdoemd zijn. Zonder haar zou hij *sterven.*

Walter knipte zijn lantaarn uit en gooide die omhoog terwijl hij wegdook in de kerkbank.

Een pistoolschot, gevolgd door mondingsvuur dat de kapel deed oplichten. Walter kwam langzaam overeind.

*'Brian, maak voort, hij gaat ervandoor!'*

Walter kende de kapel als geen ander.

Met zijn hand om de leuning van de kerkbank geklemd, zag hij de lichtbundel van de zaklantaarn door de kapel glijden. Een andere man schreeuwde, en nog een lichtstraal zwaaide wild heen en weer door het duister. Walter sprintte over het middenpad naar de achterkant van de kapel. Opnieuw klonk een schot. De lichtflits deed de deur naar de ruimte met de ladder oplichten. Walter rende naar binnen en gooide de deur achter zich dicht.

Een kogel boorde zich krakend in de deur. Met benen die wel van rubber leken, haastte Walter zich langs de ladder omhoog. Net toen hij uit het gat klom, versplinterde een volgende kogel het hout. Walter trok de ladder snel omhoog. Beneden hem zwaaide de deur open en sloeg met een klap tegen de muur. Walter smeet de ladder in de gang. De man met de bivakmuts kwam de kamer binnen, zag het gat in het plafond, en vuurde. Toen hij daarna probeerde een berg puin te beklimmen, pakte Walter een baksteen en smeet die door het gat omlaag. De man schreeuwde. Walter gooide nog een steen, en nog een. Weer knalde een schot, maar Walter was al weg, vluchtend in het duister.

# 78

'Walter Smith is nergens te vinden,' zei Darby.

'U zegt?' Tobias keek haar over zijn leesbril aan.

'Het volledige medicatiedossier van Walter Smith staat wél in het computerbestand van de apotheek, maar in uw patiëntenbestand komt zijn naam niet voor.'

Met een moeizame zucht stond de ziekenhuisdirecteur op uit zijn stoel. Darby overhandigde hem de uitgedraaide lijsten van Walter Smiths medicatie.

In het begin van het jaar had een arts – Christopher Zackary – het recept verlengd voor Lycoprime, het middel dat Walter Smith sinds anderhalf jaar kreeg voorgeschreven. Daarnaast gebruikte Walter Smith al sinds het begin van de jaren tachtig op doktersvoorschrift onafgebroken de foundation van Derma. De registratie van Derma stopte in 1997, toen voor dit product niet langer een recept nodig was.

Tobias liet zijn blik over de lijsten gaan en typte toen op het toetsenbord 'Smith, Walter' in. Het scherm bleef leeg.

'Dat bestaat niet,' zei Tobias. 'Als hij in het apotheekbestand staat, dan moet zijn patiëntendossier in ons systeem zitten.'

'Ik zou graag zijn papieren dossier inzien.'

'Dr. Zackary is waarschijnlijk allang naar huis. Laat me even kijken of ik zo laat nog iemand kan vinden die zijn kantoor kan openmaken.'

Darby leunde achterover in haar stoel en starend naar het plafond rekte ze zich uit. Het was al tien uur geweest.

Hoe kon het dat het dossier van Walter Smith ontbrak?

Was het een administratieve vergissing of een programmeerfout? Een ziekenhuis van deze omvang zou een computersysteem moeten hebben dat wekelijks zo niet dagelijks back-ups van zijn bestanden zou moeten maken.

Haar mobieltje ging.

'Je had gelijk,' zei Bill Jordan. 'Hij is teruggekomen naar de kapel.'

Darby ging met een ruk staan, waarbij bijna haar stoel omviel. 'Heb je hem?'

'Nog niet. Luister, ik heb niet veel tijd, dus laat me je even snel bijpraten. Quinn – een van de mannen die ik binnen het Sinclair heb gestationeerd – Quinn dus, vertelde me dat iemand ongeveer een halfuur geleden de kapel binnenkwam. Het gezicht van de man die hij zag was ernstig verminkt, alsof het was verbrand. De knaap besloot ervandoor te gaan. Er werd geschoten, maar hij wist weg te komen naar een vertrek ergens achterin, voorbij de kerkbanken. Er zit daar een gat in het plafond.'

Darby kende de kamer. Ze had die gezien nadat ze door de ventilatieschacht was gekropen.

'Quinn en zijn partner Brian Pierra,' zei Jordan, 'bezweren dat ze een ladder zagen, die direct daarna werd opgetrokken. Quinn vuurde nog een schot af en kreeg vervolgens een baksteen naar zijn hoofd.'

'Kun je alle uitgangen in de gaten houden?'

'We bewaken elke uitgang die we kennen. De politie van Danvers is hier en ze zijn behoorlijk pissig. Een van de mannen van Reeds bewakingsdienst hoorde de schoten, raakte in paniek en belde de plaatselijke politie. Ik moet nu ophangen.'

'Ik kom eraan.'

'Nee, ik wil dat je blijft waar je bent. Het is hier een vervloekt pandemonium en ik zit midden in een tactische nachtmerrie. Ik bel je op zodra we die knaap te pakken hebben. Dat beloof ik je. Prima werk, Darby. Je had gelijk.'

En Bill Jordan was weg.

Darby wilde wel naar haar auto rennen en over Route One naar het noorden racen, maar wat dan? Jordans mannen hadden SWAT-ervaring. Als ze nu naar Danvers reed, wat kon ze daar dan uitrichten? Helemaal niets.

Getergd beende ze tussen de paperassen in het benauwend hete kantoor heen en weer over de goedkope vloerbedekking. Ze wilde erbij zijn wanneer ze deze persoon uit het ziekenhuis sleepten. Ze wilde het gezicht zien van de man die Emma Hale en Judith Chen had vermoord. En Hannah Givens? Leefde de studente nog, of lag haar lichaam op de bodem van de rivier?

Darby staarde uit het raam toen dr. Tobias het kantoor binnenkwam. Hij overhandigde haar drie dikke dossiers, wierp een blik op zijn horloge en zei toen dat hij koffie ging halen.

Achteroverleunend tegen een bureau begon Darby het patiëntendossier te lezen.

Walter Smith was op de vroege ochtend van 5 augustus 1980 in het Shriners opgenomen met derdegraads brandwonden die vijfennegentig procent van zijn lichaam bedekten. Zijn moeder, die bij de brand was omgekomen, had zijn bed met benzine overgoten en aangestoken omdat hij 'de zoon van de duivel' was. Walter Smith was toen elf jaar oud.

Walter werd psychiatrisch onderzocht. Na analyse van de gegevens bleek dat Walter leed aan paranoïde schizofrenie. Het McClean Hospital, befaamd vanwege zijn behandelmethodes van psychiatrische ziekten, weigerde Walter – weeskind en onverzekerbaar tegen medische kosten – op te nemen. De Sinclair Mental Health Facility, een door de staat geleide, goed bekendstaande psychiatrische inrichting, bood echter aan de jongen gratis te behandelen.

Darby bekeek de apotheekgegevens opnieuw. Daaruit bleek dat Walter de afgelopen twintig jaar meer dan tien keer was verhuisd. Zijn meest recente adres bevond zich in Rowley – twee plaatsjes voorbij Danvers, waar het Sinclair lag.

Ze belde Neil Joseph en vertelde hem in het kort over Walter Smith.

'Die naam duikt nergens op in onze lokale zaken,' zei Neil. 'Heb je nog andere namen?'

'Nee.' Darby vertelde hem wat er gaande was op het Sinclair en belde toen naar Coop met dezelfde informatie. Hij was nog steeds bezig de patiëntendossiers door te spitten.

'Wat wil je dat ik doe?' vroeg hij.

'Wat je nu al doet,' antwoordde ze. 'Goed blijven zoeken.'

Darby hing op en staarde naar de close-ups van het verbrande gezicht van de jongen. Was Walter Smith de man die Emma Hale en Judith Chen had vermoord? Op papier leek hij de perfecte verdachte. Zat de man ergens binnen het Sinclair in de val?

Ze keek naar de klok. 23:35. Veertig minuten verstreken sinds haar gesprek met Bill Jordan. Was Walter Smith inmiddels gearresteerd, of waren Jordans mannen nog steeds naar hem op jacht? Het was om dol van te worden.

Om Walter Smiths huis in Rowley binnen te kunnen komen, zou een huiszoekingsbevel nodig zijn. En dat zou tijd kosten.

Bevond Hannah Givens zich daar in huis, of werd ze ergens anders vastgehouden? Woonde Walter Smith daar alleen of met iemand samen? Met een kamergenoot of met een vriendin? Als hij daar met iemand woonde, dan kon die persoon misschien meer over hem vertellen.

Darby maakte kopieën van Smiths medische dossiers, propte de pagina's in haar rugzak en haastte zich door de gangen naar de uitgang.

Walter stond op de parkeerplaats van het motel en keek om zich heen. De politie was hem niet tot hier gevolgd, en hoewel ze hem ook niet door de toegangstunnel waren gevolgd, krioelde het in het ziekenhuis van de politie. Na het hek achter zich op slot te hebben gedaan, had hij door de bossen gerend tot hij sirenes hoorde. Een ogenblik later hadden witte en blauwe zwaailichten de duisternis doorboord.

De politie had hem niet gezien, maar Maria hadden ze wel gevonden en nu was ze weg, zijn Heilige Moeder was *verdwenen.*

Met kleren doorweekt van het zweet, probeerde Walter, heen en weer schommelend achter het stuur, zijn tranen te bedwingen.

Maar hij kon het niet langer inhouden. Hij barstte in snikken uit en huilde als een kleine jongen, met heftig schokkende schouders.

*Walter, kun je me horen?*

Maria's stem klonk luid en duidelijk. Walter hield op met wiegen en luisterde.

'Ik kan u horen.'

*Ik wil dat je goed naar me luistert. Ik ga je helpen. Luister je?*

'Ja.' Walter veegde de tranen uit zijn gezicht.

Maria vertelde hem wat hij moest doen.

'Dat kan ik niet,' antwoordde Walter.

*Je hoeft nergens bang voor te zijn. Ik zal steeds bij je zijn. Jij bent mijn uitverkoren jongen en ik houd zoveel van je. Je kunt dit. Rij dus nu naar huis en haal Hannah.*

Vervuld van de liefde van zijn Heilige Moeder, startte Walter de auto.

# 79

Hannah zat op het bed. In haar hand hield ze een beeldje van de Maagd Maria geklemd.

Mamma was de ware gelovige, degene die het gezin elke zondag had aangespoord naar de mis te gaan en tijdens de vastentijd had laten 'lijden'. Pappa had niet zoveel met de kerk op. 'Als je wilt dat er in je leven iets goeds gebeurt,' had hij ooit tegen haar gezegd toen ze een keer samen waren, 'dan lukt dat niet door in een kerkbank te zitten. Dan zul je die grijze massa tussen je oren moeten gebruiken.'

Desondanks had pappa het spel meegespeeld. Hij had de gebruikelijke lippendienst bewezen – buig je hoofd, ga staan, knielen, opstaan en weer buigen. Bedank voor al het mooie dat je hebt mogen ontvangen, ga nu weg, gedraag je en *waag* het niet Gods woord in twijfel te trekken. Hannah voelde zich altijd tussen hen gevangen – ze wilde wel geloven in een soort roeping of een hoger doel, maar niet in de onzichtbare man die vanuit een soort hemel alles zag wat je deed – goed of slecht – en dat in een groot boek bijhield.

De laatste keer dat ze gebeden had, was in de zomer geweest voordat ze naar de universiteit ging. Haar nicht Cindy was bevallen van een jongetje met een hartafwijking. Kleine Billy had zes maanden in een couveuse geleefd en in die tijd elke denkbare behandeling ondergaan, inclusief de implantatie van een pacemaker die speciaal door de leverancier was aangepast om in Billy's kleine borstkastje te passen. Er werd geld ingezameld, in de kerk werd gebeden voor Billy's herstel, maar uiteindelijk zei God nee, sorry, Billy moet gaan. Het maakte allemaal deel uit van Gods goddelijke plan, had de priester gezegd.

Geklets.

Welke rol kon een kind spelen in Gods hemelse, ondoorgrondelijke plan? Waarom Billy dan eerst geboren laten worden? Waarom zou een genadige God een kind blootstellen aan zoveel pijn en lijden? En waarom zou een barmhartige God zich doof houden voor de talloze stervende Joden in de concentratiekampen? Voor de Joden die naar de verbrandingsovens werden afgemarcheerd of door hun hoofd werden geschoten als ze voor hun massagraf stonden. Hoe paste dát in het ondoorgrondelijke plan van de Almachtige?

Hannah kende de antwoorden niet, maar toch leek het alsof het vasthouden van het beeldje haar een zekere troost bood. De Heilige Moeder van Jezus Christus hield haar tranen binnen en gaf haar een sprankje hoop.

Misschien had deze beproeving een doel, maar Hannah wist dat als ze dit zou overleven, ze dan die grijze massa tussen haar oren zou moeten gaan gebruiken.

Het slot klikte en de deur van haar kamer zwaaide open. Hannah sprong op van het bed en zag dat Walter de kleren bij zich had die ze op de avond dat ze was ontvoerd had gedragen. In zijn handen hield hij netjes opgevouwen haar spijkerbroek en haar sweatshirt. In een plastic boodschappentas om zijn pols zaten haar laarzen.

Walter gooide de kleren en de plastic zak op de vloer. 'Kleed je aan.'

Er was iets mis. De make-up die Walter gebruikte om zijn littekens te verbergen was op sommige plaatsen weggeveegd. Op die plekken zag ze dikke, gummiachtige stukken donkerrood en bruin gekleurde huid. Zijn ogen waren vochtig. Had hij gehuild?

'Kleed je aan,' zei Walter weer. Zijn haar zat in de war en stak alle kanten op, alsof hij net uit bed was gestapt. Maar hij had zijn jack aan.

'Waar gaan we naartoe?'

'Ik ga je naar huis brengen.'

Hannah stond op het punt de vraag te stellen, maar hield zich toen in. *Niets zeggen. Doe gewoon wat hij zegt.*

Maar ze vroeg het toch. Ze moest het weten. 'Waarom laat je me gaan?'

'Maria zei dat dit het enige juiste was om te doen.'

Hannah raapte haar kleren op. Ze roken naar wasverzachter. Walter had ze gewassen.

Walter bleef deze keer in de kamer. Hannah nam haar kleren mee en kleedde zich snel om achter het gordijn dat het toilet van de kamer afschermde.

Toen ze weer de kamer in kwam, stond Walter daar met een paar handboeien.

Deze keer vroeg hij haar niet zich om te draaien. Met een ruk trok hij haar armen op haar rug en boeide haar. Ze verzette zich niet. Ook niet toen hij een zwarte blinddoek voor haar ogen bond. Walter greep haar bij haar arm en dwong haar snel door de gang te lopen, alsof het huis in brand stond.

Walter hielp haar de trap op. Hannah schuifelde tree voor tree omhoog. Haar hart bonkte van angst en de handboeien beten in haar polsen. Waarom had hij zo'n haast? Er was iets mis. Hannah kon niets zien, geen enkele vorm onderscheiden. Er was alleen maar duisternis.

De trap hield op. Hannah stapte de keuken in. Haar arm omklemmend, voerde Walter haar door iets dat een smalle gang leek te zijn. Ze raakte voortdurend de muren.

Toen Walter zei dat ze moest stilstaan, deed ze dat. Hij pakte haar bij haar schouders, draaide haar naar links en zei haar drie stappen vooruit te doen. Dat deed ze.

'Ik ga nu je handboeien afdoen en je daarna in je jack helpen,' zei Walter. Hij ademde zwaar. 'Als je dat aanhebt, dan gaan de handboeien weer om.'

Toen het jack was aangetrokken en dichtgeritst en de handboeien weer op hun plaats zaten, legde Walter zijn handen op haar schouders en bewoog haar naar rechts. De punten van haar laarzen raakten iets hards.

Ze voelde dat hij iets in de zak van haar jack liet glijden. In de lange stilte die volgde, hoorde ze hem snuiven en diverse keren zijn keel schrapen.

Huilde hij?

'Je bent zo mooi, Hannah.'

Hij *huilde.*

'Je bent de mooiste vrouw die ik ooit heb ontmoet,' zei Walter. 'Ik hou zoveel van je.'

Om de een of andere vreemde, bizarre reden wilde ze hem bedanken voor zijn goedheid – hem zeggen dat hij het juiste had gedaan, dat ze nooit iemand over hem of wat er was gebeurd zou vertellen – dat ze dat met haar hand op haar hart beloofde, of, als hij dat wilde, zelfs bereid was dat op een stapel bijbels te zweren. Maar ze durfde het niet te riskeren de gemoedstoestand waarin hij verkeerde te verstoren door iets te zeggen dat hem misschien van gedachten zou kunnen doen veranderen.

'Blijf staan,' zei Walter. 'Niet bewegen.'

# 80

Bij Emma en Judith had Walter een schot in hun achterhoofd afgevuurd en hen toen snel voorovergeduwd in de badkuip, nog voordat hun knieën begonnen te knikken. Hij was nooit in de badkamer gebleven – de bloedende lichamen in de badkuip, de stuiptrekkende ledematen, de rochelende geluiden die ze maakten als hun geest stierf... het was te schokkend. Hij ging naar de kast om, wachtend tot ze waren uitgebloed, te bidden tot Maria, die hem geruststelde dat ze niets hadden gevoeld, dat hij alleen hun lichaam had zien sterven. Dat het lichaam onbelangrijk was, slechts een omhulsel van de ziel. Dat alleen de ziel ertoe deed.

Als het moeilijkste gedeelte achter de rug was, ging hij terug naar de badkamer en zette de douche aan om het bloed weg te spoelen. Daarna maakte hij een kruis op hun voorhoofd, bad voor hen terwijl hij hen doopte, waarna hij hun lichaam overbracht op het plastic zeil op de vloer. Daarna werd de zak met daarin het beeldje dichtgenaaid – Maria moest bij hen blijven tot hun ziel na drie dagen hun lichaam ontsteeg – en alvorens hij hen in het water gooide om opnieuw te worden gedoopt, bad hij weer.

Als hij thuiskwam, boende hij eerst de badkuip en de vloer met bleekwater, veegde alles droog met de handdoeken en ging dan naar de kast om te bidden.

Vanavond zou het anders gaan.

Hannah Givens stond met haar gezicht naar de muur van de doucheruimte. Onder haar voeten lag geen plastic zeil. Ook ontbraken de handdoeken en de plastic flessen bleekwater om het bad schoon te maken. Het beeldje zat in haar zak, maar die hoefde niet te worden dichtgenaaid. Maria wilde niet dat hij Hannah naar het water zou brengen.

Nadat hij Hannah had gedood, moest hij het pistool tegen zijn slaap of de loop in zijn mond steken en dan de trekker overhalen.

Zo had Maria het hem opgedragen.

Walter bracht het pistool omhoog en richtte het op Hannahs achterhoofd. Zijn hand beefde en hij kon niet ophouden met huilen.

*Niet bang zijn,* klonk Maria's stem. *Ik ben hier bij je.*

Ik ben bang.

*Het is pijnloos. Je zult niets voelen, dat beloof ik je.*

Help me.

*Herinner je je nog dat ik je voor het eerst in mijn armen nam en tegen mijn hart drukte?*

Ja.

*Je was omgeven door mijn liefde. Ik nam de pijn weg. Weet je nog?*

Hij wist het nog.

*Voel je mijn liefde voor jou, Walter?*

Ja.

*Je zult voor eeuwig omringd zijn door mijn liefde.*

Hij kon de trekker niet overhalen.

*Je moeder is hier bij me. Emma en Judith wachten vol verlangen op je. Ze houden van je, Walter. Breng Hannah naar mij en voeg je dan bij ons.*

Er werd aangebeld.

Hannah draaide haar hoofd naar het geluid. Razendsnel sloeg Walter zijn arm om haar keel, terwijl hij met zijn goede hand de loop van het pistool tegen haar hoofd drukte.

'Geen woord, of ik vermoord je.'

Opnieuw rinkelde de deurbel.

Wie kon dat zijn? Was zijn nieuwe buurvrouw Gloria Lister teruggekomen, met weer een van haar taarten?

*Jij bent mijn uitverkoren jongen, Walter. Ik hou van je.*

De badkamerdeur stond open en het licht brandde, net als in de keuken.

*Kom naar me toe. Het is tijd.*

Weer werd er aangebeld, deze keer gevolgd door geklop op de deur. Hannah huilde hysterisch, schokkend tegen zijn lichaam.

'Kop dicht.'

*Ik hou van je, Walter.*

Maria was door Hannahs gekrijs nauwelijks te verstaan.

'Ophouden.'

*Haal de trekker over.*

Hannah hield niet op. Walter drukte zijn goede hand op haar mond.

*Je hoeft nergens bang voor te zijn, Walter. Voel je mijn liefde? Voel je mijn...* Hannah beet hard in zijn duim.

Walter schreeuwde het uit. Hannah gaf hem een harde duw. Hij tuimelde achterover tegen het badkamermeubel en versplinterde met zijn achterhoofd de spiegel. Terwijl Hannah, schuddend met haar hoofd als een foxterriër, het vel van zijn hand scheurde en Walter bleef schreeuwen, kletterde het pistool in de gootsteen.

# 81

Door de vitrage achter de dikke glazen ruit in de voordeur scheen licht. Er moest iemand thuis zijn. In de keuken was het licht aan en Darby zag een ronde keukentafel. Over een stoel hing een wollen jack.

Net toen Darby nog een keer wilde aanbellen, hoorde ze een man schreeuwen.

Haar ene hand verdween in haar jas. Haar andere hand greep de deurknop en draaide die om. De deur was op slot. Met de hak van haar laars schopte ze tegen de ruit. Het glas scheurde. Ze schopte nog een keer. Het glas verbrijzelde en ze hoorde een vrouw om hulp gillen. *O, lieve god. Hannah Givens is daarbinnen en ze gilt.*

Darby kroop door de gebroken ruit het halletje in, waarbij ze haar jack en haar wang openhaalde aan de scherpe punten. Met de SIG in haar gestrekte hand geklemd, klaar om te vuren, sloop ze door de gang. Het geschreeuw klonk luider toen ze met een snelle beweging om de deurpost de keuken in draaide en de blinde hoek aan haar linkerkant controleerde – alles veilig. Rechts van haar voerde een helder verlichte gang met een groen-wit geblokte linoleumvloer naar een openstaande deur en een trap die naar een donkere garage voerde. Aan het eind van de gang, aan de linkerkant, stond nog een deur open. Door de deuropening scheen fel licht naar buiten. Op de gangmuur bewogen schaduwen. Darby versnelde haar pas. *Hou je gereed om te vuren. Blijf schieten tot hij valt.* Met een droge mond, en een bonkend hart van de adrenaline, zwenkte Darby gehurkt de hoek om.

De man met een verminkt gezicht, half verborgen onder vegen make-up, hield Hannah Givens, met zijn arm stijf om haar nek geklemd, dicht tegen zich aan gedrukt. Darby kon niet schieten. Hannahs hoofd bevond zich te dicht bij het gezicht van de man

– het gezicht van Walter Smith. Dat wist Darby zeker. Ze herkende het van de foto's in het ziekenhuis – het gezicht met de plakken aan elkaar genaaid littekenweefsel, half verborgen onder dezelfde kleur foundation als op de trui van Judith Chen was aangetroffen.

Hannahs neus was gebroken. Bloed stroomde over haar gezicht en een blinddoek van zwarte stof bedekte haar ogen. Walter Smith stond achter haar. Zijn gezicht ging gedeeltelijk schuil achter dat van Hannah. In zijn bebloede hand, die uit de gootsteen omhoogkwam, hield hij een pistool. *Hij gaat haar vermoorden en schieten is te riskant. Doe iets!*

Opeens kreeg ze een inval. Ze wist niet of het zou werken, maar ze had geen andere keus.

'De Maagd Maria heeft me gestuurd om je te helpen,' zei Darby. 'Ze is in gevaar.'

Een enkel oog, zonder ooglid, staarde haar aan.

'Maria heeft me geroepen, Walter. Ze zei me naar het Sinclair te gaan om haar te helpen.'

'Heb je met Maria gesproken?' Hoewel Walters wapen op haar gericht bleef, maakte de gejaagde, wanhopige blik in zijn oog plaats voor een van verwarring, misschien zelfs van hoop. *Gebruik het.*

'Ja,' antwoordde Darby. 'Ik heb met haar gesproken. Ze vertelde me wat er gebeurd was en vroeg me hiernaartoe te gaan en je te helpen.'

'Waarom heb je een pistool?'

'Ik moest Maria beschermen.'

'Ben je een engel?'

'Ja.' Darby wilde haar pistool niet laten zakken. Als ze dat zou doen, zou ze zichzelf ontmaskeren. Walter zou in paniek kunnen raken en beginnen te schieten. Blijf praten. 'De Heilige Moeder verkeerde in groot gevaar, maar ik heb haar gered. Ze vroeg me hierheen te gaan om je te helpen. Je hand bloedt. Ben je gewond?'

'Ze hebben haar.' Walter huilde. 'Ze gaan mijn Heilige Moeder kwaad doen.'

'Ze kunnen haar geen kwaad doen. Daar heb ik voor gezorgd.'

'Wat heb je gedaan?'

'Ze zijn weg. Ze kunnen je geen kwaad doen. Maria is veilig, maar ze heeft je hulp nodig. We moeten onze Heilige Moeder naar een veilige plek brengen.'

'Maria zei dat ik dit moest doen.' Walter bewoog het pistool naar Hannahs hoofd.

'*Maria wil dat je Hannah aan mij geeft. Wees haar niet ongehoorzaam.*'

'Maria heeft me gezegd wat ik moest doen. Ze heeft het me gezegd, maar ik kan het niet... Dat andere kan ik niet doen. Ik ben te bang.'

'Je hoeft niet meer bang te zijn. Ik ben hier om je te helpen, maar eerst moet je haar helpen.'

'Ik houd van haar.'

'Ze houdt ook van jou, Walter. Daarom heeft ze me naar hier gezonden.'

'Ik houd zoveel van haar.'

'Dat weet ik.' *Zorg dat hij het wapen neerlegt.*

'Zonder haar kan ik niet leven,' zei Walter.

'Maria heeft ons zoveel gegeven en nu is het onze beurt om haar te helpen.'

'Waar gaan we haar naartoe brengen?'

'Dat weet ik niet. Maria zei dat ze me dat zou vertellen als ik je naar de kapel had teruggebracht. Laat Hannah gaan, dan breng ik je naar de kapel.'

Walter liet Hannah zakken tot ze op de rand van de badkuip zat en viel toen snikkend op zijn knieën, met zijn handen in zijn haar. Het pistool gleed uit zijn vingers en kletterde op de met glasscherven bedekte vloer.

'Ik houd zoveel van haar,' zei Walter.

'Ik weet het.' Darby schopte het pistool weg, greep Walter bij zijn haar en sloeg zijn gezicht tegen de vloer.

Walter slaakte een kreet van verrassing. Zijn spieren verstrakten, klaar om verzet te bieden. Darby ramde haar knie in zijn rug en greep de kraag van zijn overhemd vast.

'Een beweging en ik dood je,' snauwde ze, de loop van haar pistool in zijn nek duwend. Ze kon de smaak achter in haar keel proeven, dat brandende verlangen het monster te doden dat deze menselijke geest bewoonde.

Maar een schot in het hoofd zou te genadig zijn. Ze wilde hem zien lijden.

*Doe het dan. Laat hem lijden.*

Walters spieren verslapten. Hij smakte terug op de vloer en verzette zich niet toen ze met een ruk zijn handen op zijn rug trok en hem handboeien omdeed. Als hij geprobeerd had zich te verzetten, had ze hem kunnen doodschieten. Ze had alles kunnen doen. Darby voelde een vreemd soort teleurstelling toen ze de SIG weer opborg in haar holster.

'Je bent nu veilig, Hannah. Hij kan je geen kwaad meer doen,' zei ze, zijn zakken doorzoekend naar de sleutel van de handboeien. De studente lag bevend en huilend op haar zij in de badkuip. 'Ik heb die handboeien zo af.'

Walter lag roerloos op zijn buik. Met uitdrukkingsloze ogen voor zich uit starend, prevelde hij iets dat als een gebed klonk.

Darby vond de sleutel van de handboeien. Ze tastte in de zak van haar spijkerbroek naar haar mobieltje. Ze vond het, samen met de kleine paniekknop die Tim Bryson haar had gegeven.

Achter haar klonk het geluid van knerpende voetstappen over glasscherven, gevolgd door het gevoel van twee koude elektroden die tegen haar nek werden gedrukt.

'Ik gebruik de taser liever niet,' zei Malcolm Fletcher. 'Dus geen beweging, graag.'

# 82

De SIG zat in haar schouderholster. Darby kon er met geen mogelijkheid bij.

'Special agent Fletcher,' zei Darby, haar vingers om de paniekknop klemmend. 'Ik dacht dat u de stad had verlaten.'

'Ik miste u zo dat ik besloten heb weer terug te komen,' antwoordde Fletcher achter haar. 'Nu uw handen op uw rug, graag.'

Darby drukte de knop in. Ze voelde de verzegeling breken. 'Mag ik gaan staan?'

'Als je wilt. Maar geen onverwachte bewegingen, alsjeblieft.'

Darby haalde langzaam haar hand uit haar zak. Vooroverbuigend, met beide handen steunend op Walters onderrug, stopte ze tijdens het opstaan de paniekknop in de achterzak van zijn spijkerbroek. De metalen elektroden van het stroomstootwapen waren geen ogenblik van haar nek geweest.

'Knap werk om het patiëntendossier uit het computerbestand van Shriners te verwijderen,' zei Darby terwijl ze haar handen op haar rug deed. 'Heeft Jonathan Hale je daar extra voor betaald?'

Malcolm Fletcher trok een nylon boei om haar polsen. 'Na u,' zei hij, naar de gang gebarend.

'Ik zou graag hier bij Hannah blijven.'

'Juffrouw Givens komt zo bij je in de woonkamer.' Fletcher pakte haar zacht bij haar bovenarm. 'Wees maar niet bang,' fluisterde hij in haar oor. 'Er zal je niets gebeuren.'

Darby was niet bang. Om de een of andere reden geloofde ze hem.

Malcolm Fletcher, moordenaar van Tim Bryson en twee FBI-agenten, bracht haar naar een woonkamer met grijze, verwaarloosde vloerbedekking. Aan de muur boven de schoorsteenmantel hing een olieverfschilderij van de Maagd Maria.

'Vertel me over Sam Dingle,' zei Darby.

Fletcher bracht haar naar een tv-meubel en vroeg haar er met haar rug naartoe op de vloer te gaan zitten.

'Heeft Dingle Jennifer Sanders vermoord?' vroeg Darby.

'Dat zul je, als je hem vindt, zelf moeten vragen.'

'Je hebt me de waarheid beloofd.'

'Ga op de vloer zitten,' zei Fletcher. 'Ik vraag het niet nog eens.'

'We kunnen meneer Hale niet laten wachten, nietwaar?' Darby ging zitten.

'Sammy heeft Jennifer Sanders verkracht en gewurgd,' zei Malcolm Fletcher, een andere plastic boei door die rond haar polsen stekend. 'Hij heeft ook de twee vrouwen uit Saurus vermoord.'

'Die stem op het cassettebandje, is dat Jennifer Sanders?'

'Ja.'

'Hoe ben je daaraan gekomen?'

'Ik heb het bandje en nog veel andere in Sammy's woning gevonden,' antwoordde Fletcher, de tweede boei aan een poot van het tv-meubel vastmakend.

'Heb je hem vermoord?'

'Nee.'

'Wat heb je dan met hem gedaan? Waar is hij?'

Zonder antwoord te geven, liep Malcolm Fletcher de kamer uit.

Darby zat op de vloer, met haar geboeide armen achter haar rug aan de poot van het tv-meubel gebonden. Ze hoorde Fletcher tegen Hannah praten, maar hij sprak te zacht om te kunnen verstaan wat hij zei.

Darby keek op de kleine klok op de schoorsteenmantel hoe laat het was en hoopte dat Bill Jordan of iemand anders van zijn team had opgemerkt dat ze de paniekknop had ingedrukt. Aangezien het van Danvers naar Rowley een uur rijden was, zou Jordan direct de plaatselijke politie waarschuwen. Zou hij hen al gebeld hebben? Hoeveel tijd had de politie van Rowley nodig om hier te komen? Ze moest proberen Fletcher zo lang mogelijk op te houden.

Tien minuten later kwam Fletcher weer terug naar de kamer. In zijn armen droeg hij Hannah Givens. Ze was nog steeds geboeid en geblinddoekt. Hij legde haar voorzichtig op de bank, pakte een oude plaid van een stoel, trok die over haar heen en draaide zich toen om naar Darby.

'Jullie zullen hier niet lang zijn. Zodra ik onderweg ben, bel ik het alarmnummer.'

'Waarom maak je Walter nu niet meteen af?' vroeg Darby. 'Daarvoor ben je toch hier?'
'Waarom heb jij hem niet gedood? Dat is toch wat je wilde?'
'Je hebt niet het recht om – '
'Ik heb je in de badkamer gadegeslagen. Je wílde dat Walter zou lijden, Darby. Hoopte je hem in een toestand van paraplegie te krijgen, of voelde je de drang om hem te doden, omdat je, diep vanbinnen, weet dat hij geen vergiffenis verdient?'
Fletcher liet zich op een knie zakken. Zijn vreemde, zwarte ogen waren vlak bij haar gezicht. Erachter was oneindige duisternis.
'Een drang die, zoals je zult ontdekken, moeilijk te onderdrukken is.'
'Spreek je uit eigen ervaring?' vroeg Darby.
'Deze discussie zal tot later moeten wachten,' antwoordde Fletcher terwijl zijn ogen over haar gezicht en haar lichaam gleden. 'Misschien dat we het er samen ooit nog een keer over kunnen hebben. Onder vier ogen.'
'Laten we het er nu over hebben.'
Fletcher ging staan. 'Wanneer je nog eens terugdenkt aan dat ogenblik in de badkamer, dan zul je wensen dat je de trekker had overgehaald.'
'Waar ga je Walter heen brengen?'
'Ik ga dat aan hem geven wat hij het allerliefste wil,' zei Fletcher, de sleutels van de handboeien op de tafel gooiend. 'Ik ga hem terugbrengen naar zijn moeder.'
'Ik zal je weten te vinden.'
'Dat hebben beteren dan jij al geprobeerd. Tot ziens, Darby.'

# 83

Walter was omringd door inktzwarte duisternis. Er was geen vloer onder zijn voeten en zijn handen raakten niets als hij om zich heen zwaaide – het was alsof hij in de ruimte zweefde, zonder sterren, zonder geluid.

Hij kende deze plek – of wat het ook was – van jaren geleden, van na de brand. Eerst had hij gedacht dat hij in de hel was beland, maar toen klonk ergens vanuit het donker de zachte, troostende stem van een vrouw, die hem zei niet bang te zijn, dat hij daar niet lang zou blijven en dat er prachtige, ongelofelijke wonderen stonden te gebeuren.

Walter had niet geweten dat het de stem van Maria was. Pas toen de Heilige Moeder van Jezus zich in de kapel aan hem had geopenbaard, had hij beseft dat het de stem van Maria was, zijn gezegende Moeder.

Walter kwam tot zijn positieven toen hij uit de badkamer werd gesleept, toen zijn voeten over de traptreden bonkten en hij in de kofferbak van een auto werd getild. Zijn lichaam verstarde van angst.

Voordat het kofferdeksel werd dichtgeslagen en hij in duisternis werd gehuld, staarde een duivel met zwarte ogen in een bleek gezicht op hem neer.

Walter hoorde Maria zijn naam noemen. Hij sloot zijn ogen, rolde zichzelf op tot een bal en prevelde zijn speciale gebed, wachtend tot Maria hem zou komen redden.

Darby praatte op Hannah Givens in, spoorde haar aan van de bank te komen en de sleutel van de handboeien van de salontafel te pakken, maar de jonge vrouw verroerde zich niet. Of ze verkeerde in shocktoestand, of Fletcher had iets tegen haar gezegd om haar bang te maken.

Uiteindelijk hoorde Darby het geluid van sirenes en zag hij zwaailichten. De politie van Rowley was gearriveerd. Ze riep naar hen toen ze de verandatrap op renden.

De politieman die haar handboeien doorknipte, vertelde haar dat er een alarmmelding was binnengekomen van een anonieme man die had verklaard dat Hannah Givens en iemand van het Boston Crime Lab werden vastgehouden in het huis van Walter Smith. De opbeller had het adres opgegeven en toen opgehangen.

Hannah Givens zat op de bank te snikken tegen de borst van een vrouwelijke agent. Darby, die wilde weten wat Fletcher tegen haar had gezegd, probeerde met haar te praten, maar de jonge vrouw weigerde iets te zeggen.

Darby belde Bill Jordan als eerste. Toen die niet opnam, liet ze een boodschap achter met de vraag of hij haar zo snel mogelijk wilde terugbellen.

Neil Joseph nam op met zijn mobiel. Darby legde hem uit wat ze nodig had en vroeg hem naar Danvers te rijden en Jordan te zoeken.

Terwijl de ambulance wegreed, belde Hannahs vader. Zijn stem klonk gesmoord.

'Rechercheur Joseph is hier net vertrokken. Ik heb hem verteld over uw partner, maar hij wilde dat ik het u zelf zou vertellen.'

'Wat?'

'Uw partner belde ongeveer een uur geleden. Hij zei me dat u Hannah had gevonden, dat alles goed met haar was en dat ik me geen zorgen hoefde te maken. Ik vroeg hem of ik Hannah aan de telefoon kon krijgen, maar hij zei dat hij moest ophangen om u te gaan helpen. Hij hing op, maar vergat me uw nummer te geven. Dat heeft rechercheur Joseph me gegeven. Kunt u Hannah aan de telefoon laten komen, mevrouw McCormick? Alstublieft? Ik moet gewoon even de stem van mijn meisje horen. Mijn vrouw en ik zijn hier door een hel gegaan.'

'Uw dochter is op weg naar het ziekenhuis.' Darby had de grootste moeite Hannahs vader ervan te overtuigen dat zijn dochter in leven was.

'De man zei nog iets voordat hij ophing,' zei Givens. 'Hij zei dat ik me geen zorgen hoefde te maken, dat het recht zijn loop zou hebben. Dat zei hij. Hoe heet uw partner? Mijn vrouw en ik zouden hem graag willen bedanken.'

Een van de deuren in de kelder, naast een in de muur ingebouwde verplaatsbare serveerboy, was afgesloten met een magnetisch deurslot.

Darby hielp de politie van Rowley met het doorzoeken van de kamers, maar toen de magneetkaart niet werd gevonden, werd de brandweer erbij geroepen om de deur open te breken.

Ze legde bij twee rechercheurs van Rowley een verklaring af. Diverse telefoontjes werden gepleegd. Technische rechercheurs van het staatslab werden gebeld, maar die konden hier pas over een paar uur zijn. Om tijd te besparen, stemde de politie van Rowley ermee in dat mensen van het forensisch lab van Boston zouden komen helpen met het onderzoek van de plaats delict. Iedereen was bereid mee te werken.'

Het nieuws over wat Hannah Givens was overkomen bereikte snel de media, zodat het 's nachts om twee uur in het smalle, rustige straatje wemelde van de nieuwsbusjes en verslaggevers die allemaal hoopten op een exclusief, onthullend interview.

Darby keek naar hen vanuit het slaapkamerraam, zich ondertussen afvragend of Walter Smith nog leefde.

# 84

Jonathan Hale stond in de koude hal van een oud fabrieksgebouw even buiten Vernon, Connecticut. Malcolm Fletcher had voor de locatie gekozen vanwege de geïsoleerde ligging. Er waren geen gebouwen in de buurt en er was geen straatverlichting. Het dichtstbijzijnde huis bevond zich op een afstand van vijftien kilometer.

Dr. Karim had voor het vervoer gezorgd. Een van zijn mensen had Hale van zijn hotel naar deze plek gereden. De officiële instanties wisten niet beter of Hale verbleef in zijn hotelkamer in New York.

'Niemand weet dat u hier bent,' zei Fletcher. 'Loop deze gang door en ga dan aan het eind linksaf.'

'Gaat u niet mee?'

'Dit is iets wat u alleen moet doen,' antwoordde Fletcher.

Jonathan Hale droeg sneakers, een oude spijkerbroek en een oud Harvard-sweatshirt – net zo een als Emma hem ooit voor zijn verjaardag had gegeven. Fletcher had hem gezegd oude, maar gemakkelijk zittende kleren te dragen. Ook had de voormalige profiler hem een paar latex handschoenen gegeven om onder zijn leren handschoenen te dragen. De kleren, handschoenen, jas – alles wat hij droeg, zou in een vuilniszak worden verzameld en aan Fletcher worden gegeven om in een vuilverbrander te worden gegooid.

De gang eindigde. Hale ging linksaf en kwam in een koud, door maanlicht beschenen vertrek.

Vastgebonden op een stoel, op een groot plastic dekzeil, waarvan de hoeken met keien waren verzwaard, zat Walter Smith, de man die Emma had vermoord. Zijn ogen waren geblinddoekt en onder de doek over zijn mond klonk gemompel.

Het gezicht van de man was afschuwelijk verminkt. Hij zag eruit als een monster.

*Hij is een monster, pappa. Hij heeft me ontvoerd, me misbruikt, me in mijn achterhoofd geschoten en me in de Charles River gegooid. Hij heeft Judith Chen vermoord en wilde ook Hannah Givens, die andere vrouw, vermoorden. Hij is een monster.*

Op het zeil lagen een hamer, een revolver en een jachtmes. De revolver, had Malcolm Fletcher gezegd, was dezelfde als waarmee Emma en Judith Chen, de andere studente, waren omgebracht.

Hale pakte het wapen op. Het voelde ongelooflijk licht in zijn handen.

Al wekenlang had hij dit ogenblik in zijn geest gerepeteerd, de diverse scenario's gespeeld om te zien welk hem de grootste genoegdoening zou schenken. Een enkele kogel in zijn achterhoofd schieten was te genadig. Hale wilde dat hij het wapen zou zien. Hij wilde de doodsangst en de radeloosheid zien in de ogen van dat... ding en ervan genieten tot de ergste pijn verdween. En dan, na het noemen van Emma's naam, zou hij het ding in het gezicht schieten.

Of misschien zou hij daar nog even mee wachten.

Hale stapte op het zeil. Het ding reageerde niet op het geluid, maar het bleef mompelen onder de monddoek. Hale trok de blinddoek weg.

Er was iets mis met de uitdrukking op het gezicht van het wezen. Het staarde met wijd opengesperde ogen langs hem heen. Hale draaide zich om en zag de hoek van het vertrek. Er was daar niets.

Bewegingloos en met starre ogen voor zich uit starend, bleef het ding mompelen onder de doek. Hale knoopte hem los.

'Wees gegroet Maria, vol van genade. Ik ben met u. U bent de gezegende onder de moeders en gezegend is Walter, de vrucht van uw schoot – '

Het was een gebed – een verbasterde versie van het Wees Gegroet Maria.

'Heilige Maria, Moeder van God en Walter, bid voor de zondaars, nu en in het uur van hun dood. Amen. Heilige Maria, Moeder van God, ik ben met u...'

Hale drukte het wapen tegen het hoofd van het monster. Het kromp niet ineen; het huilde of schreeuwde niet. Het toonde geen enkele reactie. Elke vezel in het lichaam van het schepsel was verstijfd, maar toch bleef het bidden.

'Kijk me aan,' zei Hale.
Het wezen reageerde niet.
Met zijn vrije hand omklemde Hale onder zijn trui Emma's medaillon. In zijn borst streed de haat die hij het afgelopen jaar had gekoesterd met de liefde voor zijn dochter. Zijn liefde voor Emma zou nooit verdwijnen. Zijn verlies zou nooit verdwijnen. Zijn haat tegen deze man, tegen dit ding, dit monster... Het verdiende te lijden. Het *moest* lijden.
*Dood het.*
Hales hart klopte zo snel dat hij er duizelig van werd.
*Dat ding heeft me vermoord, pappa. Het heeft een kogel in mijn hoofd geschoten en mijn lichaam in de rivier gegooid. Je hebt de foto gezien. Je hebt gezien wat het me heeft aangedaan.*
Hale staarde naar de revolver. Zijn handschoenen waren besmeurd met bloed.
Geschrokken liet hij het wapen vallen en in plaats van het weer op te rapen, wankelde hij terug door de gang.
Malcolm Fletcher stond met zijn rug naar hem toe en staarde uit een van de gebroken ramen.
'Wat is er mis met hem?' vroeg Hale.
'Hij is catatonisch.'
'Hij wilde me niet aankijken en bleef maar bidden.'
'Walter wacht tot Maria – zijn moeder – hem komt halen. Trouwens, Walter vertelde me dat het Maria was geweest die Emma en de andere vrouw voor hem had uitgekozen.'
'Waarom?'
'De Heilige Moeder had hem liefde beloofd.'
'Wanneer komt hij er weer uit?' vroeg Hale, met zijn blik weer op de gang gericht.
'Dat valt onmogelijk te zeggen,' antwoordde Fletcher. 'Tenzij Walter de juiste medicatie krijgt, kan deze catatonische toestand blijven voortduren. En zelfs dan is er geen garantie.'
'Waarom hebt u me dit niet eerder verteld?'
'Zou het enig verschil hebben gemaakt?'
Hale staarde naar zijn handschoenen. Er was geen bloed te bekennen.
'Ik kan het niet doen.'
'Bedoelt u daarmee dat u hem niet zelf wilt doden, of dat u hem niet dood wilt?' vroeg Fletcher.

'Ik kan hem zelf niet doden.'

'Wilt u er nog over nadenken? We hebben de hele nacht.'

'Nee. Mijn besluit staat vast.'

'Wat wilt u dat ik doe?'

'U hebt me verteld wat u met Sam Dingle hebt gedaan en dat u voor Walter hetzelfde in gedachten had.'

'Dat klopt.'

'Doe het dan zo,' zei Hale, zijn handschoenen op de vloer gooiend.

Darby zat op het onopgemaakte bed waarop Hannah Givens, Judith Chen en Emma Hale hadden geslapen. Ze keek op haar horloge. Het was vier uur 's nachts. Bill Jordan had nog steeds niet op haar telefoontje gereageerd. Ze probeerde Neil Joseph te bellen, maar er werd niet opgenomen. Was hij nog steeds op zoek naar Jordan, in die bouwvallige doolhof waar het signaal van een mobiele telefoon niet kon doordringen?

Een rechercheur had een notitieboekje gevonden. Het zat weggestopt onder de zitting van een leren leunstoel. Terwijl de technische recherche bezig was met het onderzoek van de kamer en het verzamelen van potentieel bewijsmateriaal, had Darby het dagboek van Emma Hale gelezen.

In de logeerkamer boven stonden rekken met gewichten en een halterbank. Op een grote passpiegel had Walter diverse foto's van Hannah Givens geplakt.

In de hoek stond een bureau met een computer en een combiprinter met fax- en scanfunctie. Darby kopieerde het dagboek, stak de opgevouwen vellen papier in de binnenzak van haar jack en pakte haar autosleutels.

# 85

Jonathan Hale ontwaakte bij stralend zonlicht. Het briesje dat door het hotelraam naar binnen waaide was aangenaam koel. Hij vroeg zich af of dit jaar de lente vroeg zou beginnen.

Diep inademend, dacht hij terug aan de droom met Emma op de stoep van het huis waar ze was opgegroeid. De voordeur stond open. Terwijl hij de verandatrap op liep, hoorde hij de stem van zijn dode vrouw. Vanuit het donker klonken nog andere stemmen, fluisterend, stemmen die hij niet herkende. Emma stond naast hem. Toen hij haar gezicht zag, wist hij dat hij niet bang hoefde te zijn. Ze hield zijn hand vast en de angst verdween. Hij herinnerde zich hoe kalm en gelukkig hij zich had gevoeld.

Hij had dat gevoel nog steeds toen hij zich op zijn zij rolde om te zien hoe laat het was: 07.15. Hoewel hij maar een paar uur had geslapen, voelde hij zich opmerkelijk fit. Hale belde zijn chauffeur. Toen hij zich liet uitschrijven uit het hotel, stond de limousine op hem te wachten. Hale dronk koffie, en onderweg naar huis nam hij de kranten door en luisterde naar het nieuws. Het privacyscherm van de limousine stond omhoog. Hale pakte de mobiele telefoon die Fletcher hem had gegeven en belde het enige nummer dat hij kon bellen. Hale zei niets, hij luisterde alleen maar.

Tony droeg de koffers het huis in. Vandaag was het zondag. Hale keek op zijn horloge. Als hij voortmaakte, kon nog net op tijd zijn voor de middagmis. Hij zou zelf naar de kerk rijden.

Gedoucht en geschoren en keurig in het pak zat Hale in een kerkbank tussen zijn buren met hun kinderen, van wie sommige al volwassen. Pater Avery hield een preek over het belang van de hulp aan minderbedeelden. God had alle aanwezigen hier gezegend met rijkdom, betoogde hij. Hale luisterde, zijn blik strak gericht op het kruisbeeld aan de muur achter het altaar.

Na afloop van de mis hielden buren en bekenden hem aan om

hem de hand te schudden. Sommigen namen hem apart om te vragen hoe het met hem ging. Kunnen we iets voor je doen, Jonathan? We staan voor je klaar.

Ook pater Avery wilde hem even persoonlijk spreken.

'Goed je weer terug te hebben, Jonathan. Je dochter was een heel bijzondere jonge vrouw. Ik mis haar vreselijk – net zoals de hele gemeente. Het kerkbestuur overweegt ter ere van Emma iets speciaals te organiseren. Zou je eventueel bereid zijn met ze te praten?'

Wat pater Avery eigenlijk wilde, was kunnen beschikken over zijn lijst vrienden en zakenrelaties die bereid waren voor een goede zaak in de buidel te tasten. Door gebruik te maken van Emma's naam zou de kerk haar inkomsten van het vorig jaar voor het liefdadigheidsfonds waarschijnlijk zien verdubbelen, zo niet verdrievoudigen. Een tragedie maakt mensen nu eenmaal vrijgevig.

'Dat zal ik met alle genoegen doen,' zei Hale. 'Ik stel uw medeleven erg op prijs, pater.'

Toen Hale zijn oprijlaan op reed, zag hij een jonge vrouw. Ze had een bleek gezicht, vlammend, roodbruin haar en stond geleund tegen een zwarte Mustang die een paar meter voor de toegangspoort stond geparkeerd. Hale stopte de Bentley naast haar en liet zijn portierraam zakken.

Van dichtbij, en in het felle zonlicht, waren de ogen van Darby McCormick verbijsterend groen. Ze leek niet veel ouder dan Emma.

'Zou ik even met u kunnen praten, meneer Hale?'

'Natuurlijk,' antwoordde Hale. 'Ik rijd u naar het huis.'

'Laten we hier buiten praten. Ik geniet van het weer.'

Hale stapte uit, maar liet de motor lopen.

Het gezicht van dr. McCormick kreeg een vriendelijke uitdrukking. 'Ik wil met u over Malcolm Fletcher praten.'

'De gewezen profiler.'

'U weet wie hij is.' Het was geen vraag.

'Het is uitgebreid op het nieuws geweest. Hij heeft rechercheur Bryson vermoord en nu wordt beweerd dat hij Walter Smith heeft ontvoerd.' Hale stak zijn handen in zijn jaszak. 'Heeft die man mijn dochter vermoord?'

'Ik denk dat u het antwoord op die vraag al weet.'

'Pardon?'

De aandacht van de jonge vrouw verplaatste zich naar het huis, naar de Bentley en vervolgens naar de langs de oprijlaan geparkeerde oldtimers. Onderhoudsmensen waren bezig, gebruikmakend van het warme weer, de antieke voertuigen een wasbeurt te geven en in de was te zetten.

Hale dacht terug aan de dag dat Emma haar middelbareschooldiploma kreeg uitgereikt. Als cadeau had hij haar een auto gegeven – een BMW-cabriolet. Op het dak had een grote, rode strik gezeten. Hij herinnerde zich haar sprakeloze verrassing toen ze hem zag, het geluid van haar lach. Er was nu veel dat hij zich herinnerde.

'Iemand die ik ken, besloot het recht in eigen hand te nemen,' zei Darby McCormick. 'Deze persoon geloofde oprecht dat hij het juiste deed. En hoewel deze persoon aanvankelijk genoot van zijn wraak, werd hij geleidelijk verteerd door schuldgevoelens.

Meneer Hale, wat u hebt gedaan, of bezig bent te doen, ik weet dat het goed voelt. Nu wel. Maar dit gevoel van genoegdoening, of gerechtigheid, of hoe u het ook noemt, zal zich uiteindelijk tegen u keren. De tijd zal het niet uitwissen en u kunt niemand inhuren om het bij u weg te nemen. Het zal voor altijd bij u blijven. Deze schuld is een loden last, te zwaar om mee te dragen. Het zal u uiteindelijk vernietigen.'

De droom van deze morgen kwam terug. Voor zich zag hij duidelijk Emma's gezicht en hij voelde haar hand in de zijne.

De volgende woorden van de jonge vrouw waren schokkend.

'Als u me nu vertelt waar Walter Smith is, dan leg ik de schuld bij Fletcher,' zei Darby. 'Dan zal ik verklaren dat hij me opnieuw heeft gebeld en dat hij me heeft verteld waar ik Walters lichaam kan vinden. Dit gesprek blijft strikt tussen u en mij. Daar geef ik u mijn woord op.'

'Met alle respect, mevrouw McCormick, u gaat hier wel uw boekje te buiten.'

'Wat ik probeer, meneer, is u te behoeden voor een ernstige vergissing. Dit is een eenmalig aanbod. Zodra ik hier weg ben, is het van tafel.'

'Ik kan u niet helpen.'

'Dus u weet niet waar Walter Smith is?'

'Nee.'

'Hopelijk spreekt u de waarheid, meneer Hale. Voor uw eigen

bestwil. De FBI komt bij u langs. Ik hoop dat u een goede advocaat hebt.'

'Nog een prettige dag verder.'

'Voordat u gaat, zou ik u dit nog willen geven,' zei Darby, hem enkele opgevouwen blaadjes papier toestekend. 'Emma's dagboek. We hebben het in Walters huis gevonden. Ik heb een kopie voor u gemaakt.'

Hale nam de opgevouwen pagina's van haar aan en hield ze behoedzaam in zijn handen.

'Is er iets dat u me zou willen zeggen, meneer Hale?'

'Mocht u Walter Smith vinden, laat u me het dan alstublieft weten. Ik zou graag met hem praten. En nog bedankt voor dit,' zei Hale, de papieren opstekend terwijl hij het portier opende.

Hale ging zijn kantoor binnen en deed de deur achter zich dicht.

Nadat hij was uitgelezen, bleef hij nog lang in de stoel zitten, staarde door de achterramen naar buiten en dacht na.

Toen, steunend op de stoel, stond hij moeizaam op. Hij stak het haardvuur aan, vulde een glas met bourbon, dronk het leeg en schonk zichzelf nog een keer in.

Bij zijn derde glas pakte hij de mobiele telefoon en toetste het nummer in dat hij in de limousine had gebeld.

De telefoon aan de andere kant ging één keer over en werd toen opgenomen.

'Het spijt me,' zei Walter Smith. Zijn stem klonk hees van het gillen.

Het telefoontje van het gedrocht kon alleen maar gesprekken ontvangen. Het kon er niet mee om hulp bellen.

'Ik hield van Emma. Ik hield zoveel van haar.' Het gedrocht snikte weer. 'Weet u hoe dat voelt? Zoveel van iemand houden dat je geen adem kunt krijgen? Dat het lijkt alsof je hart elk moment uit elkaar kan barsten?'

En óf ik dat weet, dacht Hale.

'Ik wil mijn moeder zien.'

Hale staarde naar het achtergazon, waar plekken verlept gras boven de smeltende sneeuw uitstaken. In gedachten zag hij een tweejarige Emma – wankel op haar kleine beentjes – achter een bal aan hollen. Ze droeg een schattig roze jurkje. Haar gezichtje straalde.

*Kon ik me nog maar één keer naar je vooroverbuigen en je optillen, Emma. Kon ik je nog maar één keer tegen me aan drukken, je kussen en voor een laatste keer zeggen hoeveel ik van je houd. Kon ik nog maar een keer...*

'Alstublieft, meneer Hale, laat me mijn moeder zien. Alstublieft.'

'Ik stel voor dat je tot God bidt. Hij alleen kan je nu nog helpen.'

Jonathan Hale verbrak de verbinding. Hij haalde de batterij uit het telefoontje, deponeerde die in de afvalbak en gooide het apparaatje in het vuur. Daarna opende hij de balkondeuren om de stank te laten wegtrekken.

# 86

Darby reed net de Mass Pike-tolweg op toen Bill Jordan belde. Ze legde hem uit wat ze nodig had.

'Je treft het,' zei hij. De paniekknop zendt uit. Het gps-signaal komt van ongeveer een halve kilometer ten noorden van Old Post Road nummer 8 in Sherborn.'

Het ten zuiden van Boston gelegen stadje was nog geen halfuur rijden van Weston.

'Meer kan ik je momenteel niet vertellen,' zei Jordan. 'Als ik dichterbij ben, hoef ik het signaal maar te volgen om hem te vinden – of wat er van hem over is.'

'Waar ben je nu?'

'Ik ben al onderweg. Ik verwacht met een minuut of veertig in Sherborn te zijn.'

'Dan zie ik je daar.'

Darby stopte om het adres in te voeren in de navigator van haar auto.

Net als Weston was Sherborn een welvarend voorstadje met deftige villa's en gerenoveerde boerderijen, door kilometers bomen en dichte bossen van elkaar gescheiden om de eigenaars de illusie van privacy te geven.

De Old Post Road, lang en steil, slingerde zich eindeloos tussen velden met smeltende sneeuw door. Darby was na vijftien kilometer rijden twee huizen gepasseerd.

De brievenbus van nummer 8 stond er nog, maar het huis aan het einde van de oprit was gesloopt om plaats te maken voor een nieuw fundament. Op een stuk open terrein, bij een paar grijs verweerde, halfvergane houten paardenstallen, stonden een graafmachine, een shovel en twee kipwagens.

In de warme namiddagzon, luisterend naar het getik van haar afkoelende automotor, staarde Darby met haar hand boven haar ogen naar de bossen in de verte. Volgens Jordan kwam het signaal hier een halve kilometer vandaan, maar welke route had Fletcher genomen?

Walter Smith was te zwaar om te dragen. Had Fletcher hem op de een of andere manier dat bos in gereden? Een gewone auto kon hier niet rijden, niet met al die sneeuw. Maar met een vrachtauto zou het kunnen.

Darby liep naar het open terrein. In de sneeuw tekenden zich bandensporen van een zwaar voertuig af, sporen die terugvoerden naar een graafmachine. De ontsteking was met een draad kortgesloten.

Met haar pistool in haar hand volgde ze, wadend door de kniehoge sneeuw, de sporen het bos in. Door de kale takken boven haar voelde ze de warmte van de zon op haar gezicht en haar.

Na een paar honderd meter kwam ze bij een grote open plek waar recentelijk grond was omgewoeld. Darby keek om zich heen of ze nog andere bandensporen kon ontdekken, maar ze hielden hier op. Ze belde Bill Jordan.

'Volgens mij heb ik de plek gevonden waar Fletcher het lichaam heeft begraven,' zei Darby. Ze vertelde Jordan over de bandensporen en porde met haar laars in de aarde. De grond was los. 'We zullen een schop nodig hebben.'

'Ik ben met een minuut of twintig bij je.'

Uit de grond stak een stukje witte pvc-buis. In het laagstaande zonlicht zag Darby de buis diep in de grond verdwijnen. Ze liet zich op haar hurken zakken en pakte haar zaklantaarn.

Een verminkt oog staarde haar aan.

'Help me,' zei Walter Smith. 'Ik krijg bijna geen adem.'

Darby veerde met een schok overeind, struikelde en viel op de koude grond.

'*Het spijt me!*' Walters hese, doodsbange stem galmde door de buis omhoog vanuit zijn primitieve doodkist. '*Alstublieft, ik wil hier niet sterven!*'

Darby probeerde te gaan staan, maar struikelde opnieuw. Steunend op handen en knieën, snakte ze met een bonkend hart naar adem.

Om te voorkomen dat Walter zou stikken, had Malcolm Fletcher een gat in de doodkist gemaakt en daar een buis aan gemaakt die tot boven de grond uitstak, zodat Walter kon blijven ademhalen tot hij uitgehongerd of krankzinnig zou sterven.

*'Ik heb meneer Hale gezegd dat het me speet! Het spijt me! Het spijt me!'*

Wist Hale dat Walter hier begraven lag? Was hij van plan hierheen te komen en voedsel door de pijp te gooien om zodoende Walters marteling te verlengen?

*Je wilde dat Walter zou lijden,* had Malcolm Fletcher gezegd. *Wanneer je nog eens terugdenkt aan dat ogenblik in de badkamer, dan zul je wensen dat je de trekker had overgehaald.*

In gedachten zag Darby zichzelf de loop van het pistool tegen Walters hoofd drukken. *Maak de buis dicht en laat hem stikken,* zei dezelfde kille, vreemde stem in haar hoofd die toen in de badkamer tegen haar had gesproken.

'*Alsjeblieft!*' schreeuwde Walter. 'Laat me hier niet alleen, het spijt me!'

In gedachten zag Darby de foto van Emma Hales lichaam, liggend op de oever van de Charles River, begraven onder sneeuw, ontdekt door een hond. Ze zag Judith Chen, liggend op de autopsietafel, haar door vissen aangevreten gezicht. Walter Smith had beide vrouwen gedood en hij wilde Hannah Givens ombrengen voordat hij het wapen op zichzelf zou richten.

'Laat me hieruit, alsjeblieft,' snikte Walter. 'Ik ben zo bang. Ik wil hier niet alleen sterven, zonder Maria.'

*Stop de pijp dicht, zodat hij geen lucht meer krijgt. Laat hem lijden.*

Walter Smith verdiende het te lijden. Ze wílde dat hij leed.

*Doe het. Niemand zal het weten.*

Een windvlaag door het bos deed de takken sidderen. Darby kroop terug naar de pijp en keek omlaag.

'Hou vol,' zei ze, haar mobieltje pakkend. 'Er is hulp onderweg.'

# Dankwoord

Dit boek had niet geschreven kunnen worden zonder het inzicht van Susan Flaherty en Kevin Kershark, criminologen; van Randy Moshos van het Boston Medical Examiner's Office; van brandwondenspecialist Meigan Dingle en van Keith Woodbury, die mij door een chemisch mijnenveld heeft geloodst. Ik dank hen voor het geduld waarmee ze al mijn technische vragen hebben beantwoord. Fouten zijn alleen mij toe te rekenen.

Een prettige bijkomstigheid van het schrijverschap is dat het je in staat stelt het metier met sommige van je beste collega's te bespreken. Om die reden zou ik graag de volgende schrijvers willen bedanken: John Connolly, Gregg Hurwitz, Laura 'Mrs. Mooney' Lippman, Mike Connelly, Joe Finder, Tess Gerritsen, George Pelecanos en Jodi Picoult.

Ook dank ik Pam Bernstein en de fantastische Maggie Griffin.

Mocht dit boek u zijn bevallen, dan is dat dankzij mijn redacteur Mari Evans en al haar harde werk; mijn agent Darley Anderson en zijn geweldige staf: Emma White, Madeleine Buston, Camilla Bolton en Zoe King.

Wat u zojuist hebt gelezen is een fictieve roman, wat betekent dat ik het meeste ervan heb verzonnen.